La novia rebelde

books4pocket

Hannah Howell

La novia rebelde

EDICIONES URANO
Argentina - Chile - Colombia - España
Estados Unidos - México - Perú - Uruguay - Venezuela

Título original: *His Bonnie Bride*, previously published as *Amber Flame*
Editor original: Leisure Books, Dorchester Publishing Co., Inc., New York

Traducción: Victoria E. Horrillo Ledesma

Copyright © 1988 by Hannah Howell
All Rights Reserved
© de la traducción, 2010 *by* Victoria E. Horrillo Ledesma
© 2011 *by* Ediciones Urano, S.A.U.
      Aribau, 142, pral. – 08036 Barcelona
      www.titania.org
      www.books4pocket.com

1ª edición en **books4pocket** enero 2016

Impreso por Novoprint, S.A.
Energía 53
Sant Andreu de la Barca (Barcelona)

Fotocomposición: Ediciones Urano, S.A.U.

ISBN: 978-84-15870-81-4
E-ISBN: 978-84-9944-419-2
Depósito legal: B-25.173-2015

Código Bic: FRH
Código Bisac: FIC027050

Impreso en España – *Printed in Spain*

1

Un viento fresco soplaba sobre las almenas de Hagaleah, mordisqueando las faldas de las mujeres que se habían reunido allí para ver partir a los hombres hacia la batalla. Como tantas otras veces en el pasado, cabalgaban al encuentro de los escoceses de los clanes MacBroth y MacLagan, enemigos ancestrales de los Eldon de Hagaleah y de los Foster de Fulaton. El sol naciente se reflejaba en sus armaduras mientras cruzaban los páramos para hacer lo que antes que ellos, desde tiempo inmemorial, habían hecho sus padres y los padres de sus padres.

La esposa de lord Eldon suspiró, llena de envidia, augurando una larga y tediosa espera hasta que los hombres volvieran. Era la segunda esposa de lord Eldon, una joven perteneciente a una destacada familia de Sussex. Lady Mary Eldon era bella, caprichosa y desatenta. Se había criado en las tierras verdes y apacibles del sur, y entendía muy poco del perpetuo estado de guerra de la frontera o del peligro de las incursiones enemigas. Para ella, la batalla era un torneo: un acontecimiento vistoso y emocionante.

—Quiero asistir a la batalla, Hilda. No veo razón para que nos quedemos aquí encerradas.

Hilda miró con pasmo a su señora.

—No podéis, mi señora. Pensad en el peligro.

—Tonterías. Hay una loma bien resguardada desde la que se ve el lugar donde va a celebrarse la batalla.

Dio media vuelta y entró en la torre del homenaje seguida por su pequeño séquito, que intentaba ansiosamente disuadirla para que abandonara aquel plan temerario sin hacerla enfadar. Los ataques de cólera de lady Eldon estaban empezando a convertirse en legendarios. No le gustaba que la contrariaran en modo alguno, como habían comprobado en carne propia numerosos sirvientes del castillo. Y ninguno de los que seguían a la obstinada dama deseaba perder su posición de privilegio.

Para consternación de todos, a la prima de lady Eldon, cuya boda con el heredero de lord Foster era inminente, también le parecía buena idea. En su inconsciencia, las dos jóvenes pretendían convertir la batalla en un almuerzo campestre. Mary ordenó que se preparara comida y hasta dio órdenes a las nodrizas de que llevaran a los niños, seis en total, incluidos los dos que lord Eldon había tenido con su primera esposa. La esperanza de que los pocos hombres que quedaban detuvieran a lady Eldon se desvaneció al instante cuando los sirvientes corrieron a enganchar los carros y a abrir las puertas. Pronto un séquito considerable puso rumbo a la loma desde la que se divisaba el campo de batalla. Sólo las criadas más ancianas y la hija mayor de lord Eldon torcieron el gesto. Los niños y el resto de las mujeres, señora y sirvientas por igual, comenzaron a comportarse como si fueran de excursión a la feria.

El pequeño Robin Foster, un niño de ocho años, robusto y de rizos rubios, tiró de la trenza de Storm y pensó de nuevo que su cabello tenía un color muy extraño, como el de la caléndula, de un rojo anaranjado.

—¿Por qué tenemos que quedarnos aquí? Storm, ¿no podemos sentarnos con las damas?

Storm miró al niño desde la altura que le conferían los

dos años que le llevaba. Sus ojos ambarinos tenían una expresión desdeñosa.

—No. Aquí estamos más seguros. Podemos escondernos entre los matorrales, si hace falta. Es absurdo que mi madrastra haya hecho esto. Deberíamos estar encerrados en el castillo, no retozando al alcance de los escoceses.

—Pero los escoceses van a estar luchando allá abajo, hermana —terció Andrew, su hermano de seis años, cuyos rizos de un rojo brillante agitaba la brisa—. Me gustaría ver a nuestro padre en la batalla.

—Sí, pero también nos verían a nosotros, con este pelo que brilla como un faro. Desde aquí se ve suficiente. —Acalló las protestas de los cinco pequeños con una mirada que los abarcó a todos—. Escuchadme antes de que el estruendo de la batalla ahogue lo que voy a deciros. Si os digo que os mováis, os movéis y vais adonde os indique sin rechistar. ¿Acaso dudáis de que a los escoceses les encantaría capturar a los hijos de su enemigo?

—Nos estás asustando —protestó Matilda Foster, de cuatro años, mientras retorcía nerviosamente su rubia trenza entre las manos.

—Pues mejor. Así correréis más, si es preciso. Vamos, los ejércitos se preparan para enfrentarse.

Al principio, cuando los ejércitos se alinearon el uno frente al otro, fue como un torneo. El resplandor del acero, el ondear de los pendones y el ruido de las armaduras animó al público de la colina. Todo parecía hermoso, incluso sobrecogedor. No podía uno evitar sentirse conmovido ante aquel espectáculo. Pero entonces los gritos de «¡Foster! ¡Foster!», «¡Eldon, Eldon!», «¡MacBroth! ¡MacBroth!» y «¡MacLagan! ¡MacLagan!» resonaron en el aire, la batalla comenzó y las cosas cambiaron con velocidad vertiginosa.

Las armaduras seguían sonando al chocar espada contra espada, pero ahora iban acompañadas de gritos al romperse hendidas por una estocada. El acero fue perdiendo su brillo al cubrirse de sangre y salpicarse con el barro que levantaban hombres y caballos. Las formaciones quedaron olvidadas en la lucha cuerpo a cuerpo; los caballeros se abrían paso a mandobles entre la masa de la infantería y, cuando ello era posible, los heridos eran arrastrados, llevados en volandas o ayudados a llegar a la retaguardia con la esperanza de que vivieran para conocer otra batalla.

Cuando la lucha cundió, desplegándose hacia los flancos, la loma dejó de ser lugar seguro. Quedaba más bien del lado escocés del campo de batalla, y el enemigo iba acercándose poco a poco a los ahora mudos espectadores. Incluso las mujeres más sedientas de sangre comenzaron a flaquear cuando el calor creciente del día intensificó el olor de la contienda y la ligera brisa veraniega les llevó el tufo del sudor y la sangre de los combatientes. Los niños no protestaron cuando Storm comenzó a llevarlos hacia los matorrales.

De pronto, los acontecimientos tomaron un cariz peligroso. Un grupo de combatientes alcanzó el pie de la loma. Un instante después, una banda de caballeros escoceses cabalgaba hacia el promontorio para ayudar a sus hombres. Los Foster y los Eldon retrocedieron bajo el empuje de los escoceses. Las mujeres del castillo, alarmadas ya, se asustaron cuando el grito de un caballero escocés indicó que las habían visto. Chillando, huyeron hacia los carros. Unos pocos escoceses salieron en su persecución, pisoteando las mantas de colores y desperdigando por el suelo los festivos preparativos de la comida. En medio de aquel tumulto, Storm se llevó a los niños a toda prisa. Recordó que había por allí cerca una choza de esquilador y pensó que sería un buen sitio para esconderse, acercando así a los pequeños al enemigo sin darse cuenta.

La choza estaba en muy mal estado, pero servía para ocultarse. Storm reparó en su error al ver las tiendas de los escoceses, pero no había ya vuelta atrás, pues oía acercarse velozmente a los jinetes armados. Metió a los niños a empujones en la casucha sin puerta, se sentó ante ellos y, apretando su cuchillo, se dispuso a defender a los pequeños si les descubrían.

Poco después, los escoceses comenzaron a regresar del campo de batalla pasando junto a la choza, ajenos al tesoro que contenía. Storm empezaba a pensar que no les descubrirían cuando, de pronto, un pequeño grupo de hombres se detuvo ante la choza para que uno de ellos se sentara a descansar. Storm reconoció enseguida al señor de los MacLagan, pues éste tenía una serie de rasgos distintivos; entre ellos, el cabello plateado y una cicatriz que le cruzaba la cara en zigzag, desde la frente a la barbilla. Cuando sus ojos azules, oscurecidos por el dolor, se encontraron con los de Storm, ella sintió que su corazón se detenía. Su mente imaginó un sinfín de aciagos destinos.

—Caramba, mirad lo que tenemos aquí, muchachos —dijo Colin MacLagan con voz ronca—. Mira, Tavis.

El joven se volvió para seguir la mirada de Colin. Sus ojos, del azul del cielo una mañana de verano y tan luminosos como su cara morena, se clavaron en los chiquillos. Cuando la niña de cabello brillante sacó un puñal del bolsillo de las faldas, una sonrisa iluminó su tosco semblante.

—¿Qué piensas hacer con eso, pequeña? —preguntó Tavis con un brillo danzarín en la mirada.

—Ensartaros como a un cerdo si os acercáis —contestó Storm ásperamente, y frunció el ceño cuando los otros parecieron reírse—. Hablo en serio —advirtió al ver que Tavis se acercaba.

—No es necesario que hagas semejante cosa, pequeña. No vamos a haceros daño —dijo él.

Storm entornó los ojos porque aquello contradecía las historias que había oído contar. Pero, a pesar de que iban cubiertos de sangre y de barro, ninguno de aquellos hombres le parecía capaz de asar a un niño y comérselo. Los cinco pequeños que se agarraban a sus faldas, intentando esconderse tras ellas, no estaban tan seguros. A ninguno de ellos le pareció extraño acudir a Storm en busca de protección. No sólo era la mayor, sino que también había sido siempre la más fuerte.

Storm consideró cuidadosamente su siguiente movimiento.

Tavis se acercó a su padre y dijo en voz baja:

—¿Quién creéis que habrá sido el necio que les ha dejado acercarse a la batalla?

—Sabe Dios. Con ese pelo, creo que pueden ser hijos de Eldon. La niña es muy rara.

—Sí. Ojos de gato y ese cabello. Es extraño. Nunca había visto nada parecido. —Sonrió a su padre—. Está tardando en decidir si ensarta a alguno o no. —Se rieron suavemente.

—Quiero vuestra palabra —dijo Storm alzando la voz—. Quiero que me juréis que ni vos ni ninguno de vuestros hombres nos hará daño. Vuestra palabra de honor. —Los observaba atentamente.

—La tienes, muchacha —dijo gravemente el señor de los MacLagan—. Sólo vamos a reteneros para pedir rescate.

—Me parece justo. —Se guardó el cuchillo entre las faldas y miró con el ceño fruncido a los otros niños—. ¿Queréis soltarme las faldas? Tembláis tanto que se me van a caer los dientes.

Dos hombres ayudaron a levantarse al caballero y Tavis miró a Storm y le indicó que se acercara.

Ella empujó a los niños delante de sí y echó a andar junto a Tavis. Cuando llegaron al campamento, los hombres se agitaron visiblemente. Los prisioneros del bando de los Foster y los Eldon a los que los escoceses retenían para pedir rescate comenzaron a lanzar improperios, y sus captores necesitaron unos minutos para calmarlos haciendo gala de escasa delicadeza. Los niños permanecieron junto al señor de los Mac-Lagan y sus hijos, dos más de los cuales se habían sumado a la comitiva. Apenas se habían acomodado delante de una tienda cuando aparecieron unos hombres tirando de Hilda, que, sucia y furiosa, cayó ante ellos y comenzó a abrazarlos y a besarlos mientras lloraba copiosamente.

—Ya basta, Hilda. —Storm escapó de sus garras—. Vas a ahogarnos. ¿Cómo están las otras señoras?

—Se fueron, niña. No conseguí que me ayudaran a buscaros.

—¿Qué hacíais tan cerca de la batalla? —le preguntó Colin a Storm mientras le quitaban la armadura.

—A mi madrastra se le ocurrió contemplar el espectáculo. —Su voz estaba cargada de desdén—. Ella, junto a la prometida del heredero de los Foster y algunas sirvientas nos llevaron a la colina. Iba a ser una comida campestre. Luego, cuando vuestros hombres se acercaron, las muy idiotas huyeron chillando. Parece que sólo Hilda se acordó de los niños.

—¿Y de quién sois hijos? No quisiera equivocarme al pedir vuestro rescate.

—Yo soy Storm Pipere Eldon, mi señor —dijo ella con una reverencia—, la hija mayor de lord Eldon, y éste es Andrew, su heredero. Éstos dos son Robin y Matilda, hijos del primer matrimonio de lord Foster. Los gemelos de pelo castaño son mis primos, Hadden y Haig Verner. Estaban todos en Hagaleah para la boda del primogénito de los Foster, que será dentro de quince días.

—Pardiez —susurró MacLagan—, el futuro de ambas familias de un solo golpe. A esa mujer habría que azotarla hasta dejarla al borde de la muerte. De esto vamos a sacar un buen rescate. —Fijó su atención en su correo, que iría a caballo hasta Hagaleah para llevar la demanda de rescate.

—Hilda, nosotros estamos bien, pero puede que nuestros hombres necesiten tus cuidados —sugirió Storm, y vio con una media sonrisa como Hilda se abría paso hacia los caballeros cautivos, orgullosa de su misión. Luego frunció el ceño al ver cómo estaba curando Iain MacLagan la herida de su padre—. Estáis haciendo una chapuza —le dijo al joven caballero—. Vais a matarlo, en vez de a curarlo.

—¿Ah, sí? ¿Vos podéis hacerlo mejor? —preguntó Tavis con una pizca de sarcasmo, pero sus ojos revelaban el alborozo que le causaba la muchacha—. Os lo ruego, hacednos partícipes de vuestro conocimiento.

—Lo haré, si puedo, pese a vuestro cinismo, señor. —Hizo caso omiso de las risas de los hombres y miró a su alrededor, buscando lo que necesitaba. Al encontrarlo, ordenó a Andrew que se lo acercara.

—No —contestó su hermano tercamente—. No sé por qué tengo que ensuciarme.

Storm contempló con desprecio aquel indicio de rebelión en sus filas y levantó a medias el puño.

—O lo haces o te saco esa nariz chata que tienes por los rizos de detrás de la cabeza.

Andrew obedeció, pero intentó salvar su orgullo refunfuñando una sarta de improperios respecto a los muchos defectos de su hermana. Storm se atareó buscando un cuenco y agua limpia y rasgando limpiamente sus enaguas. Se lavó las manos, lavó la herida y limpió la aguja que iba a usar. Cuando Andrew volvió, preparó su cataplasma, cosió con esmero la herida de Colin tras regarla con whisky, la limpió y la vendó hábilmente, y hasta hizo un cabestrillo para su brazo.

Los MacLagan la miraban con admiración cargada de buen humor. La niña no sólo no se mareó al ver la fea herida, sino que demostraba un talento notable. Mientras trabajaba, hablaba con el caballero escocés, moreno y cubierto de cicatrices, como hablaba una aya con un niño, para regocijo de Colin y de los demás hombres.

Tavis, que había alcanzado hacía poco la edad de diecinueve años, estaba fascinado. Storm Eldon era una niña semejante a un duendecillo, menuda y delgada. Sus manos pequeñas, de largos dedos, poseían una habilidad que superaba con mucho sus años. Su espesa melena escapaba de las trenzas y deslumbraba en contraste con su tez de alabastro. Su cara tenía forma de corazón, y bajo unas cejas castañas y sesgadas, sus ojos grandes, rasgados y ambarinos, rodeados de densas pestañas, parecían llenar todo su rostro, dejando poco espacio para la delicada nariz y la boca carnosa. Tavis no podía siquiera imaginar las muchas cualidades de su naturaleza.

—¿Cuántos años tienes, niña? —preguntó mientras ella se lavaba las manos.

—Cumplí diez el mes pasado. —Entregó a Iain lo que quedaba de la cataplasma y le dijo—: Mantened limpia la herida, cambiad el vendaje tres veces al día y ponedle un poco más de esto hasta que empiece a cerrarse. Dentro de una semana o diez días, poco más o menos, podéis quitar los puntos. Espero que mi padre no esté herido, porque le gusta que le atienda yo. Los demás lo agobian demasiado.

—No hay indicios de que lo esté —dijo Sholto MacLagan, el menor de los tres hijos de Colin.

Les llevaron algo de comer, porque existía el convencimiento de que los Eldon y los Foster tardarían algún tiempo en reunir el rescate. Los seis niños comieron en silencio, sin darse cuenta de que los MacLagan hablaban de ellos. Hilda miraba a los pequeños de vez en cuando, pero los prisioneros necesitaban sus cuidados más que ellos.

—¿Creéis que la chiquilla os ha envenenado? —bromeó Sholto al ver que su señor se tocaba el vendaje.

—No. Estaba pensando que lo ha hecho muy bien. Nunca he visto puntos tan bien dados. Esa niña tiene un don. He visto muchas chiquillas en mi vida, pero ninguna como ella.

—Sí —dijo Tavis—. Yo estaba pensando lo mismo. Cuesta creer que sea inglesa.

Colin sonrió.

—Sí. Tiene mucho carácter. ¡Ensartarte como a un cerdo! —Se rió, pero se detuvo de pronto y fijó la mirada en los niños—. Oh, oh. Hay problemas entre la soldadesca.

Robin Foster se sentía herido en su orgullo. Recordarle que se había escondido tras las faldas de Storm al verse frente al enemigo era un asunto delicado. Y ahora le escocía que ésta les diera órdenes a todos, porque estaba convencido de que aquella posición le correspondía a él. Ella le dijo que cogiera el plato de su hermana y aquello fue la gota que colmó el vaso. Robin se levantó de un salto, tiró su plato al suelo y la miró con enfado.

—No pienso hacerlo. No tengo por qué aceptar órdenes tuyas. Es una afrenta.

Storm percibió el insulto que se escondía detrás de sus palabras y se levantó muy despacio.

—¿Cómo es eso, joven Robin?

—Yo estoy destinado a ser un par inglés y no acepto órdenes de una bastarda medio irlandesa.

—No soy una bastarda y lo sabes muy bien. Mi padre se casó con mi madre antes de que yo naciera.

—Minutos antes —bufó Robin—. Todos hemos oído esa historia. Pues bien, Robin Foster no acepta órdenes de la hija de una ramera irlandesa —gritó, y sus palabras resonaron en el campamento, que había enmudecido repentinamente.

Apenas había acabado de hablar cuando Storm le tiró al suelo de un puñetazo. Se abalanzó sobre él y empezó a golpearle de veras, como un muchacho, sin que las faldas le estorbaran. Estaban igualados. Los hombres se acercaron a mirar y Hilda no pudo detener la pelea. Matilda los miraba en silencio, pero el hermano y los primos de Storm la animaban a voz en cuello. Hasta los cautivos eligieron bando.

—Conque de sangre irlandesa, ¿eh? —dijo Colin mientras miraba pelearse a los niños—. Eso lo explica todo. Me pregunto de dónde sacó su señoría una muchacha irlandesa.

—La chica va ganando. Esto va a herir el orgullo de ese muchacho, no hay duda —dijo Tavis riendo.

Storm sujetaba Robin contra el suelo.

—¿Te rindes? —preguntó con un puño suspendido junto a su cara.

Robin vaciló un momento, pero su cuerpo ya había recibido suficiente vapuleo de puños diminutos.

—Sí, sí. Me rindo. Me rindo.

—Ahora retira lo que has dicho de mi madre.

—Lo retiro. ¿Vas a soltarme? —gimió él, convencido de que tenía rota la nariz, además de otras cosas.

Tavis apartó a la niña de su enemigo derrotado y Hilda corrió a ayudar a Robin.

—Niña, niña —se lamentaba—, no está bien que andes peleándote por ahí como un mozo de cuadras.

—Ha dicho que mi madre era... una de ésas —replicó ella, defendiendo su arrebato de zafiedad.

—Y está muy mal que lo haya hecho, no hay duda, pero no está bien que respondas a su insulto con los puños. No es propio de una dama.

—No —resopló Storm—, lo propio de una dama es poner una pizca de veneno en la comida. Mucho más refinado. —Intentó desasirse de Tavis, pero él ignoró sus forcejeos y la sentó junto a Colin.

—Mi madre no era una furcia —refunfuñó cuando Tavis comenzó a limpiarla, buscando heridas más graves que un arañazo o un moratón—. Y yo no soy una bastarda. No podía dejar que dijera esas mentiras y se saliera con la suya.

Una sola mirada a su rostro angustiado y suplicante convenció a Tavis de que le lanzaban a menudo aquel insulto.

—Si tus padres se casaron antes de que nacieras, no eres una bastarda, ni tu madre era una ramera. —Sabía que era una afirmación demasiado general, pero no podía explicarle que el matrimonio no siempre impedía que una mujer fuera una furcia—. Parece que te has librado por los pelos de acabar con un ojo morado.

Ella se encogió de hombros.

—No sería la primera vez, ni la segunda. Tardaron en casarse porque mi padre estaba fuera, guerreando, pero se casaron antes de que yo viera la luz del día. Mi madre era una dama muy bella.

—Estoy seguro de ello —murmuró Tavis mientras seguía lavándole la cara.

Con esa aguda sensibilidad que tienen a menudo los niños, Storm comprendió que sus murmullos sólo intentaban tranquilizarla.

—No sé qué tiene que ver el hecho de que fuera irlandesa —dijo.

Tavis se detuvo un momento, vio su mirada danzarina y comenzó a recelar.

—Desde luego.

—A fin de cuentas —continuó ella, mirándole con inocencia, salvo por el destello de sus extraños ojos—, podría haber sido escocesa. —Contestó a la mirada de disgusto de Tavis con una carcajada tan ligera, tan despreocupada y grata al oído que más de uno sonrió al escucharla.

Tavis deshizo lo que quedaba de sus trenzas para quitarle las hojas y las ramitas que habían quedado prendidas a su pelo, y sonrió.

—Eres un diablillo. Deberían haberte azotado tres veces al día.

—Eso es lo que dice mi padre, pero nunca lo hace. —Le miró mientras él le pasaba los dedos por el pelo, limpiándolo, y empezaba a trenzárselo hábilmente—. Os dais buena maña para esto. ¿Tenéis esposa? —Tavis negó con la cabeza, y ella miró a Colin con una sonrisa—. Le gusta retozar, ¿eh?

—Estate quieta. —Tavis le tiró suavemente del pelo mientras su familia se reía—. ¿Por qué te pusieron Storm?

—Hubo tormenta la noche que nací. Esperaban que fuera un varón, así que no habían elegido nombre de niña. Y como nací el día del solsticio de verano, en plena tormenta, entre rayos, truenos y aguaceros, mi madre pensó que mi carácter, y que incluso mi vida, serían tormentosos, y le pareció que el nombre me venía como anillo al dedo. Me temo que le he dado la razón demasiado a menudo. —Miró su vestido sucio y rasgado y suspiró—. Cualquiera que me vea se dará cuenta de que me he peleado. Papá se enfadará conmigo.

—Creo que tu padre no se fijará en nada, excepto en si sus retoños están sanos y salvos —predijo Tavis.

2

El salón principal de Hagaleah era un hervidero cuando los grandes señores de las casas de Eldon y Foster se congregaron, más o menos maltrechos. Los escuderos se ocupaban de las armaduras y los hombres cansados se relajaban, cubiertos sólo con calzas y camisa. La conversación se centraba en lo acaecido en la batalla.

—Déjame —le espeto lord Eldon a la joven criada que había empezado a curar sus heridas—. Buscad a mi hija. Storm tiene el don que me hace falta. ¿Y dónde diablos se ha metido mi mujer? Ve a buscarla. —Cuando la muchacha corrió a hacer lo que le ordenaba, lord Eldon fijó sus ojos castaños en lord Foster—. ¿Han apresado a muchos de los nuestros? Sería mala cosa tener que pagar un rescate importante con los tiempos que corren.

—No a muchos, y sólo a unos cuantos de posición elevada. —Lord Foster se pasó una mano sucia por el pelo rubio—. Puede que hayamos perdido la batalla, Eldon, pero no hemos perdido tantos hombres como me temía —dijo con desgana, y siguieron hablando, intentando recordar quién había caído ese día.

—¿Qué significa que la señora no puede venir? —vociferó lord Eldon cuando la criada volvió sola—. ¿Dónde está mi hija? ¿Y Robin? Siempre viene corriendo a recibirme cuando vuelvo.

—No los encuentro, mi señor. Las señoras están en cama, muy pálidas. Y también sus doncellas. Tampoco encuentro a

Hilda, ni a ninguna otra muchacha. No estaban donde suelen estar.

—Haz bajar a la señora y a la prometida de lord Foster aunque tengas que traerlas a rastras, muchacha. Caramba —bufó lord Eldon, y vio alejarse corriendo a la chica antes de volverse hacia lord Foster—, esto no me gusta. Ni pizca.

Le gustó aún menos cuando llegaron las damas. Parecían enfermas y aterrorizadas. Sus criadas se apiñaban junto a ellas como si las condujeran al patíbulo. Lord Eldon cambió una mirada con lord Foster y ambos empezaron a tensarse, sobre todo cuando las mujeres comenzaron a llorar lastimosamente.

—¿Dónde están los niños? —preguntó lord Eldon con una voz que hizo callar a todo el mundo—. Dejad ya de maullar y contestadme.

—No lo sabemos —gimió Mary, y se encogió al ver que su marido se levantaba de un salto.

—¿Cuándo fue la última vez que los visteis? —bramó lord Foster, acercándose a las mujeres.

—Fue en la loma, cerca de la batalla. —La expresión sombría que iba apoderándose de los sucios semblantes de los hombres acobardó a Mary, que empezó a balbucir—. Sólo queríamos ver la batalla. Todo iba bien hasta que de pronto aparecieron escoceses por todas partes. Corrimos para salvar la vida, pero, una vez a salvo, vimos que Hilda y los niños habían desaparecido. —Sus palabras acabaron en un grito cuando su marido le propinó una bofetada que le echó la cabeza hacia atrás y la lanzó contra las otras mujeres—. No pudimos hacer nada —gimió, escondiéndose tras las otras.

—¡Santa Madre de Dios! ¿No pudisteis hacer nada? —vociferó él—. Vuestra inconsciencia ha dejado a nuestros herederos en manos del enemigo. Y a los de mi cuñado también. Si no matan a los niños, el rescate que pedirán por ellos podría dejarnos en la ruina. Pero en cambio conseguisteis salvar vuestro lindo cuello, ¿verdad?

—Ocurrió todo tan deprisa... —Intentando apaciguarle, Mary se acercó y dijo en voz baja—: Lo siento mucho, pero podéis tener otros hijos. Yo puedo dároslos.

Él la agarró del pelo y siseó:

—Descuidad, mujer, que me los daréis. Aún no me repugna la idea de dejaros preñada. —La apartó de sí con un juramento—. Creedme, si mis hijos vuelven, ni ellos ni los que pueda tener estarán bajo vuestro cuidado. Yo elegiré a quien cuide de ellos, y esa persona sólo responderá ante mí.

Lord Foster luchaba por salir de su estupor.

—¿Estáis segura de que Hilda está con ellos? —Eso creemos, mi señor —contestó una de las doncellas—. Mistress Storm estaba con los pequeños cerca de los arbustos, y desaparecieron en cuanto esos paganos aparecieron en la loma. Hilda nos acompañaba, pero cuando vio que los niños no estaban se puso como loca. Saltó de la carreta en marcha y desapareció. —La muchacha comenzó a llorar en silencio—. Pareció que corría derecha al enemigo, señor.

—¡Fuera de aquí! —bramó lord Eldon, y las señoras se escabulleron a sus aposentos—. Dios mío —gruñó al sentarse—, ¿cómo pude casarme con semejante mujer? Si no fuera tan corta de entendederas, pensaría que quizá lo ha hecho a propósito para librarse de obstáculos y conseguir que los hijos que pueda tener con ella hereden mis dominios. Espero que a la pobre Hilda no le haya pasado nada.

Lord Foster asintió con la cabeza y se sentó junto a él.

—Si Storm y ella están con los niños, no estarán muy asustados. —Una sonrisa asomó de pronto a su cara—. Me pregunto qué les habrá parecido Storm a los escoceses.

Una risa débil pero sincera brotó de lord Eldon.

—Santo cielo, sin duda les habrá explicado con todo detalle cómo piensa alterarles la anatomía. —La tristeza inundó fugazmente sus ojos—. Se parece tanto a su madre... Es una suerte que sea todavía una niña y no una mujer hecha y derecha.

Lord Foster se estremeció al pensar en Storm como una mujer adulta, consciente de lo que habrían hecho con ella los escoceses.

—Dios mío, tenéis razón. Cualquiera puede ver que esa niña va a ser una auténtica belleza.

—Ojalá no les hagan daño. Me avergüenza parecer más preocupado por Storm que por los demás, pero no hay duda de que es para mí la más querida. Puede que sea por su nacimiento, porque estuve presente y ayudé a traerla al mundo. Y también por ese temperamento suyo, por su don para sanar, por cómo va siempre directa al grano, por ser tan madura unas veces y tan deliciosamente infantil otras.

—Lo sé. No os sentáis culpable, amigo mío. Todos la queremos. Hasta yo, y eso que se empeña en avergonzarme zurrando a Robin. —Dirigió una tenue sonrisa a lord Eldon—. Hemos de decidir cómo afrontar las demandas de rescate que sin duda llegarán muy pronto.

Estaban enfrascados en esa tarea cuando llegó el correo de MacLagan. Ambos rechinaron los dientes al entrar el escocés. Les costó no correr hacia él para preguntarle qué suerte habían corrido los niños.

—¿Los niños están bien? —preguntó lord Eldon antes de que el hombre comenzara a hablar.

—Sí, mi señor, y también el aya, aunque no hacía falta que nos atosigara exigiendo que la lleváramos con los niños. Esa niña con el pelo tan raro se estaba encargando de todo. Las demandas...

—Sí, sí. Decidnos qué se nos exige. —Lord Foster frunció el ceño mientras el mensajero enumeraba lo que se les pedía a cambio del regreso de los cautivos sanos y salvos; aunque las exigencias no eran tan elevadas como temían, se le hacían cuesta arriba—. Decidle al MacLagan que así se hará. Mañana, una hora después del alba, le entregaremos lo que nos pide.

—Nuestras arcas van a quedar muy maltrechas después de mañana —suspiró lord Eldon cuando el mensajero se hubo ido.

—De momento podemos exigir que nuestros deudores nos devuelvan lo que nos deben, Eldon, y recuperarnos fácilmente. Si no bastara con eso, siempre podríamos pedir una contribución a nuestros parientes, porque nosotros les hemos ayudado muchas veces.

Esa noche se descansó poco en Hagaleah. A la luz de las antorchas y la luna llena, se reunió el rescate. La historia de cómo las señoras del sur habían dejado a los niños de ambos castillos en manos de sus enemigos ancestrales se extendió hasta llegar a oídos del más mísero campesino. Hasta los aldeanos, a los que a menudo defendían los hombres de ambas casas, contribuyeron al rescate. No hablaron de cómo les afectaría ese invierno la pérdida de tantos bienes, si no se reemplazaban. Con sólo ver sus caras, comprendieron que sus señores ya tenían suficientes preocupaciones por el momento.

Algunos caballeros propusieron intentar rescatar a los niños por la fuerza, pero la idea no prosperó. El pago de rescate era costumbre y, una vez acordado, habrían faltado a su honor de no entregarlo pacíficamente. Estaba también el miedo a que los niños resultaran heridos. A todos les repugnaba tener que entregar tantos bienes a sus enemigos, pero no quedaba más remedio.

La luz grisácea del amanecer halló a lord Eldon, lord Foster y un grupo selecto de caballeros de camino al campamento enemigo, bajo una bandera de tregua. Más de uno los vio marchar sombríamente, llevándose un buen pellizco de sus haberes. Aunque el hambre no se cernía aún en el horizonte, el invierno podía hacerse muy duro. Y más amargo aún era pensar que sus enemigos lo pasarían cómodamente.

—Ya vienen. Y parece que traen todo lo que pedimos. —Sholto sonrió.

Colin le devolvió la sonrisa.

—Sal con Iain y con unos pocos hombres y empezad a hacer el recuento. Los señores pueden entrar y quedarse con sus hijos, si lo desean.

Storm puso unos ojos como platos al ver lo que llevaba su padre, y miró a Tavis, que hacía las veces de guardián.

—Esto podría suponer un invierno muy duro para nuestra gente. Habéis pedido mucho.

Él le tiró de una de las trenzas.

—Piensa en lo que tenemos en nuestro poder, muchacha. Podríamos habernos quedado con todo.

Ella asintió con la cabeza.

—Lo justo sería que fueran a pedir el rescate a los señoríos de sus mujeres.

Hubo cierto revuelo cuando lord Eldon y lord Foster se reunieron con sus hijos. Lord Eldon se tambaleó ligeramente cuando sus dos pequeños, además de sus dos sobrinos, se lanzaron en sus brazos. Cuando las cosas se calmaron un poco, ambos repararon en el estado de sus hijos mayores.

—Veo que ahora os ha dado por maltratar a niños, MacLagan —bufó lord Eldon con desdén, y la tensión aumentó de inmediato en el campamento.

—¡No, no, papá! —exclamó Storm, agarrando a su padre,

que había echado mano de la espada—. Hemos sido Robin y yo. De verdad. Estos señores han sido muy amables. Te doy mi palabra.

—¿Por qué os habéis peleado esta vez? —preguntó Eldon con cansina paciencia.

Consciente de que no podía decir la verdad, Storm puso las manos a la espalda y cruzó los dedos.

—Robin me dijo que era una arpía con la lengua muy afilada y muy malas pulgas y que acabaría siendo una solterona amargada porque ningún hombre querría tomarme por esposa. Así que nos peleamos y quedamos empatados.

Lord Eldon tuvo la impresión de que mentía: su expresión era demasiado angelical. Entornó los ojos, pero antes de que dijera nada lord Foster añadió:

—¿Empatados, dices, Storm?

—Sí, mi señor. —Confiaba en que las caras de perplejidad de quienes la habían oído mentir no la delataran.

—Es extraño, porque Robin parece estar peor que tú, ¿no?

—En absoluto, mi señor. Como es un caballero, se contuvo porque le pareció que no podía pegarme tan fuerte ni tanto como yo a él. Y yo me aproveché de ello.

—Ah, sí, claro, no me acordaba. Eso fue lo que pasó la última vez que quedasteis empatados. —A lord Foster no le hizo falta ver que todo el mundo miraba para otro lado y tosía, como si de pronto se hubiera desatado una epidemia, para comprender que la pequeña le estaba engañando.

—Quisiera hablar contigo, Storm. Disculpadnos, Foster. —Lord Eldon llevó a su hija mayor donde no pudieran oírlos, aceptó el taburete que le ofrecía Sholto MacLagan y luego miró a Storm, parada tranquilamente delante de él—. Creo que debo hablar contigo, ahora que el asunto está fresco y que tenemos tiempo mientras cuentan el rescate. Tienes que dejar de pelearte, Storm. Está fuera de lugar. Las señoras no recurren a los puños. Piensa en cuántos enemigos puedes granjearte. A ningún chico le gusta que le pegue una niña. Podrían guardarte rencor, recordar durante mucho esa humillación. Quiero que me des tu palabra de que esto se va a acabar. Prométemelo, Storm.

—Me temo que no puedo dártela, papá —dijo ella en voz baja—. Mi genio me obligaría a romperla y eso me apenaría tanto como enojarte. Te prometo intentar no meterme en más peleas, intentar controlar mi temperamento. —Le besó en la mejilla—. ¿Te parece bien, papá?

Intentando hacer caso omiso de las sonrisas de los MacLagan que andaban por allí cerca, lord Eldon dijo:

—Supongo que sí. Eres una pilluela. Debería haberte zurrado mucho más a menudo.

Storm sonrió.

—Lo sé, papá. Ese hombre dijo lo mismo. ¿Sabes que me hizo las trenzas tan bien como Hilda? Y no está casado. ¿Dónde crees que habrá aprendido?

Lord Eldon sonrió y le tiró de las trenzas.

—Muchachita impertinente. —Se irguió y la tomó de la mano—. Ven, vamos a sentarnos con los otros y a rezar por que Hilda deje de llorar de una vez.

Storm miró a Iain.

—Aún no le habéis cambiado el vendaje —dijo en tono de reproche.

Al ver que lord Eldon y Storm se reunían con los demás, Sholto comentó en voz alta:

—No me gusta ver a ese hombre cuando no estamos combatiendo. Sufriría si le atravesara con mi espada, porque ahora conozco a quienes llorarían su muerte si pereciera en el campo de batalla.

—Pero eso no te detendría, ¿verdad, muchacho? —Colin entendía muy bien los sentimientos de su hijo.

—No, pero sentiría dejar a esa niña sin su padre. —Sholto hizo amago de alejarse—. Voy a ver cómo va el recuento. Hemos dejado a Robbie al frente.

El recuento concluyó poco después y los ingleses se prepararon para partir. Lord Foster montó a su hija delante de él y a su hijo detrás. Hilda fue conducida a una carreta, junto con los heridos. Lord Eldon colocó a sus sobrinos con dos de sus guardias antes de montar a su hijo en su caballo. Luego montó y ayudó a Storm a subir tras él, cosa que ella hizo con destreza.

—Me cuesta —dijo lord Eldon dirigiéndose a los Mac-Lagan—, pero os doy las gracias por no haber hecho daño a los niños.

—Nosotros no hacemos la guerra a los niños, mi señor. —Colin sonrió de pronto—. Y además la muchacha estaba empeñada en trinchar a mi primogénito si no le daba mi palabra de que no les pasaría nada.

Lord Eldon soltó un gruñido y extendió la mano, en la que Storm depositó obedientemente su cuchillo.

—Storm, deberías haber sido un niño. —Se guardó el cuchillo.

—Te lo he dicho muchas veces, papá —dijo ella con una sonrisa desprovista de arrepentimiento, mientras se ponían en marcha—. Buenos días a todos —les dijo alegremente a sus antiguos captores.

—Niña, no debes ser tan amable con el enemigo —la reprendió su padre con buen ánimo.

—Ah. Entonces supongo que no debería haber curado las heridas del caballero.

—¿Qué? —exclamó su padre, pero ella se echó a reír y

guiñó un ojo a los MacLagan. Al ver que Tavis le devolvía el guiño, sonrió.

Pese a lo abultado del rescate, que todos en el señorío y sus alrededores lamentaban, hubo gran alegría cuando los niños volvieron. Las casas de Foster y Eldon siempre se habían portado bien con sus siervos, por los que velaban como muy pocos señores. Fue un alivio para todos que la continuidad de los linajes quedara de nuevo asegurada. Seguirían llevando tan buena vida como cabía esperar en aquellos tiempos revueltos. Todo Hagaleah prorrumpió en vítores cuando llegó la comitiva.

Sólo hubo dos personas que no se alegraron. Mary Eldon contempló el regreso de su esposo con el rostro demudado, y la prometida de lord Foster, que se había dormido llorando por miedo a que sus esponsales corrieran peligro, no se despertó. Tras disiparse la impresión por lo que había hecho, Mary comenzó a sentirse maltratada. Pensó que su marido no la comprendía, que la juzgaba con excesiva dureza, porque, a fin de cuentas, había nacido y se había criado en Sussex y no entendía el modo de vida de la frontera. Y ahora, en lugar de permitirle aprender de su error, la castigaría para siempre, y su posición en Hagaleah se vería muy mermada.

Pensó fugazmente en ablandar a su marido con zalamerías, pero enseguida desestimó la idea. Antes incluso de casarse había adivinado que los hijos que lord Eldon había tenido con su primera esposa, una irlandesa de poca monta, eran tan importantes para él como la sangre que corría por sus venas. Al ponerlos en peligro, ella había perdido el escaso hueco que había conseguido abrirse en sus afectos. Ahora, él la trataría como a poco más que una yegua, como un recipiente para tener más hijos que aseguraran su descendencia, que garantizaran que el señorío pasaría a los de su propia sangre. Y ella ni siquiera podría recuperar su posición a través de sus vástagos, porque indudablemente Eldon los mantendría apartados de ella, tal y como había jurado.

Fijó la mirada en la luminosa cabeza de la persona a la que consideraba origen de todas sus cuitas, la que le había dado problemas desde el principio. Los celos se apoderaron de ella cuando pensó en la influencia que ejercía Storm sobre el señor de Hagaleah. La amargura que sentía por el fracaso de sus planes para ser la gran señora de un señorío tan poderoso se dirigió contra la pequeña. La lógica y la razón tenían poco que ver con sus pensamientos cuando juró que algún día Storm pagaría por su desgracia.

Storm se tendió en su cama, ajena a la inquina dirigida contra ella. Se sentía contenta: estaba de nuevo en casa, su padre había sobrevivido a la batalla, Hilda era otra vez su aya y ella había corrido una aventura. Como le importaba muy poco su madrastra, no había notado su ausencia en los festejos. No sentía animosidad hacia ella, pero había sabido desde el principio que nunca serían amigas. Así pues, se esforzaba por cruzarse lo menos posible con ella.

—¿Hilda? —dijo suavemente antes de que el aya abandonara la habitación.

—¿Qué, niña? —Hilda se acercó a la cama. Tenía una mirada de afecto sincero.

—¿Por qué estamos en guerra con los escoceses?

—Bueno, creo que es por las tierras, principalmente. Ellos creen que son suyas y nosotros que son nuestras. Pero llevamos tanto tiempo luchando y robándonos los unos a los otros que no creo que nadie sepa ya por qué empezó todo. ¿Por qué lo preguntas, hija?

—No parecían muy distintos a nosotros, así que no estaba segura de por qué éramos enemigos.

—Los hombres siempre tienen enemigos. Estarían perdidos si no tuvieran con quién luchar. Es ley de vida.

—Pero ¿por qué nos cuentan tantas mentiras sobre ellos? Porque son mentiras, ¿verdad, Hilda?

—La mayoría, sí. Matan, roban y violan, pero también lo hacen los nuestros. Creo que son un poco más bárbaros que nosotros, pero un soldado, sea escocés, inglés, francés o de cualquier otra nación, siempre es un soldado. Ponle una espada en la mano y más vale que las mujeres y los niños se escondan. —Se sentó en la cama—. Creo que es la sangre y la guerra lo que los transforma, lo que convierte a los hombres que conocemos en bestias que sólo piensan en matar, en prender fuego a las casas y violar a las mujeres. Conoces a un hombre que es todo sonrisas y cortesía, un verdadero caballero, y al día siguiente, en la batalla, con la espada en la mano, su amabilidad se desvanece y es capaz de matar a otro con el que hacía poco tiempo bebía, porque de pronto son enemigos, o coger a una dama cuya mano besaba galantemente unas noches antes y tratarla como si fuera una tabernera. Es un misterio, me temo.

—Entonces, si hubiera sido mayor, ese hombre que me hizo las trenzas, no habría sido tan amable conmigo. Podría haberme deshonrado.

—Sí, muchacha, no me cabe duda de que lo habría hecho, aunque sólo fuera por dañar a tu padre.

—En fin. —Storm bostezó y sus ojos se cerraron—. No volveré a verlos, estoy segura de ello.

Hilda se levantó y contempló a la niña dormida.

—Espero que no, niña. Espero que no.

En cuanto los ingleses se marcharon, los escoceses pusieron rumbo a casa. Colin MacLagan iba en una carreta bien forrada de cojines para proteger su herida y sus hijos cabalgaban a su lado y detrás de él. La incursión había sido fructífera, mucho más de lo que Colin esperaba, y estaba contento. Fijó la mirada en Tavis, que iba pensativo.

—La batalla ha sido buena. Perdimos pocos hombres y llevamos muchas ganancias que mostrar. No recuerdo ninguna tan provechosa.

—Ni yo, padre. El botín que hemos conseguido hará un poco más fácil el recibimiento.

—Entonces ¿por qué estás tan pensativo, muchacho? ¿Estás pensando en una muchacha, quizá? —sonrió Colin.

Una sonrisa asomó lentamente al hermoso rostro de Tavis.

—Sí, podría decirse así. En una muchacha y en una visita que me he jurado hacer dentro de seis u ocho años.

3

La primavera apenas había empezado, pero la noche era templada. La luna llena plateaba las yemas de los árboles. La luz suave se esforzaba por trazar la silueta de un grupo de hombres que se movía a hurtadillas, en compañía de unas cuantas bestias. Sólo el ojo más fino podría haberlos divisado entre las sombras de los árboles, y era tal el sigilo con el que perpetraban su robo que sólo el oído más sensible habría captado algún ruido. De pronto, el que iba en cabeza levantó la mano enguantada. Todo movimiento cesó y otros dos hombres se acercaron a él.

—¿Qué sucede, Tavis? ¿Por qué nos detenemos? —preguntó Robbie, el fornido maestro de armas, pero entonces llegó a sus oídos un ruido de cascos de caballos y echó mano de la espada—. ¿Nos han descubierto?

—No. Tranquilo. Sólo nos hemos tropezado con una cita clandestina. —La sonrisa de Tavis brilló un instante—. Llévate a los hombres, Angus —dijo dirigiéndose a un sujeto corpulento—. Robbie, tú, Jamie, Iain y Donal quedaos conmigo. Esperadnos junto a los caballos, Angus. No creo que tardemos mucho, pero esto me interesa.

Mientras los demás se alejaban, Iain susurró:

—¿Por qué nos arriesgamos? Deja en paz a esos amantes y vámonos. La incursión ha sido una obra maestra. Esa pareja nos importa muy poco. —Iain no entendía la actitud de su hermano.

—Sí nos importa, si la muchacha tiene el pelo de un color que sólo he visto una vez, hace siete años —contestó Tavis en voz baja mientras se acercaba al claro en el que iban a reunirse los enamorados, con Iain a su lado.

Aunque era muy consciente de que aquello era una locura, Storm se acercó al riachuelo que corría serpenando por las tierras de su padre. Necesitaba aquella paz, aquella soledad, y no podía conseguirla ni por un instante entre los muros de Hagaleah. La vida se había vuelto un calvario. Necesitaba tiempo para pensar.

—¡Ay, papá! ¿Dónde estáis Andrew y tú? Os necesitamos tanto en casa... —se lamentó suavemente mientras arrojaba piedrecitas al río—. Esa zorra de Sussex está empeñada en conducirnos a la ruina.

Se sentó, sin importarle que la hierba le manchara el vestido. Desde que Andrew y su padre se habían ido a luchar contra los franceses, dejando Hagaleah en manos de su mayordomo, las cosas iban de mal en peor. El mayordomo hacía todo lo que le pedía su amante, la madrastra de Storm, quien ni siquiera podía recurrir a los Foster, porque estaban también en Francia. Sólo podía contemplar, impotente, cómo aquella mujer derrochaba riquezas, se enemistaba con viejos amigos y maltrataba a los campesinos.

Una de las pocas cosas en las que había logrado parar los pies a lady Mary era la cuestión de su primo, Phelan O'Conner, que había llegado de Irlanda apenas dos semanas antes de que su padre se marchara. Por obra de algún milagro, el escuálido muchacho de nueve años había logrado llegar solo desde Irlanda. Una nota escrita por la madre de Storm antes de su boda, que concedía a un O'Conner el derecho a pedir ayuda a sus parientes ingleses, le había dado la oportunidad de dejar atrás la pobreza y el hambre. Ahora estaba aprendiendo cosas que le serían útiles cuando fuera un hombre y, gracias a su terquedad y sus artimañas, Storm había conseguido que el chico se quedara en Hagaleah tras la marcha de su padre, cuando las cosas comenzaron a torcerse. El solo hecho de ser irlandés le había granjeado la antipatía de lady Mary.

Al oír que un caballo se acercaba, le dio un vuelco el corazón. Pero cuando reconoció al jinete su miedo se tornó en rabia. Su madrastra estaba decidida a casarla con sir Hugh Sedgeway. Éste no era mal parecido: de mediana estatura, tenía el cabello rubio y los ojos castaños, pero su carácter horrorizaba a Storm. Era grosero, violento y lujurioso: todo cuanto le desagradaba. No tenía intención de convertirse en su esposa y pasarse la vida rodeada de bastardos, o viéndole correr detrás de todo aquello que llevara faldas. Y lo que era más importante aún: no quería tener nada que ver con uno de los amantes de su madrastra, con uno de los hombres que la acompañaban en sus cada vez más frecuentes orgías. Tensa y lista para saltar, se levantó cautelosamente mientras le veía atar su montura y acercarse a ella.

—Sois muy imprudente, Storm. Por suerte os he visto marchar y os he seguido.

—¿Sí? —Dio un paso atrás al ver que se acercaba—. Quería estar sola un rato.

—Ah, sí, este sitio es muy bonito. —Alargó el brazo, pero Storm le esquivó hábilmente—. Vamos, pequeña, no deberíais desconfiar de vuestro futuro esposo.

—Os engañáis, sir Hugh. Yo nunca seré vuestra esposa.

—Así pues, no es una cita amorosa —murmuró Iain mientras recorría con la mirada el cuerpo menudo pero esbelto de Storm—. Sigue siendo muy bonita. ¿Qué estás planeando, Tavis? —No estoy seguro. —Su mirada se deslizó lentamente desde el hermoso cabello peinado en un rodete de trenzas hasta su cuerpo delgado, fijándose en sus pechos grandes, en su estrecha cintura, en sus caderas suavemente redondeadas—. Ha crecido bien, sí.

Sir Hugh sacudió la cabeza. Sus ojos marrones brillaron, llenos de enojo, al ver que la muchacha seguía contrariándole.

—¿Por qué os resistís tanto, muchacha? Vamos a casarnos. —Se lanzó de pronto hacia ella y la agarró con fuerza de los brazos—. Dejad ya de luchar, pequeña. Me propongo enseñaros las delicias del matrimonio. —Se rió estentóreamente, pero Storm le propinó un rodillazo en la entrepierna, y su risa cesó de pronto—. ¡Zorra!

—Robbie, Donald y tú id por detrás del dolorido caballero. Jaime, tú quédate aquí. Iain y yo iremos por detrás de mistress Eldon. Con el río como aliado, los atraparemos a los dos.

Libre de sus garras, Storm miró sin compasión a sir Hugh, que se había doblado sobre sí mismo.

—¿Las delicias, decís? Por mí podéis ahorrároslo. De mí no obtendréis ningún placer, sir Hugh, ni ahora ni nunca, así que os sugiero que regreséis a casa. Los dos sabemos que mi padre jamás consentiría esa boda. Y no vais a deshonrarme para conseguirlo.

—Sois una zorra con la sangre muy fría, Storm Eldon —bufó él—. Os bastáis sola para helar a un hombre.

—No como mi querida madrastra, ¿verdad, sir Hugh? —repuso ella con desprecio.

—No sé de qué estáis hablando —dijo él con exagerada perplejidad.

Storm se rió desdeñosamente.

—¿Creéis que no os he visto escabulliros a rincones oscuros para manosearos como animales en celo? Juraría que a nuestro querido mayordomo le interesaría saber que visitáis la alcoba de lady Mary por las mañanas. Dios mío, seguro que su lado del colchón aún está caliente cuando llegáis vos.

—No hacemos nada malo —bramó él, y se maldijo para sus adentros por que le hubieran descubierto.

—¿No? ¿Jugáis al *backgammon*, pues? No sabía que fuera un juego tan físico. Todos esos jadeos, esos gemidos y esos grititos... Son por las tiradas de dados, imagino.

Iain observaba la escena, divertido, mientras Tavis se tapaba la cara con los brazos para no reírse. Era raro verle reír. Con los años, el hermano mayor de Iain se había ido volviendo más serio y solemne, incluso duro y cínico. Muchos eran los que sospechaban el motivo de su cambio de carácter, pero nadie podía asegurarlo, pues Tavis era un hombre introvertido que rara vez hablaba de sí mismo. Iain decidió de pronto no decir nada, fuera lo que fuese lo que su hermano pensara hacer con la muchacha. Ella podía ser el bálsamo necesario para aliviar el alma de Tavis.

Con un grito de rabia, sir Hugh se abalanzó sobre Storm. Ambos cayeron al suelo. Ella comprendió que sus pullas habían provocado en él uno de sus muchos accesos de cólera. Sabía que era inútil forcejear, aunque lo hiciera con todas sus fuerzas, pero no se detuvo. De repente, él se sentó a horcajadas sobre ella, sujetándole con fuerza las manos por encima de la cabeza. Sonrió fríamente y Storm procuró refrenar su miedo.

—Ahora no te das tantos aires, ¿eh? —siseó él mientras con la mano libre comenzaba a desabrocharle hábilmente el vestido.

—Hacedlo, sir Hugh, y juro que os mataré aunque sea lo último que haga.

Había hablado en voz tan baja y gélida que él vaciló un instante antes de echarse a reír.

—Estoy seguro de que lo intentaréis. —Miró su pecho agitado por la respiración y le abrió luego bruscamente el sencillo corpiño, exponiendo a sus ojos la firmeza de alabastro de sus senos—. Dios, qué bien hecha estáis, muchacha. —Alargó la mano para tocar uno de sus pechos, pero de pronto descubrió una espada en su garganta y sintió otra a su espalda—. Santo cielo, qué...

—Levantaos muy despacio, sir Hugh. Tocad a esa joven y os corto el cuello —dijo una voz grave, suave y sin embargo helada, con un claro aunque sutil acento escocés. Una voz que despertó un recuerdo en el interior de Storm mientras aguardaba a que sir Hugh se apartara de ella.

Sir Hugh palideció al verse amenazado por un lado y otro. En cuanto soltó sus manos, Storm se cubrió y luchó por abrocharse la ropa. Para cuando sir Hugh se levantó lentamente, había logrado recobrar cierta apariencia de pudor. Alguien la agarró del brazo y la ayudó a levantarse. No se sorprendió al hallarse cara a cara con Tavis MacLagan. Por motivos que se le escapaban, le recordaba muy bien. El hecho de que fuera vestido de negro de pies a cabeza no impidió que le reconociera. Eran su voz y sus ojos lo que más recordaba.

—Volvemos a encontrarnos, mistress Eldon —dijo Tavis al tiempo que envainaba la espada y empezaba a atarle los lazos.

Ella le miró con calma, pero sin humor.

—Veo que sois tan diestro con los lazos como con las trenzas.

—¿Conocéis a estos hombres? —preguntó sir Hugh con cierta incredulidad, pues sabía que eran escoceses.

—Pues sí. Éste es Tavis MacLagan, y el que está a su lado es su hermano Iain. Hace siete años nos tomaron cautivos a Andrew, a Robin, a Matilda, a Hadden, a Haig y a mí y pidieron un rescate. ¿Qué tal curó la herida de vuestro padre?

—Rápido y bien, señora —contestó Iain con una sonrisa—. Tenéis buena memoria.

—Fue una aventura de las mejores para una niña. Emocionante, pero sin cicatrices.

—¿Qué hacemos con esto? —preguntó Robbie, tocando a sir Hugh con su espada.

Tavis entornó los ojos al mirar al inglés.

—Desnudadlo y atadlo a su silla.

A pesar de su enfado y de lo mucho que despreciaba a sir Hugh, Storm se compadeció de la humillación que aquello supondría para él.

—Señor, ¿no podríais dejarle la ropa? Bastante humillante será ya que le enviéis de vuelta atado a la silla.

—Yo no necesito que una moza ruegue por mí —gruñó sir Hugh.

Storm le miró, enojada.

—Muy bien. Regresad a Hagaleah con el trasero al aire. Seguro que la mayoría de las mujeres lo reconocerá enseguida. A fin de cuentas, se ha revolcado por todos los setos, las camas y los graneros que hay por allí.

Acalorado por la rabia y la impotencia, sir Hugh bufó:

—Uno necesita aliviarse de algún modo si comete la locura de cortejar a la hija frígida de una furcia irlandesa.

Storm soltó un gruñido de rabia y se lanzó hacia él con los largos dedos de las manos convertidos en garras. Sir Hugh retrocedió para esquivarla y Tavis la agarró desde atrás. Sus fuertes brazos rodearon el cuerpo delgado de Storm como los flejes de una jaula. Siguió abrazándola hasta que dejó de forcejear. Le sorprendió su fuerza, porque ella apenas le llegaba al hombro y era esbelta como un junco.

Storm se calmó a medida que la roja neblina de la cólera despejó su mente, y sintió que los tensos nudos que la atenazaban se aflojaban levemente. Mantuvo los ojos fijos en sir Hugh mientras éste era despojado bruscamente de sus ropas. No había duda de que era un buen mozo, pero pese a ello Storm no se inmutó: conocía muy bien la podredumbre que su atractiva apariencia se esforzaba por disimular. Le observaba con el desapego de un médico, con el semblante frío y tenso.

Tavis la soltó y apartó la mirada de su rostro insondable para observar al hombre desnudo.

—¿Os gusta lo que veis? —ronroneó.

Storm sostuvo la mirada de sir Hugh cuando le subieron al caballo y contestó con voz clara:

—Tiene buen cuerpo, aunque no he visto muchos para poder juzgarlo con acierto. No, sólo estaba preguntándome qué atrae a tantas mujeres a su cama o hace que le inviten a la suya. No le encuentro el atractivo, aunque imagino que a lady Mary le sirve, dado que sus gustos nunca han sido muy refinados. —Ignoró la risa suave de Tavis y siguió mirando a sir Hugh a los ojos. Se negaba a acobardarse ante su cólera y su odio.

Vio cómo le colocaban atravesado sobre la silla con escasa consideración por su desnudez. Le ataron y dieron una palmada en las ancas a su caballo. El animal se alejó al trote hacia Hagaleah, pero pasados unos metros aflojó el paso. Sir Hugh tardaría en alcanzar el castillo. Sus exabruptos y sus amenazas sirvieron para entretener a los escoceses, pero no lograron aguijonear al caballo.

Storm se volvió para mirar a Tavis:

—¿Qué pensáis hacer conmigo, señor? —preguntó—. Me temo que, si estáis pensando en pedir rescate, cometéis un error. Lady Mary no dará nada por mí aunque amenacéis con mandarme a casa trozo a trozo. Ahora manda en Hagaleah y le alegraría verme muerta o desaparecida.

—¿Dónde está vuestro padre? —La agarró del brazo y la condujo hacia el lugar donde descansaban sus hombres.

—En Francia. Nuestro rey pensó que allí le sería más útil que en la frontera.

—¿Y no creéis que el hombre al que ha dejado al mando vaya a hacer lo posible por que volváis sana y salva? —preguntó Tavis.

—Lady Mary le tiene completamente dominado. —Storm se esforzaba por mantenerse a su paso, de modo que su mano le sirviera de guía y no tirara de ella—. Sólo tienen que ocultarlo. Me temo que en el caso de los Foster ocurre lo mismo, pues lady Mary tiene mucha influencia sobre la señora del castillo. Lo que me asusta de veras es que los señores y sus herederos no regresen, y no me refiero a que mueran honorablemente en el campo de batalla.

—¿Qué ganarían con eso?

—Cada una tiene un hijo varón, y sir Hugh está seguro de que le nombrarán tutor. —Al llegar al lugar donde esperaban los demás, miró los animales que habían robado—. Veo que vuestra incursión ha tenido éxito. No habría sido tan fácil si las cosas fueran como es debido. ¿Ha habido algún herido?

—Hemos dejado a un par de hombres atados. Mañana tendrán un buen dolor de cabeza —contestó Tavis—. La verdad es que he pensado que ha sido todo muy fácil —añadió, pensativo—. Había muy poca guardia.

Storm suspiró.

—Vamos derechos a la ruina. En fin, señor, ¿qué os proponéis hacer conmigo? —No estaba segura de que le gustara cómo sonreía él, porque ya no era una niña, sino una mujer.

Tavis la subió a su caballo, montó tras ella y sonrió al ver que intentaba estirarse las faldas para tapar sus delgadas piernas.

—Estoy seguro de que sacaremos algún provecho por raptaros. —Pasó un brazo por su estrecha cintura y dirigió a su montura hacia Caraidland, el castillo de los MacLagan.

Tavis no tenía claro qué iba a hacer con Storm Eldon. Sólo sabía que quería tenerla a su lado un tiempo. Se sentía intensamente atraído por ella, pero, aunque podía hacerla suya cuando quisiera, deseaba que se le entregara voluntariamente. Y, desde luego, no quería mandarla de vuelta a Hagaleah para que sir Hugh la maltratara.

Le asombraba su actitud hacia ella porque desde hacía tiempo estaba persuadido de que las mujeres sólo servían para una cosa, quitando la cual no le valían de nada ni despertaban en él interés alguno. Sin embargo, cuando sir Hugh había atacado a la muchacha, la cólera que se había apoderado de él iba mucho más allá de la simple caballerosidad o el sentido del honor ofendido. Se preguntaba si era porque aún veía a Storm como la niña encantadora de su pasado.

Storm estaba igual de confusa. Le asombraba no tener miedo. De todos era bien sabido lo que hacían los hombres con las cautivas, y pese a ello no lograba sentir ningún temor. El instinto le decía que no la arrojarían a los hombres para que se divirtieran. Y que Tavis no la llevaba consigo simplemente para recordar su anterior encuentro.

Se sentía relativamente tranquila. Una parte de ella reconocía que prefería que fuera Tavis MacLagan quien le arrebatara su virtud, en lugar de sir Hugh, quien evidentemente no cejaría en su empeño y, por tanto, acabaría saliéndose con la suya. Aquella certeza logró despertar en ella cierto resentimiento por el modo en que los hombres hacían lo que se les antojaba sin pensar en la mujer en cuestión. El hecho de que siempre hubiera sido así no mitigaba lo más mínimo su rencor.

Se detuvieron varias horas después, aunque no habían ido muy lejos. Los animales robados les impedían avanzar más aprisa. Storm estaba segura de que no se hallaban muy lejos de Caraidland, pero estaba claro que los hombres necesitaban un descanso. Se sentó tranquilamente sobre una roca mientras los escoceses ataban a las bestias y elegían un guardia. Dudaba, sin embargo, de que corrieran peligro de ser atacados. Su padre habría vacilado por miedo a ponerla en peligro y quienes gobernaban ahora Hagaleah tardarían en aprestarse para el ataque.

Tavis le dio una manta y la vio envolverse en ella con calma y apoyar la cabeza en el musgo igual que los hombres. Luego se envolvió en su manto y se echó a su lado, con la espada a mano pero alejada de ella. Storm no se quejaba de nada, pero Tavis no dudaba de que intentaría escapar a la menor ocasión. Fijó la mirada en las curvas suaves de su figura cubierta con la manta y sus ojos se cerraron lentamente.

Storm pensaba en escapar, en efecto, pero sabía que su oportunidad aún tardaría en llegar. Suspiró en silencio y lamentó no ser un hombre, porque de serlo sólo tendría que enfrentarse a una petición de rescate y estaría, además, mejor pertrechada para intentar fugarse y eludir a sus captores. Cuando empezaba a cerrar los ojos, vio que algo se movía entre los árboles, cerca de allí, y se envaró, temiendo saber lo que era.

Aquella pequeña figura se acercó a ella con el sigilo de un espectro. Estaba a su lado cuando Tavis se levantó de pronto con la espalda en alto. Storm profirió un leve grito y, sin pensar en sí misma, se interpuso entre Tavis y su primo Phelan.

—No le hagáis daño. No es más que un niño. —Vio que los demás se incorporaban rápidamente, listos para la lucha.

Tavis no apartó la espada, pero se relajó un poco.

—Ya lo veo. ¿Quién es?

—Phelan O'Conner —contestó el niño con una voz clara y desprovista de miedo.

—¿Cómo has llegado hasta aquí? —Tavis se fijó en su pelo claro y en sus extraños ojos, tan parecidos a los de Storm.

—Seguí a Storm hasta el claro del bosque. No debiste salir sola —la reprendió él—. Cuando os la llevasteis, os seguí. Creía que podría ayudarla a escapar —dijo sin rodeos, y el peso del fracaso pareció hundir sus hombros.

—¿Nos has seguido a pie? ¿Solo? —Tavis estaba impresionado por tal hazaña.

—Sí. No viajabais muy deprisa —contestó el chico como si ignorara que había hecho algo digno de asombro—. Me fui al tiempo que vosotros, así que no sé qué están haciendo en Hagaleah.

—¿Es pariente vuestro? —le preguntó Tavis a Storm.

—Es mi primo por parte de madre, de Irlanda.

Tavis les dijo a sus hombres que volvieran a acostarse, cogió otra manta y se la lanzó a Phelan.

—Te mandaría a casa, pero sé que no te irías. Y prefiero que nos acompañes a que nos pises los talones. Pero antes de que te acuestes, quiero ese cuchillo que llevas en la bota, muchacho.

—Yo jamás mataría a un hombre dormido. Sería de cobardes —dijo Phelan al entregarle el cuchillo.

—Es un alivio saberlo, pero te prefiero desarmado. Descansa un poco, chico.

Cuando volvieron a acomodarse, Tavis escuchó hablar a los primos en voz baja. En algunos momentos, le costó no echarse a reír a carcajadas. No quería cerca al chico, pero sabía que no podría separarle de Storm. Confiaba en que no apareciera nadie más.

—Esperaba poder rescatarte, prima.

—No te preocupes, Phelan. Tal vez la próxima vez.

Se hizo el silencio un momento. Luego Phelan dijo:

—¿No tienes un poco de frío, prima?

Storm se mordió el labio para no reírse, imitando sin saberlo a Tavis, porque era consciente de que no era el frío lo que hacía que el chico deseara acercarse a ella.

—Sí, hace un poco de frío. ¿Qué sugieres?

Con aire de quien hace un sacrificio, Phelan contestó:

—Podríamos acurrucarnos juntos para darnos calor.

—Una idea excelente. Ven aquí. —Dejó que el chico se acurrucara a su lado, de espaldas a ella—. Mucho mejor así. Que duermas bien, primo.

—Tú también.

—Me alegro de que estés aquí —dijo ella en voz baja, y hablaba sinceramente, porque aunque Phelan no era más que un chiquillo, formaba parte de su familia, y de algún modo eso hacía que las cosas le parecieran menos sombrías.

4

Caraidland pareció cobrar vida repentinamente al llegar el grupo de jinetes, cuyo botín fue muy bien recibido después de un largo invierno. Sentada en el caballo de Tavis, delante de él, Storm vio cómo organizaban entre alabanzas el ganado de su padre. Saber lo fácilmente que habían conseguido los Mac-Lagan aquel ganado era otro reproche que hacerle a lady Mary. A pesar de los años que llevaba en Hagaleah, aquella mujer seguía sin entender cómo eran las cosas. Por su falta de previsión, la gente que trabajaba en las tierras de su padre tendría menos alimento que llevarse a la boca. Pero Storm sabía que a lady Mary eso la traía sin cuidado.

Tavis desmontó, ayudó a bajar a Storm y la dejó junto a su primo, vigilados por Angus. Siempre se encargaba de llevar él mismo a su caballo al establo. Tras echar una última mirada a Storm, que parecía muy menuda junto al recio y musculoso Angus, se concentró en ocuparse de su montura.

—Les ha ido muy bien —comentó Phelan en voz baja.

—Sí, desde luego. Es parte de nuestro mejor ganado. Y eso supondrá unos cuantos corderos menos, unos cuantos terneros menos y un poco menos de todo, porque una pérdida lleva a otra. Dios mío, ojalá mi padre no se hubiera ido de Hagaleah.

—No es culpa suya, prima. ¿Cómo iba a saber lo que ocurriría? Creía que su mayordomo era de fiar. No es culpa suya que sea un viejo verde que se deja dominar por su...

—¡Phelan! —exclamó Storm, atajando el comentario del chico, y lanzó luego una mirada fulminante a Angus, que se apresuró a sofocar la risa fingiendo un ataque de tos.

—Perdona, prima. A veces olvido que eres una dama.

—Supongo que eso es un cumplido —murmuró ella con un destello de alegría en los ojos al mirar a Phelan.

Se quedaron allí parados un momento, viendo cómo les observaban los habitantes de Caraidland. Aunque estaban acostumbrados a que la gente los mirara por su extraño color de pelo y sus ojos de gato, se pusieron nerviosos. A fin de cuentas, aquéllos eran los enemigos ancestrales de los Eldon. Costaba adivinar qué se escondía tras sus miradas fijas.

—Puedes cogerme de la mano, si tienes un poquitín de miedo —dijo Phelan en voz baja.

Storm refrenó una sonrisa, consciente de que su primo se esforzaba por salvar la dignidad y comportarse al mismo tiempo como el niño que era, y dijo:

—Gracias, Phelan. Creo que estoy un poco asustada.

Le tendió la mano y él la tomó en la suya, que no era mucho más pequeña que la de ella. Storm vio un destello de comprensión en el semblante solemne de Angus y le sorprendió alegrarse de ello.

—No son como los vikingos, ¿verdad? —preguntó Phelan con forzada indiferencia.

—No, claro que no. ¿Quién te ha hablado de los vikingos?

—Mi abuelo. Antes saqueaban a menudo las costas de Erin. Eran unos salvajes.

—Sí, lo eran. Pero ésta gente no es así. No es muy distinta a la de Hagaleah. Llevamos luchando unos contra otros y robándonos mutuamente desde que el primer Eldon se estableció en la frontera. No debes creer todo lo que se cuenta.

Phelan asintió con la cabeza, satisfecho, pero un instante

después sus ojos se agrandaron y su nerviosismo aumentó visiblemente.

—Puede que sean como los de Hagaleah, pero hasta los hombres de tu padre, cuando apresan a una mujer... cuando la toman cautiva... —Una mirada al rostro repentinamente inexpresivo de Angus no contribuyó a tranquilizarle.

Storm sintió un escalofrío, pero dijo con calma:

—Prefiero no hablar de eso, Phelan.

Pero no era fácil mitigar la angustia del chico.

—Pero no puedes cerrar los ojos al peligro que corres, prima. Tienes que...

—No cierro los ojos, pero eso no significa que deba tener el riesgo constantemente ante la vista. *Acushla*, una mujer desprevenida siempre está en peligro. Ni en mi propia casa estaba a salvo. Sir Hugh no me estaba leyendo poesía, ¿verdad? Dejemos ese asunto. Permíteme vivir temporalmente en la ignorancia, porque de ese modo estoy más tranquila. No podemos hacer nada al respecto.

Guardaron silencio de nuevo. Storm se esforzaba por hacer caso de lo que había dicho mientras Phelan lamentaba no ser mayor para así poder proteger a su prima. Aunque sólo tenía nueve años, sabía muy bien lo que hacían los hombres con las mujeres. Veía aquella mirada en los ojos de los escoceses, sobre todo en los de ése al que llamaban Tavis. Aquel hombre quería lo mismo que sir Hugh, y podía conseguirlo cuando se le antojara.

—¡Eh, mira ahí, Phelan! —exclamó Storm, sorprendida de veras, aunque al mismo tiempo intentara borrar la mirada de tristeza del muchacho—. ¿Esa yegua no es *Cornelia*? ¿La que mandaron con tantas precauciones desde Sussex?

—¡Sí, es ella! —respondió Phelan con una sonrisa—. Reconozco esas manchas blancas.

Storm se echó a reír, a pesar de que no entendía cómo podía, y dijo:

—¡Ay, Dios, la yegua de lady Mary! Ojalá estuviera allí para ver su cara cuando descubra que se la han robado. Se pondrá lívida. Será estupendo. Qué pena perdérselo.

—¿Te imaginas? —Phelan se echó a reír sin poder evitarlo, igual que Storm—. Lady Mary de pie con su silla dorada y sin montura a la que ponérsela. Casi me da lástima su pobre mozo, cuando se descubra el robo.

—Qué dulce es a veces la justicia, ¿no? —murmuró Storm, y le dio otro ataque de risa.

Tavis apareció y miró a Angus buscando una explicación al buen humor de los cautivos. Los prisioneros no solían reírse. Mientras esperaba, su boca se tensó en una sonrisa, porque la risa abierta y espontánea de Storm era contagiosa. Angus, un hombre impasible y muy poco dado a la risa, parecía a punto de unirse a los primos en sus carcajadas.

—Parece que nos hemos traído la yegua de lady Mary —explicó con una sonrisa.

Tavis sonrió.

—¿No me digas? —Miró a los dos primos, cuyos extraños ojos brillaban aún de alegría—. Seguís siendo un diablillo —le dijo a Storm.

—Lo sé. Pero tiene gracia pensar en mi señora con su elegante silla de montar y su hermoso vestido, pero sin caballo. Ella sólo monta en yeguas de Sussex.

Tavis sacudió la cabeza, sorprendido por aquella absurda excentricidad, tomó a Storm del brazo y, seguido de cerca por Phelan, la condujo al castillo en el que su linaje tenía su hogar. Mientras caminaban, le maravilló que pareciera tan fresca después de una noche tan larga y un viaje tan desapacible. No creía que las inglesas fueran tan fuertes.

Entraron en un edificio robusto e imponente, y Storm pensó que aquel castillo podía soportarlo casi todo, si por obra de algún milagro un enemigo lograba traspasar sus murallas exteriores. Por lo que pudo ver mientras se dirigían al salón principal, los MacLagan tenían las arcas bien repletas. No eran simples terratenientes fronterizos, sino un linaje con poder y prestigio. Su nariz y sus ojos la convencieron de que la ventilación era muy buena, cosa que no siempre ocurría en las casas fortificadas. Quedó impresionada a su pesar mientras avanzaba por el corredor.

El salón se llenó enseguida cuando llegaron. Tras echar un rápido vistazo alrededor, fijándose en los tapices de excelente calidad, en las alfombras orientales y otros signos de riqueza, miró a las personas sentadas a la enorme mesa que presidía la estancia. Enseguida reconoció a Sholto MacLagan y al señor del castillo, a pesar de que éste no tenía muy buen aspecto, pero se preguntó quién sería aquella mujer relativamente joven, tan bella y majestuosa. Phelan le dio la mano cuando Tavis e Iain fueron a saludar a su padre, dejando a Angus para vigilarlos.

—Virgen santa, no creía que fuera tan fácil robar a Eldon —comentó Colin después de que le describieran el botín y le contaran lo fácil que había sido la incursión.

—Él no estaba en casa —dijo Iain—. Se ha ido a Francia a luchar para el rey inglés. Su mayordomo se ha quedado al mando.

—Pues puede que saquemos mucho provecho si es así cómo cuida de las tierras de su señor. —Colin miró a los cautivos entornando los ojos—. ¿Y a quién habéis traído...? Por los clavos de Cristo, habéis vuelto a apresar a la muchacha.

—Sí. —Tavis dejó que su mirada se posara un momento en Storm—. Sí. El chico es su primo. Nos siguió. Tenía intención de liberarla. —Sonrió a su padre—. A decir verdad, tuve que rescatar a la chica antes de raptarla. Un caballero inglés se estaba comportando de manera muy poco galante con ella. La tenía tumbada en la hierba dispuesto a...

—Por lo que cuenta la chica, las cosas allí son un desastre —dijo Iain—. El mayordomo se acuesta con la señora y nadie con responsabilidad ejerce el mando. Es fácil comprobarlo: había muy pocos guardias. No creo que Eldon permitiera que un hombre empeñado en acostarse con la muchacha y que no hacía ningún esfuerzo por ocultarlo se alojara en su casa. Ese hombre no tenía miedo al castigo, aunque estaba dispuesto a violar a la única hija de su señor. —Iain prosiguió contando a su padre lo que le habían hecho a sir Hugh, y Colin se rió de buena gana.

—La chica dice que no conseguiremos ningún rescate —añadió Tavis—. Asegura que lady Mary preferirá que se la devolvamos hecha pedazos. Incluso cree que su padre no volverá vivo de Francia y dice que lo que teme no es que muera en el campo de batalla. Lady Mary tiene un hijo que podría convertirse en cabeza del señorío, y un amante que podría ser tu tutor.

Colin se quedó callado un momento, con el ceño fruncido. Llegó a la conclusión de que cabía la posibilidad de que lo que contaba la muchacha fuera cierto. Y una vez descartada la posibilidad de pedir rescate, dio enseguida con el único motivo que podía explicar que Tavis la hubiera raptado. Miró a su hijo mayor y notó que su mirada no vacilaba.

—No tomarás a la muchacha si ella no quiere. Le debo el brazo derecho. Pude perderlo aquel día, porque la herida era profunda. Curó bien y el médico dijo que fue gracias a sus cuidados.

—Sí, es cierto. No la quiero contra su voluntad. —Tavis sonrió ligeramente—. No. Primero haré que me diga que sí.

—Un sí bien firme, granuja. No la seduzcas. Y primero pedirás rescate por ella.

Tavis asintió con un gesto.

—Mandaré un mensajero enseguida. ¿Queréis hablar un momento con ella?

Colin asintió, ignorando el ceño de reproche de su joven esposa. Hacía siete años que no veía a Storm Eldon. Tenía curiosidad por ver cómo había cambiado el tiempo a la linda muchacha a la que habían conocido tan brevemente. Una cosa saltaba a la vista: aunque de corta estatura, Storm Eldon se había convertido en una joven muy bella. Colin comprendía los deseos de su hijo mayor, pero se aseguraría de que no los satisficiera por la fuerza.

Storm dudó un momento al ver que Tavis le hacía señas de que se acercara, y se preguntó qué planes habrían hecho. Al colocarse entre Tavis y Colin, como le ordenaron, notó que la joven sentada a la mesa parecía contrariada. Tenía el cabello castaño y los ojos de un verde grisáceo. Era muy guapa, pero sus ojos brillaban llenos de desagrado y su voluptuoso cuerpo parecía envarado por la rabia. Storm se preguntó si significaba algo para Tavis y se sorprendió al descubrir que no le gustaba la idea. Pero, ahuyentando aquellos interrogantes, fijó su atención en Colin MacLagan.

El desconcierto volvió a apoderarse de ella cuando Colin le presentó a la joven como a su esposa, Janet. Storm se sintió claramente aliviada. Y descubrió que aun así no le agradaba aquella mujer, y no porque fuera unos veinticinco años más joven que Colin. Eran muchos los hombres que se casaban con mujeres mucho más jóvenes que ellos en segundas nupcias. Storm sólo sabía que había algo en Janet que le daba escalofríos. Decirse que se estaba dejando llevar por su imaginación no sirvió de nada. Estaba claro que los hermanos sentían poco aprecio por ella y que Tavis sentía por ella una emoción mucho más fuerte que simple desagrado o desinterés. Saltaba a la vista que en Caraidland no reinaba la calma.

—Bien, mistress Eldon, parece que nuestros caminos vuelven a cruzarse. —Colin respondió a su sonrisa desconfiada con una sonrisa—. ¿Y el muchacho?

—Phelan O'Conner, señor —contestó el chico con una voz clara y firme que no desvelaba su nerviosismo.

—Ah, de la parte irlandesa de tu familia, ¿eh, muchacha?

—Sí, mi señor. —Sonrió a Phelan—. Apareció en nuestra puerta poco antes de que se fuera mi padre. Cuando mis padres se casaron, mi madre envió una nota a sus parientes diciéndoles que fueran a Hagaleah si alguna vez necesitaban ayuda. Mi joven primo la encontró cuando se quedó huérfano. Se empeñó en llegar hasta nuestras puertas para ver si cumplíamos la promesa.

—¿Viniste desde Erin tú solo, muchacho? —preguntó Colin con un asombro compartido por todos los presentes.

—Sí. La nota decía que allí podíamos pedir ayuda si la necesitábamos. Yo la necesitaba, así que vine. —Parecía todo tan lógico que Phelan se preguntaba por qué a todo el mundo le asombraba tanto su viaje—. La gente no se fijaba en un chico flacucho y andrajoso, sin caballo ni equipaje, excepto para quitarme del medio a puntapiés. Pagué para llegar hasta Inglaterra en barco y luego mendigué hasta llegar a Hagaleah. —Se encogió de hombros, dando a entender que era todo muy sencillo.

Colin sacudió la cabeza, asombrado.

—Podías haberte perdido.

—No. Sabía que estaba en la frontera, así que me aparté de ella lo menos posible. En algún momento tenía que llegar.

—Claro —dijo Tavis con un destello de buen humor en los ojos—. Es lógico. Está claro.

—Sí, ¿verdad? —Colin volvió a fijarse en Storm—. Os habéis convertido en una muchacha muy bonita. —Sonrió ampliamente al ver que ella se sonrojaba.

Phelan frunció el ceño.

—¿Cómo podéis decir eso? Se parece a mí. —Frunció aún más el ceño cuando los hombres empezaron a toser de pronto—. Es igual que yo.

—No —dijo Storm—. Tú te pareces a mí. Yo era como tú, te saco ocho años.

Phelan sonrió y asintió con la cabeza.

—Sí, es verdad. Pero aun así voy a ser más alto que tú.

—Eso espero. —Ella se rió, pero luego miró a Colin—. Esta vez no hay garantías de que vayan a pagaros un rescate, mi señor. No me sorprendería que la esposa de mi padre estuviera dando una fiesta —añadió con una leve sonrisa—. Se alegrará de librarse del último de los Eldon que conoció hace ocho años.

—Bueno, de todos modos lo intentaremos, muchacha. La pondremos en la habitación de la torre oeste, Tavis. El chico puede acostarse en la habitación que hay justo debajo.

—¡No! —exclamó Phelan, y clavó la mirada en Tavis a pesar de que se dirigía a Colin—. Me quedaré con Storm aunque tenga que dormir en el suelo. Serviré de poco si algún hombre quiere ir a visitarla, es cierto, pero al menos mi presencia le impedirá seducirla. Le juré a su padre que cuidaría de ella y voy a hacerlo.

—Muy bien —dijo Colin, ajeno al evidente malestar de Tavis—. Ponedle un camastro en la habitación de la torre oeste. Tavis, llévalos a sus aposentos. Creo que querrán descansar un poco y asearse, quizá.

Tavis empujó a Phelan con más fuerza de la necesaria para que se pusiera en marcha. No tenía previsto entrar a hurtadillas en la alcoba de Storm, como un ladrón en plena noche, pero la intención del chico de no apartarse del lado de su prima le haría muy difícil cortejarla, si no imposible. Y estaba también el problema de qué hacer con él cuando llegara el momento de recoger su premio. Era ése otro obstáculo que no necesitaba.

—¿Por qué le habéis dado la mejor habitación a esa inglesa? ¿No es una prisionera?

Colin miró a la mujer con la que cada día lamentaba más haberse casado y contestó:

—Sí, es una prisionera, pero también es hija de un enemigo al que respeto, y una vez me hizo un gran favor. Lord Eldon es un hombre de honor. Trataré a su hija como yo esperaría que tratara a la mía, si cayera en sus manos.

—Si queréis tratarla bien, más os vale impedir que Tavis husmee a su alrededor.

—Es normal abusar de una cautiva —dijo Sholto—. Lord Eldon no pensará otra cosa.

—Sí, es lo que se espera —repuso Colin—, pero no permitiré que nadie abuse de esa muchacha. Tavis me ha dado su palabra de que primero pedirá rescate y ha prometido no acostarse con ella si la muchacha no consiente. Más no puedo hacer.

A Janet le pareció muy poco. Deseaba a Tavis desde la primera vez que lo había visto, cuatro años antes. Le había parecido muy fácil seducirlo, pero no había sido así. A diferencia de otros hombres a los que había conocido, Tavis MacLagan se había mostrado inmune a sus encantos. Su sentido del honor y su profunda lealtad hacia su padre eran un muro infranqueable. Janet había aceptado que Catherine MacBroth ocupara de cuando en cuando su cama, porque sabía que Tavis sólo usaba a aquella joven, que nunca se casaría con ella ni la querría, como esperaba ella. Pero le había bastado un momento para comprender que Storm Eldon era una amenaza cierta. Confiaba en que Hagaleah pagara pronto el rescate. Le parecía imposible que la familia de la joven se negara a satisfacerlo. Lord Eldon podía sobrevivir y regresar a Hagaleah, y los demás tendrían que responder ante él.

—¿Os habéis recobrado ya de vuestro calvario, sir Hugh? —ronroneó lady Mary, y su boca carnosa se distendió en una sonrisa.

—Me alegra haberos dado motivos para reír, señora —sir Hugh no se inmutó al ver a lady Mary en el baño, con sus voluptuosos encantos ocultos apenas por el agua jabonosa—. ¿Pensáis cobraros venganza por la incursión de los escoceses?

—Me he ocupado de que se refuerce la guardia. —Su hermoso rostro se endureció—. Esos arrogantes...

—¿Y qué hay de lo que nos han robado?

—El ganado puede reemplazarse. Estoy furiosa porque me hayan robado mi yegua, pero no pienso perseguir a esos bárbaros hasta su guarida. Saldría perdiendo.

—No hablo de tu asqueroso caballo —bufó sir Hugh—. ¿Qué hay de Storm? ¿De la hija de tu marido?

Lady Mary se encogió de hombros mientras salía del baño y sus doncellas corrían a secarla.

—Esos cerdos pedirán rescate, no hay duda. Es lo que suelen hacer cuando apresan a uno de los nuestros. Ese imbécil de Roden hasta pagaba por rescatar a los campesinos.

—Ah, entonces vas a pagar. Puede que no sea mucho.

Lady Mary se envolvió en la toalla y despidió a las criadas antes de volverse hacia sir Hugh. La exasperaban su aparente indiferencia hacia ella y su profundo interés por su hijastra. Pero, con todo, no temía que se le escapara de las manos. No sólo sabía cómo despertar su pasión, pese a la apatía que mostraba en ese momento, sino que también podía servirse de su avaricia para manejarle.

—No me importa lo que pidan, sea mucho o poco, porque no voy a pagar. De momento, al menos. Puede que nunca.

Sir Hugh se puso muy colorado. La ira amenazaba con apoderarse de él.

—Me prometiste a la chica y, con ella, su fortuna. Por los clavos de Cristo, mujer, sabes perfectamente que abusarán de ella.

—Ignoraba que te importara tanto la virginidad, Hugh.

—No es eso, pero preferiría que no acabara en la cama de todos esos escoceses.

—No creo que lo hagan. Es de estirpe demasiado elevada. Los hijos, puede que el padre, pero nada más. Esos bárbaros tienen sentido del honor. Y esos dos viejos enemigos se respetan, incluso se tienen un extraño aprecio. Dudo que Storm vuelva a Hagaleah tan inocente como se fue, pero no la maltratarán. Considéralo un adiestramiento. —Se rió al tumbarse sobre la cama boca abajo en el instante en que una bonita doncella entraba en la habitación—. Ellos le enseñarán todo lo que necesita saber.

—No necesito su ayuda —gruñó sir Hugh—. Podría haberlo hecho yo solo.

Lady Mary suspiró mientras la doncella le quitaba la toalla y empezaba a masajearle el cuerpo con el aceite perfumado que mantenía la suavidad de su piel.

—No me cabe la menor duda, pero creo que es su carácter lo que te causa más problemas. Y pasar una temporada con los escoceses la curará de ese mal. Será más fácil de manejar. No olvides los pies, muchacha —le dijo a la criada—. En invierno los suelos están fríos, y se han puesto ásperos.

Ver a la muchacha untando de aceite, palmo a palmo, la espalda de Mary puso rápidamente remedio a la apatía de sir Hugh.

—Eso también podría haberlo hecho yo, con el tiempo —murmuró con voz ronca, y entonces se dio cuenta de quién era la muchacha. En realidad, la conocía bien: se llamaba Agnes y estaba muy bien dotada.

Lady Mary se dio la vuelta y, viendo que su desinterés se había disipado, ronroneó suavemente cuando la doncella comenzó a extender con esmero el aceite por la parte delantera de su cuerpo.

—Quieres casarte con la chica. Y ella no quiere casarse contigo. —Su sonrisa se hizo más amplia cuando sir Hugh comenzó a quitarse la ropa—. Le vendrá bien una pizca de humillación y vergüenza. Si está deshonrada, se lo pensará dos veces antes de rechazar tu oferta, porque sabrá muy bien que no tendrá muchos más pretendientes. Puede que ninguno.

—Quedaré como un tonto —dijo él, acercándose a un lado de la cama.

—Como un tonto muy rico —murmuró ella cuando sir Hugh se tumbó a su lado.

—Tal vez. —Su ceño desapareció cuando, a una seña de lady Mary, la doncella comenzó a desnudarse—. Aun así, herirá mi orgullo. Me apetecía ser el primero.

—Deja de preocuparte, Hugh. Puede que los escoceses le enseñen algunos trucos.

—Ah, mi señora —dijo él en voz baja—, si le enseñan a ser como vos, pueden quedársela cuanto les plazca. —Se rió, y ambas mujeres le imitaron al caer en sus brazos abiertos.

5

Sentado en la amplia cama, Phelan veía cómo luchaba Storm por arreglarse el pelo.

—Hace casi una semana.

Storm suspiró y se alisó la falda del vestido que llevaba. Le alegraba que le hubieran dado ropa, porque se estremecía al pensar en llevar indefinidamente el vestido con el que había llegado. Era tan agradable tener una muda que no sólo podía ignorar que la ropa era de Janet, sino también la inquina con la que la señora del castillo se la había prestado. Colin le había dicho que se la arreglara, pero Storm se había limitado a hilvanar las dobleces para que los vestidos se ajustaran a su figura, más menuda. De ese modo podrían volver fácilmente a su tamaño original y ser devueltos a su dueña, aunque no creía que Janet quisiera recuperarlos.

—No nos importa cuándo regresará el mensajero de los MacLagan, sino la respuesta a la demanda de rescate. Nos están tratando bien, aunque nos vigilen constantemente. Esto es tan confortable como Hagaleah.

—Sí. No son mala gente. Es fácil olvidar que somos enemigos. Pero pensaba que sir Hugh insistiría en que se pagara el rescate. —Phelan sonrió al ver que su prima hacía una mueca—. Te desea.

—Sir Hugh desea a todas las mujeres, siempre que no sean ni demasiado viejas, ni demasiado feas. Y la fortuna que conseguiría si se casara conmigo aumenta enormemente mi atractivo. Mi padre me ha dado una buena dote.

—Entonces se apresurará a rescatarte, antes de que abusen de ti y no sirvas como esposa. —Frunció el ceño—. No querrá casarse contigo si te han deshonrado. Y menos aún si te deshonra un MacLagan.

—Creo que sir Hugh está muy necesitado de fondos y que se casaría conmigo aunque me convirtiera en la fulana de todo el clan. No hay duda de que lady Mary se encargará de disipar sus escrúpulos y de aliviar su orgullo herido.

Phelan se mordió el labio, pensativo.

—Tavis intenta acostarse contigo —dijo.

Storm murmuró algo, indecisa, mientras pensaba en Tavis MacLagan. Era un hombre de ensueño para cualquier muchacha. Tenía una melena negra tan brillante como el ala de un cuervo. Era más alto y fibroso que la mayoría de los hombres, y poseía la musculatura de un guerrero. Tenía el rostro aguileño, los pómulos bien definidos, la nariz larga y recta y la mandíbula recia, pero sus bellos ojos, de densas pestañas y cejas suavemente curvadas, suavizaban la dureza de sus facciones. Lo mismo podía decirse de las sonrisas que muy de tarde en tarde asomaban a su boca finamente dibujada y de labios finos. Una boca que aún no había besado la suya.

Aquello la asombraba, porque ella también tenía a veces la sensación de que Tavis la deseaba. Dudaba sinceramente de que la presencia de Phelan pudiera refrenarle. No había nada que le impidiera echar al chico de la habitación. Y sin embargo Tavis ni siquiera lo intentaba. De hecho, ni siquiera había intentado besarla. Storm sonrió un poco al comprender que se sentía ligeramente ofendida. No quería que la forzara, desde luego, pero no podía evitar preguntarse por qué Tavis

MacLagan no la había tocado a pesar de tener esa prerrogativa por ser su captor.

—¿Por qué sonríes, prima?

—Por las veleidades de la vanidad femenina. —Su sonrisa se hizo más amplia—. No quiero que me fuerce, pero me molesta que no lo haya intentado. Empiezo a preguntarme si tengo algo de malo. —Se rió junto con Phelan—. Ah... —Fue a abrir la puerta cuando alguien llamó—. Vienen a buscarnos para cenar.

Angus los condujo al salón, y Phelan y él charlaron amigablemente sobre la caza de ese día. Todo el mundo era muy amable, excepto Janet. De no ser porque siempre había un guardia a su lado, habría sido fácil olvidar que eran prisioneros. Y que los MacLagan eran enemigos consuetudinarios de los Eldon, con los que batallaban desde hacía generaciones.

Storm sabía que con Tavis corría el peligro de olvidarlo. El tiempo que pasaba hablando con él, riendo y discutiendo había emborronado aquel recuerdo. Cada vez le costaba más tenerlo presente. Lo mismo le sucedía con las demás personas que había conocido en Caraidland, pero su intuición, que tantas veces la ayudaba, le decía que con Tavis era mucho peor y más peligroso. No sólo olvidaba que era el enemigo, su captor, sino que se estaba enamorando rápidamente de él. Lo cual, además de absurdo, podía llevarla a tomar un camino muy doloroso.

Tavis salió a recibirla a la puerta del salón, como había hecho toda la semana. Le costaba aparentar calma, porque la deseaba más cada día que pasaba. Pese a todo, se daba cuenta de que conocerla mejor estaba siendo un placer para él. Storm no se dejaba conmover por frases huecas y taimadas, tenía opiniones, estaba bien informada y no temía decir lo que pensaba o defender sus convicciones. Tenía, además, sentido del humor y capacidad para reírse de sí misma, de sus flaquezas y errores. Tavis había descubierto que, además de tener un fuerte temperamento y una risa franca y musical, poseía ingenio, orgullo, honradez, modestia y muchas otras virtudes que últimamente encontraba muy pocas veces en una mujer.

Pero lo que realmente le desconcertaba era que fuera tan ajena a su propia belleza y a la atracción que ejercía sobre los hombres. Los rasgos que de niña auguraban que sería muy hermosa habían cumplido su promesa. Sus grandes ojos rasgados y ambarinos llenaban aún su carita en forma de corazón, y sus densas y largas pestañas de color castaño les daban una expresión sensual al tiempo que las cejas marrones y oblicuas acentuaban su forma. Su tez de alabastro no se había alterado, pero la boca carnosa había perdido su aspecto infantil y ahora pedía a gritos un beso. Tavis no creía que hubiera crecido mucho más, pero había ganado todo lo necesario para despertar la pasión de un hombre, y lo lucía con una sensualidad inconsciente y natural que seducía por sí sola.

La cena estaba a punto de concluir cuando el mensajero de los MacLagan regresó al fin de Hagaleah. El desánimo que experimentó Storm mientras Colin leía la misiva con el ceño fruncido la convenció de que había cometido la estupidez de abrigar una pequeña esperanza de que se pagara el rescate y Phelan y ella fueran puestos en libertad. Sentía curiosidad por saber si la esposa de su padre la arrojaba abiertamente a los lobos o si estaba empleando alguna sutil táctica de dilación. Por la expresión de Colin cuando éste le entregó la carta, comprendió que la respuesta de su madrastra no iba a gustarle.

La falacia en la que lady Mary se escudaba para no pagar enseguida el rescate hizo reír a Storm suavemente. Era poco probable que ella se fuera a Francia en busca de su padre y su hermano, y aunque cometiera la necedad de hacerlo sin temer

—Ella tiene aliados. No dudo de que podría reunir un ejército con sólo llamar a sus muchos amantes —contestó Storm con sorna.

—Sí, pero vuestro padre se ha enfrentado a menudo con nosotros y ha vuelto vivo y casi siempre indemne —señaló Iain.

—¿Empuñaríais vos una espada contra el hombre al que confiasteis el gobierno de vuestras tierras? No, yo creo que no. Mi padre no esperará ningún peligro por ese lado. Es un hombre de honor y no espera que le claven un cuchillo por la espalda. Pero me temo que ése es el estilo de mi madrastra. —Sacudió la cabeza y su semblante se cubrió de tristeza—. No adiviné lo que se proponía hasta que era ya demasiado tarde para avisar a mi padre. Lady Mary hará lo posible porque Drew y él no regresen.

—¿Y vos? —preguntó Tavis, pensando que el rescate había sido denegado y que por tanto no tenía ya que andarse con miramientos con ella. Podía dejar de lado sus sutiles intentos de seducirla.

—Le alegrará librarse también de mí. Esa mujer me detesta. Siempre me ha detestado, pero la cosa empeoró cuando ayudé a mistress Bailey, una viuda que sin duda será la próxima lady Eldon si lady Mary muere. Desde hace ya cinco años, mistress Bailey es la amante de mi padre y la dueña de su corazón. Le ha dado dos hijos. Lady Mary planeaba deshacerse de ella en cuanto mi padre se marchara. Pagó a unos hombres para que asaltaran a mistress Bailey y a los niños mientras viajaban a casa de unos parientes. Pude avisarla y el plan fracasó, pero me temo que lady Mary descubrió lo que había hecho.

—Hagaleah parece un nido de víboras —dijo Iain sacudiendo la cabeza—. Me cuesta creer que una mujer pueda matar a un hombre como vuestro padre. Las mujeres no están hechas para planear un asesinato a sangre fría.

—¿No? No quisiera denigrar a las de mi sexo, porque nosotras, como los hombres, tenemos nuestros defectos y nuestras virtudes, pero creo que una mujer es muy capaz de algo así. Las mujeres somos criaturas de fuertes emociones a las que no se inculca desde la cuna el ideal del honor. Sé que los hombres creen que carecemos de ese ideal, que no entendemos su significado. ¿Ninguno de los señores aquí presentes se ha descubierto víctima de las maquinaciones de una mujer, de alguna conspiración que no supo ver hasta que ella consiguió su propósito? —Asintió con la cabeza al ver asomar un destello de asentimiento en el semblante de más de uno—. Las mujeres pueden ser muy astutas, y su misma blandura hace más eficaces sus ardides. Sí, una mujer puede planear un asesinato, quizá mejor que un hombre, porque creo que puede odiar mejor, odiar con una gélida claridad de la que a menudo carecen los hombres.

—Entonces creéis de veras que no mandará el rescate —comentó Colin—. De todos modos, volveré a intentarlo.

—Sí, podéis intentar cuanto queráis, pero creo que lady Mary os dará largas hasta que esté segura de que mi padre no volverá, o quizá hasta que sir Hugh la obligue a rescatarme. No creo, en todo caso, que vaya a cumplir las condiciones normales de un rescate. Por Phelan y por mí no daría ni un saco de comida podrida. —Miró a Colin y levantó una ceja inquisitivamente—. Así pues, mi señor, ¿qué pensáis hacer con nosotros, si tengo razón?

—Os quedaréis aquí —contestó Tavis, atajando la respuesta que se disponía a dar su padre.

Storm notó que de pronto se hacía el silencio en la mesa y frunció el ceño. La expresión, o la falta de ella, de las caras que había en torno a ella la convenció de que los presentes sabían algo que ella ignoraba. Por un instante temió la muerte, pero aquel temor se disipó enseguida: estaba segura de que los MacLagan no matarían a una mujer y un niño indefensos. Pero le parecía absurdo que, no habiendo rescate, los mantuvieran en Caraidland. No se los imaginaba alojándolos hasta que regresara su padre, porque su regreso era, cuando menos, incierto. Todo aquello le parecía un inmenso rompecabezas que cada vez se hacía más grande.

Tavis vio en ella una expresión fugaz de desconcierto. Pensó irónicamente que debía de haberse portado muy bien si Storm ignoraba lo que quería, o si tenía tan poca idea de sus intenciones que éstas no eran lo primero que se le venía a la cabeza. Pronto, sin embargo, no pensaría en otra cosa, porque, ahora que el rescate había sido más o menos denegado y seguramente no llegaría, ya no se sentía obligado a proceder con cautela, como le había prometido a su padre.

Storm podía considerarlo una especie de rescate. Tavis la haría suya muy pronto.

—¿Qué sentido tiene, si no podéis pedir rescate por mí? —preguntó ella, confusa.

Tavis se volvió para mirarla, sentada a su lado.

—Os quedaréis aquí, con rescate o sin él, hasta que yo diga lo contrario —contestó con suavidad—. Así que se acabaron las preguntas al respecto.

Su tono autoritario hizo brillar de rabia los ojos de Storm. Por un momento, olvidó su precaria posición como prisionera.

—Tengo derecho a saber qué queréis de mí, por qué insistís en que me quede aquí si no podéis sacar ningún provecho de ello.

—Así que queréis saber qué quiero de vos —dijo Tavis con sorna, y la agarró de los hombros—. Permitidme demostrároslo —ronroneó, y la atrajo hacia sí, como deseaba desde hacía días.

Al principio, Storm quedó tan sorprendida que no se apartó de sus brazos. Sólo cobró vida cuando los labios cálidos y tersos de Tavis empezaron a agitar un fuego dentro de ella. Enseguida descubrió que no era fácil desasirse de un hombre estando sentada. A pesar de que la furia, acrecentada por las risas de los demás, le daba nuevas fuerzas, descubrió también que intentar forcejear con Tavis era como darse de cabezazos contra un muro. No le gustó verse besada en público, pero si se resistió fue sobre todo por miedo a la reacción que mostraba su propio cuerpo. Sintió un arrebato de ira cuando él la soltó y le sonrió. Y la ira le impidió ver que Tavis estaba visiblemente conmovido por el beso.

La llama que brillaba en los ojos ambarinos de Storm le fascinaba casi tanto como le había hecho gozar besarla. No creía haber visto nunca a una mujer tan espléndidamente enojada. Le defraudó un tanto que, sirviéndose de la típica táctica de la doncella ultrajada, Storm hiciera amago de abofetearle. Le agarró sin esfuerzo la muñeca, pero un instante después sintió que un puño sorprendentemente fuerte golpeaba su mandíbula, pillándole desprevenido y tirándole del banco. Quedó tendido en el suelo, presa de una mezcla de ira y buen humor. Las risas de su familia y de los hombres le importaban muy poco. Estaba demasiado interesado en Storm.

—Olvidaba lo peleona que sois, pero ahora ya sabéis por qué vais a quedaros —dijo, y la vio ponerse en pie y mirarle con enojo, con las bonitas manos plantadas firmemente sobre las caderas.

—Ya entiendo. Puede que haya tardado en darme cuenta de cuáles eran vuestras intenciones, pero ahora están claras como el agua. No sois mejor que ese sapo de sir Hugh.

—Si lo fuera, muchacha, estarías ya bien usada —bufó él mientras se levantaba para cernerse sobre ella, indignado porque le hubiera comparado con el inglés.

—Usada tal vez —replicó Storm—, pero lo de bien habría que verlo.

Colin pensó un instante en atajar la discusión, que empeoraba por momentos, pero enseguida desistió. Como la pareja ya se había enfrentado antes aquello le parecía sumamente entretenido. El asunto no era precisamente galante, pero ello poco importaba, porque todos sabían lo que Tavis tenía pensado para la chica. Lo único en cuestión era cuándo la haría suya y cuánto tendría que esforzarse por conseguirlo. Tavis nunca había tenido problemas con las mujeres y todos querían ver cómo se enfrentaba a la resistencia de Storm.

Agarrándola por las muñecas, gruñó:

—Quizá debamos ir a ver qué tal uso os doy.

Storm no podía golpearle, a pesar de que quería hacerlo, pero no estaba completamente indefensa. Le asestó una patada en la espinilla y él soltó un grito muy gratificante. Aquél no era modo de congraciarse con el hombre en cuyas manos estaba su destino, pero estaba demasiado furiosa para reparar en ello. Desde el día en que se convirtió en mujer, había tenido que sufrir las atenciones indecorosas de los hombres. Su posición como la única hija de un poderoso señor de la frontera no le había servido de protección, y hacía tiempo que había dejado de intentar rechazar amablemente tales acercamientos.

—Por mí podéis ahorrároslo. Acabo de cenar: ya estoy servida. —Intentó en vano desasir sus manos de las garras de Tavis.

Aunque a Tavis nunca le había rechazado una mujer en la que se hubiera fijado, no fue únicamente la resistencia de Storm lo que agitó su ira. Creía entender su rechazo. A fin de cuentas, era una mujer de noble cuna cuya virginidad se defendía como un castillo y se consideraba un preciado galardón. El hombre que se casara con ella esperaría que su inocencia estuviera intacta. Perderla alteraría irrevocablemente su futuro, y no para bien. Si Tavis estaba furioso era porque la deseaba como no había deseado a ninguna otra mujer y porque, no obstante, ella no parecía sufrir del mismo mal.

—Entonces tendré que tomaros entre horas —dijo con un ronroneo.

Storm reconoció el tono suave que delataba su cólera, pero hizo caso omiso de él.

—No vais a tomarme en absoluto, MacLagan, o más os vale andaros con ojo —siseó—. Mataré a aquél que me deshonre.

—¿Y cómo lo haréis, muchacha? —se burló él—. No tenéis armas.

—Si hace falta, os desgarraré la garganta con los dientes —respondió ella con un suave y gélido ronroneo.

Tanto se sorprendió Tavis que la soltó, y Storm se apartó de él y se dirigió a la puerta con la espalda envarada por la ira y Phelan pisándole los talones. Angus se apresuró a ocupar su puesto de escolta y guardián. Tavis se acercó a ella y la agarró del brazo antes de que saliera del salón. Ninguno de los dos notó que todos se habían callado, con la esperanza de no perderse palabra.

—Sí, retiraos a vuestras habitaciones, muchacha, pero no escaparéis de mí. Los de Hagaleah no quieren pagar por vos, así que fijaremos de otro modo el precio de vuestro rescate. Como a mí me plazca.

Decirle que debía comportarse como una fulana para conseguir la libertad no era el mejor modo de apaciguar su ira, y Storm se preguntó cómo era posible que no se diera cuenta.

—De mí no obtendréis nunca ningún placer, MacLagan. Si no puedo deteneros, seré tan fría como el oro que os niega Hagaleah. Así que venid si queréis a probar un pedazo de hielo. No os daré siquiera el placer de una sucia mujerzuela de dos peniques.

—Me estáis retando, muchacha, y yo nunca tardo en aceptar un desafío.

—Para un hombre de vuestra fortaleza no es ningún desafío someter a una muchacha. Es una simple violación, señor, un divertimento corriente que practican muchos hombres. A todos os importa un bledo, como muy bien sé.

La discusión se vio bruscamente interrumpida y la réplica de Tavis quedó en el aire. Una joven pechugona, algo más alta que Storm, con el cabello muy negro, la tez blanca y los ojos castaños irrumpió de pronto en el salón y se arrojó hacia Tavis. El abrazo que siguió hizo poco por calmar a Storm, que se negó a analizar por qué sentía un nudo en las entrañas al verlos besarse y trató de convencerse de que se debía a que aquello demostraba que, para Tavis, deshonrarla no sería más que una simple diversión.

A Tavis le costó desprenderse de la mujer que había suplido sus necesidades básicas durante dos años. Ella le sujetaba con fuerza. Tavis no la quería, más allá de un deseo superficial, y le ponía furioso que se hubiera presentado sin estar invitada. El desprecio que veía claramente en los bellos ojos de Storm sólo consiguió acrecentar su ira, porque no era violarla lo que quería, sino hacerle el amor. La aparición de su amante sin duda ayudaría a Storm a encastillarse contra sus intentos de seducirla. Se dio cuenta de que, pese al apasionado abrazo de Kate, seguía sujetando a Storm. Al ver que Kate también lo notaba y que entornaba los ojos, pensó que ella se encargaría de resolver su dilema. Nunca había sido irascible, ni celosa, ni esperaba de él lo que nunca le había ofrecido.

—¿Quién es tu invitada, Tavis? —preguntó Catherine entre dientes.

—Storm Eldon, la hija de lord Eldon de Hagaleah, y mi rehén. Storm, ésta es Kate MacBroth.

Ambas inclinaron la cabeza secamente, y Kate lanzó a Tavis una sonrisa seductora.

—Conseguirás por ella un buen rescate. Que Angus se la lleve adonde sea. No he tenido noticias de ti desde que volviste y temía que te hubiera ocurrido algo.

—Como ves, me encuentro en perfecto estado. No hacía falta que vinieras. Ya tengo bastantes cosas en las que ocuparme —añadió suavemente, mirando a Storm con intención.

Katerine se enojó, y Storm se desasió de Tavis y le lanzó una sonrisa nada dulce.

—No permitáis que perturbe vuestra rutina, señor.

—Mis planes para vos no la perturbarán en absoluto, mi señora —contestó él con sorna.

—Creo que tenéis una opinión demasiado elevada de vuestra resistencia física, señor. —Storm salió del salón ignorando las risas que causó su comentario, incluida la de Angus, que la siguió.

6

Katerine se apresuró a borrar la sonrisa que había asomado lentamente a la boca de Tavis en respuesta al comentario de Storm. Sabía muy bien lo que Tavis se proponía hacer con la inglesa, pero el instinto le decía que no sólo se trataba de acostarse con una cautiva, lo cual era tan corriente que con frecuencia se consideraba un derecho. Llevaba dos años desplegando sus encantos y habilidades para el heredero de Caraidland y consideraba aquel tiempo prueba suficiente de que era algo más que un recipiente para su lujuria. Sin embargo, la expresión de Tavis al mirar a Storm bastó para destruir aquella idea. Katerine no tenía intención de dejarse vencer por una inglesa esquelética, con ojos de gato y pelo naranja.

—Así que piensas divertirte un rato con la inglesa, ¿no? Aunque no hay mucho a lo que agarrarse —ronroneó mientras se alejaba para ocupar el puesto de Storm a la mesa.

Tavis decidió que aquél no era momento ni lugar para discutir la cuestión, rellenó su copa y volvió a tomar asiento.

—Eso no es asunto tuyo, Kate. ¿Piensas quedarte mucho tiempo? —preguntó tranquilamente.

Ella asió con tal fuerza su copa que se le transparentaron los nudillos y luchó por sofocar la rabia que sentía, una rabia causada por la indiferencia de Tavis y el regocijo de los otros.

—No hace tiempo para que vuelva a casa. Hay tormenta. He estado a punto de empaparme. —Fijó los ojos en Colin, haciendo caso omiso de su mirada risueña—. ¿Qué rescate habéis pedido, o no lo habéis pedido aún?

—Sí, hace una semana. Pero no parecen muy dispuestos a dárnoslo. Estamos negociando.

Katerine no recibió con agrado la noticia, pues significaba que la inglesa se quedaría por allí una temporada, e hizo un mohín de falsa preocupación al ver que Tavis tenía un moratón en la barbilla.

—¿Tuvisteis problemas en vuestra salida? —preguntó, tocando levemente la magulladura.

Hasta Tavis se echó a reír.

—No. —Se frotó la mandíbula y dio un pequeño respingo—. La muchacha y yo hemos discutido un poco. Ella quería dejarme clara una cosa y yo estaba desprevenido. La muy zorra... —murmuró.

Su tono exasperó a Katerine.

—Tienes que demostrarle quién es la prisionera y quién el amo. Su arrogancia es imperdonable.

—Yo la ofendí —dijo Tavis en tono cortante.

—Sí, es cierto, muchacho. Si no me equivoco, hiciste una promesa. Y la muchacha no me ha parecido muy complaciente. —Colin se rió al recordar a su hijo tendido en el suelo—. Sigue teniendo mucho genio. —Señaló a Malcolm, uno de sus sirvientes—. Me voy a la cama. Hace rato que debería haberme acostado. —Suspiró.

Tavis vio marcharse a su padre. Colin estaba cada vez más débil, tenía mal color y no comía nada porque le era casi imposible retener la comida. Era duro ver apagarse a un hombre tan fuerte, y más aún si era el padre de uno. Tavis volvió a llenar su copa y frunció el ceño al ver que Katerine se acurrucaba a su lado posesivamente.

Esa noche bebió mucho, pensando en la enfermedad de su

padre y en Storm Eldon. Apenas reparó en los muchos intentos que hizo Katerine, al principio sutilmente y luego no tanto, de agitar su ardor. El deseo que sentía por ella nunca había sido muy intenso, pese a su incuestionable talento en la cama. Era simplemente una cuestión práctica. A menudo, pasados los seis primeros meses de su relación, había pensado en librarse de ella, pero costaba renunciar a una arreglo tan conveniente. De todos modos, como había escasas posibilidades de que se rindiera a sus encantos en aquella visita, le pareció que ella entendería enseguida que su aventura había tocado a su fin.

A medida que el licor corría por sus venas, se fue enojando cada vez más con Storm y también consigo mismo por haberle hecho aquella promesa a su padre. Estaba convencido de que no la seduciría: simplemente, le revelaría lo mucho que la deseaba en realidad. Le parecía inconcebible sentir aquella pasión por ella y que Storm no le correspondiera. Estaba seguro de que, en cuanto la tuviera en sus brazos, su rechazo resultaría ser una pose.

Katerine renunció por fin a excitar su deseo. Tenía que tomar medidas más contundentes, pero no podía hacerlo en público. Dejó que Janet la llevara a su habitación, aunque no pensaba quedarse allí. En cuanto Janet se marchó, ella se fue a los aposentos de Tavis, se quitó la ropa y se acomodó en la cama. Tavis no se mostraría frío con ella, y quizá la mezcla de vino y pasión le hiciera bajar la guardia. Aunque no sentía deseos de tener un hijo, podía soportar aquel calvario con tal de asegurar su lugar en la cama de Tavis MacLagan.

Tumbada en la cama, Storm no lograba conciliar el sueño. Tenía la mente tan repleta de cosas que no podía descansar. Comprendía ahora claramente la causa de su ira, y no le agradaba.

Aquel beso le había demostrado que estaba mucho más cerca de amar a Tavis de lo que creía, si no le amaba ya. Como consecuencia de ello, su deseo se hallaba en guerra con su moral. Su virginidad debía ser un regalo para su marido, y Tavis Mac-Lagan no podía desposarla. Sin embargo, sabía que Tavis no tendría que esforzarse mucho por conseguir aquel galardón. Ni siquiera la certeza de que ella volvería a Hagaleah deshonrada mientras él se quedaba en Caraidland, jugando con otra, lograba aquietar su deseo. Decirse que Katerine podía suplir sus necesidades sólo le causaba dolor. Veía delante de sí únicamente complicaciones: incluso el placer acabaría por traerle dolor.

—El señor del castillo no tiene buen aspecto —comentó Phelan a su lado. No había usado el camastro ni una sola vez desde que lo habían instalado para él—. Parece que se está consumiendo.

Storm se alegró de poder olvidarse de Tavis y dijo:

—Sí. Es una extraña aflicción.

—¿Por qué, prima? He oído hablar otras veces de una enfermedad así. No es tan raro.

—Cierto, pero yo la he visto, y no se parece a la que sufre mi señor MacLagan.

—Piensa en los síntomas que hemos visto. Sé que es propenso a desmayarse y a sangrar por la nariz.

—Ah, no lo sabía. He visto que está cada vez más apático, que su piel se reseca de día en día, que come poco porque no puede retener la comida, y creo que a veces no tiene mucha sensibilidad en las manos.

—Es una aflicción extraña, sí —dijo Phelan en voz alta—. Tú conoces el arte de la curación. ¿Qué puede ser, si no es consunción? Puede que sea un enemigo, pero no me gusta ver morir así a un hombre. Un hombre como Colin MacLagan debería morir peleando, no apagarse lentamente.

—Sí, es muy triste. Creo que hasta mi padre lo sentiría. Tengo que pensar en ello. Hay algo que no encaja —murmuró ella.

Phelan se quedó callado y la dejó pensar. Cuanto más meditaba Storm sobre la dolencia de Colin MacLagan, menos le gustaba. Vistos en conjunto, sus síntomas indicaban que en Caraidland se estaba preparando una traición, un complot dirigido a deshacerse del señor del castillo. Se estremeció cuando una idea cristalizó en su cabeza.

—Le están envenenando, Phelan. Estoy segura —dijo en voz muy baja.

—Pero ¿quién? —preguntó él sin cuestionar su conclusión: en tales asuntos, confiaba plenamente en su juicio.

—No lo sé. Debemos vigilar a todo el mundo, Phelan. A todo el mundo. Hasta a sus hijos. Me cuesta creer que uno de ellos sea el culpable, pero los conozco muy poco. Y se sabe de hijos que han asesinado a sus padres.

—¿Qué debemos buscar?

—Santo cielo, no lo sé. Alguien le está dando veneno a escondidas. —Se frotó las sienes mientras luchaba por pensar—. Creo que debemos buscar a alguien que siempre ejecute la misma tarea. Puede que siempre le sirva la cerveza o el vino, o que le dé una medicina. Cosas así. Puede incluso que le unte el veneno en la piel.

—Pero eso es mucho buscar. Aunque a decir verdad tenemos poco que hacer mientras estemos aquí.

—Cierto. Tiene que ser alguien en quien él confía. No debemos hablar de ello aún.

—Lo mismo pienso yo, Storm. Podríamos advertir a ese canalla. —Phelan se quedó pensando un momento—. Puede que, si descubrimos la traición y mi señor MacLagan recupera la salud, nos dejen en libertad.

—Pudiera ser. Sólo es cuestión de tiempo. Para él y para mí —añadió suavemente, pero Phelan la oyó.

—Sí. —La cogió de la mano y se la apretó—. Tavis se está cansando de esperarte. Haré lo que pueda por defenderte, prima —añadió, aunque sabía que había poco que pudiera hacer.

—Phelan —comenzó a decir ella, indecisa. Necesitaba contarle a alguien lo que pensaba—, no es que me viole lo que temo.

—Lo sé. Ni el deshonor. Es lo que sientes por Tavis Mac-Lagan. ¿Verdad?

—Eres muy intuitivo para ser un chico. Sí, eso es exactamente lo que temo. Nunca antes me había sentido atraída por un hombre. Ay, Dios, qué mala suerte, sentirme atraída por un MacLagan. Era sólo un temor hasta que me besó. Ahora sigue siéndolo, pero no puedo ignorarlo porque también es una realidad. Lo que significa que, si se muestra tierno y cariñoso conmigo, estoy perdida. Para serte sincera, no podré alegar que fue una violación y la culpa de mi deshonor recaerá sobre mis hombros, porque ¿qué hombre rechaza a una doncella complaciente?

—Ninguno, que yo sepa. Puede que te tome por esposa.

—Eso es impensable, Phelan. Soy una Eldon y él un Mac-Lagan. Nuestras familias están en guerra desde hace muchos años. Y yo tengo la sensación de que Tavis puede ser un buen amante, pero no amar. Es todo lo que una mujer puede desear hasta que su deseo se apaga. Entonces la desecha y la cambia por otra. Yo podría soportar, quizá, el deshonor y la pérdida de mi virtud fuera del matrimonio, lo cual es un pecado, pero no soportaría ver disiparse la pasión de mi amante, ver que su corazón se endurece y que tiende los brazos a otra. Eso me mataría.

—Entonces no puedo permitir que se acerque a ti, prima.

—Ah, Phelan, muchas gracias, pero no. Nunca se sabe cómo va a reaccionar un hombre cuando le arde la sangre. No quiero que salgas malparado intentando salvar algo que en casa todo el mundo creerá que ya he perdido. Si Tavis viene a mi habitación, no discutas con él. Déjamelo a mí. —Se tragó su dolor al añadir—. Puede que estemos hablando de algo que no va a pasar. Ahora tiene a su amante.

—No te soltó, a pesar de que ella intentaba encender su pasión —dijo Phelan en voz baja.

—No la esperaba —repuso Storm, ignorando su creciente nerviosismo—. Ahora, a dormir —ordenó, consciente de que era más fácil decirlo que hacerlo. Sobre todo, porque no paraba de pensar en Tavis MacLagan.

El recuerdo de Storm giraba en la mente cada vez más confusa de Tavis como un torbellino. Beber y bromear con sus hermanos y los demás hombres no le ayudó a mantener a raya su deseo por Storm. Confiaba en emborracharse lo suficiente como para caer en un sopor profundo que no perturbaran los sueños, pero su plan parecía estar fracasando. Pensaba cada vez más en Storm y su mente evocaba imágenes que le obligaban a cerrar los ojos para defenderse del deseo. Storm era una fiebre en su sangre, y él estaba al borde de la crisis.

—Ah, Tavis, qué suerte tienes, granuja —bromeó Sholto, no muy sobrio—. ¡Dos bellezas entre las que elegir!

—¿Te importa que consuele a la que no quieras? —preguntó Iain con una sonrisa.

—No. Ya sabes dónde suele dormir Kate.

—Ah, bueno. Confiaba en que fuera la otra —suspiró Iain con un destello de alborozo en los ojos de color turquesa.

—Puede que me quede con las dos —dijo Tavis, y su risa se mezcló con la de los otros.

—Entonces no llegarías a mañana. Una de las dos te mataría por estar con la otra.

—Sholto tiene razón —rió Donald, un hombre corpulento que era su primo carnal—. Yo apostaría por la muchacha de Hagaleah. Es de armas tomar. Será por el pelo, supongo.

Sholto volvió a llenar su jarra y suspiró profundamente.

—Me encantaría verlo suelo, sin esas trenzas tan bien hechas. Ha de ser una delicia.

—Me acordaré de decirte cómo es —comentó Tavis y, apurando su bebida, se levantó.

—Recuerda —dijo Iain en voz baja para que los otros no le oyeran—, que juraste no tocar a la muchacha a no ser que ella quisiera. Es muy poco lo que te ha pedido nuestro padre. Un pequeño placer que darle, estando tan enfermo.

—Sí. Ella querrá. —Tavis frunció el ceño—. ¿Qué crees que le ocurre a nuestro padre? Está cada vez más débil.

Iain asintió con la cabeza.

—Sí, así es, pero parece que no hay nada que hacer, salvo ver cómo se consume. Por los clavos de Cristo, ¡qué impotencia siente uno! No ha tenido una mala vida. Se merece una muerte mejor, no esta agonía.

Tavis no podía decir mucho más, porque sentía la misma congoja. Apretó el hombro de Iain en un breve gesto de simpatía y comprensión. Pero, cuando se disponía a marcharse, su hermano le agarró del brazo. Tavis levantó una ceja inquisitivamente y, al mirar su semblante sombrío, notó que Iain estaba mucho más sobrio que él.

—No hagas daño a la chica, Tavis. Puede que sea una Eldon, pero es una muchacha muy linda, hija de un hombre al que respeto aunque sea mi enemigo, y me apenaría verla sufrir por tu culpa.

Tavis se inclinó para que sólo le oyera él y contestó:

—No pienso hacerle daño.

—Sé que no puedo pedirte que la dejes en paz, que no la deshonres.

—Tienes razón. Aunque estuviera intacta al irse de aquí, muy pocos lo creerían. Y estoy loco por ella.

Iain asintió con un gesto y le soltó. Tavis sonrió en respuesta a los comentarios procaces que le dirigieron y salió del salón. Se dirigió a sus aposentos porque quería bañarse. Esperaba, en parte, que un baño caliente aliviara su deseo y le hiciera buscar su cama y dejar en paz a Storm Eldon, pero dudaba que así fuera.

Hizo que le prepararan el baño en una pequeña estancia que había entre sus aposentos y los de Iain. La chimenea, la ausencia de ventanas y la estrechez del cuarto lo mantenían libre de corrientes de aire. Era un lugar perfecto para bañarse. Mientras se lavaba, libró una ardua batalla en su fuero interno, de la que no salieron victoriosos ni su conciencia ni su cuerpo. Al salir de la bañera para secarse con una toalla, juró no forzar a Storm y detenerse si se resistía con empeño.

Ella era su prisionera, se dijo. Él tenía derecho a hacer lo que se le antojara con ella. Pero no tenía intención de hacerle daño. Sólo quería darle placer. Había percibido en ella un destello de pasión al besarla, y se creía capaz de hacerla gozar. Además, Storm no había demostrado repugnancia por él durante la semana que llevaba en Caraidland. Sencillamente, Tavis no podía seguir soportando en silencio el deseo de poseerla.

Entró en la alcoba en busca de su bata. Al recogerla de una silla, Katerine se sentó en la cama y él soltó una maldición. Se puso la bata y se acercó a la cama.

—¿Qué demonios haces aquí? —dijo con aspereza, y sólo sintió furia al ver su densa cabellera negra y sus pechos desnudos.

—Éste es mi sitio. Es aquí donde duermo cuando vengo a Caraidland. —Se puso de rodillas y le rodeó el cuello con los brazos—. Ven a la cama, Tavis. Deja que te dé placer, como he hecho tantas veces antes. —Empezó a besarle la garganta—. Llevo horas esperándote.

—Yo no te lo he pedido. —Le apartó los brazos de su cuello—. Creo que esta noche te he dejado claro que esto no me interesa. Vete a tu cuarto, Kate.

La frialdad de su voz y su rotundo rechazo hicieron añicos la intención de Kate de mostrarse conciliadora.

—¿Vas a dejarme por esa zorra inglesa? —chilló, y le lanzó una bofetada.

Tavis la agarró de la muñeca y le apartó el brazo.

—Sí.

—¿Cómo puedes tratarme así después de haberte dado dos años de mi vida?

—Yo no pedí nada y sé que esos dos años no han sido sólo míos. No, fuiste tú quien se metió en mi cama, Kate, como has hecho esta noche.

—Mi familia te hará pagar por esta afrenta —bufó ella, y recogió la ropa que él le tiraba.

—Un hombre tiene derecho a elegir a quién quiere en su cama. Tu familia no hará nada y tú lo sabes.

—Me hiciste promesas. Esperan que nos casemos.

—Si lo esperan es porque tú les has mentido, Kate. Yo no te prometí nada, excepto dar y recibir placer, y esa promesa la he cumplido. No eras virgen. Te habías acostado con otro antes que conmigo. —Se rió suavemente—. Sí, todos sabemos con quién fue, porque no fuiste precisamente discreta. Tu familia también lo sabe. No, puede que quieran que me case contigo, pero no creo que lo esperen. Si me casara, no sería con la mujer a la que Alexander MacDubh utilizó y luego dio de lado.

Katerine palideció. Ignoraba que Tavis estuviera al corriente de su aventura con Alexander.

—Eso es mentira —dijo.

—¿Sí? —Él se encogió de hombros—. Me da igual. —No hizo ademán de ayudarla mientras ella luchaba por ponerse la ropa—. No puedo echarte porque eres una MacBroth, Kate, y tu familia es bien recibida en Caraidland. Pero quédate en tu habitación. Esto se ha acabado y los dos lo sabemos. Olvídame. Búscate a otro. Puede que hasta encuentres a un hombre lo bastante tonto como para casarse contigo, aunque tengas la moral de un gato.

Katerine avanzó hacia la puerta, ofuscada por la ira. Su furia surgía en parte del descubrimiento de que Tavis sabía más sobre ella de lo que creía o quería creer. Por otra parte, sus planes de quedarse embarazada no darían fruto si Tavis la apartaba de su cama. Estaba furiosa, pero no pensaba cejar en su empeño. Todo el mundo sabía que eran amantes desde hacía tiempo. Habría pocos hombres dispuestos a casarse con ella. No podía perder a Tavis: él era posiblemente su última oportunidad de encontrar marido.

—Vete con esa sucia inglesa, pues —siseó al llegar a la puerta—. Pronto te cansarás de ella y querrás una mujer de verdad. Más te vale que, cuando llegue ese momento, tenga ganas de perdonarte.

Dio un portazo y Tavis hizo una mueca. No quería que el final de su relación con Kate fuera tan agrio, pero dudaba de que pudiera ser de otro modo. No sólo quería librarse de ella por Storm. Se había vuelto muy posesiva. Tavis estaba casi convencido de que planeaba quedarse embarazada, y deseaba apartarse de ella antes de que lograra su propósito.

Y no porque no quisiera casarse (sabía que pronto tendría que buscar esposa), ni porque le importara que la elegida no fuera virgen, aunque sería agradable. En el caso de Katerine, era sencillamente por su carácter. Dudaba de que la hubiera tomado siquiera por amante, si ella no hubiera tomado la iniciativa. Era demasiado fría, demasiado posesiva y carecía de sentido de la fidelidad, la única cosa que Tavis le exigiría a su esposa, porque no quería ser un cornudo, ni pasarse la vida intentando adivinar quién era el padre de sus hijos. Kate se parecía demasiado a muchas mujeres que había conocido.

Una sonrisa oblicua asomó a sus labios finamente labrados mientras se dirigía a la torre en la que dormía Storm. Al parecer le costaría encontrar esposa si lo que buscaba era una mujer en la que pudiera confiar. En sus veintiséis años de vida, muy rara vez había encontrado una. Sólo en una ocasión había confiado en una mujer y había acabado haciendo el ridículo, cosa muy difícil de soportar para un hombre tan orgulloso como él.

Recordar a Mary siempre le causaba un arrebato de ira y amargura. La había amado hasta la adoración. Encontrar a aquella mujer a la que creía tan pura y perfecta en brazos de Alexander MacDubh, con las faldas levantadas como una ramera, había sido un golpe devastador. A partir de entonces, no había vuelto a confiar en las mujeres. Las trataba a todas con la insensibilidad que creía merecían, una actitud ésta que ninguna había logrado cambiar. Aquello había sido, por otro lado, el comienzo de su enconada rivalidad con Alexander MacDubh, una rivalidad que nunca estallaba en guerra abierta porque, aunque para él estaría para siempre unido a una época de dolorosos desengaños, Tavis no odiaba a MacDubh.

Algo dentro de él anhelaba descubrir que Storm era digna de confianza, darse cuenta de que su carácter seguía siendo casi idéntico al de aquella niña franca y sin doblez. Se había acordado de ella muchas veces desde aquel primer encuentro. Pero, se decía, ahora era una mujer, además de una Eldon. Y ninguna de las dos cosas era un buen fundamento sobre el que depositar su confianza.

Al llegar ante su puerta la miró pensativamente mientras el guardia se levantaba para abrirla. Se alegró de que Angus no estuviera allí, porque había tomado cariño a Storm y a su primo y sin duda le haría sentir su reproche. Intentando deshacerse de escrúpulos morales por lo que se disponía a hacer, entró en la habitación y le hizo señas al guardia de que le siguiera. Deseaba a Storm con una intensidad casi paralizante, y pensaba hacerla suya.

7

Un fuego mortecino iluminaba la alcoba con un tenue resplandor. En la amplia cama, Storm y Phelan yacían abrazados. Ella parecía tan joven como el chico. Bajo las mantas, sus cuerpos delgados daban la impresión de estar entrelazados.

—Llévate al chico y enciérrale por ahí —le dijo al guardia con la voz enronquecida por la visión de la espesa y brillante cabellera de Storm esparcida sobre las almohadas. Phelan se despertó cuando el guardia le levantó de la cama. El forcejeo que siguió despertó a Storm. Con voz calmada, le dijo a Phelan en irlandés que se fuera tranquilo.

—¿Estás segura? —preguntó él en el mismo idioma, mirando a Tavis con hostilidad.

—Sí. —Ella también miró a Tavis y pensó en lo cruel que era el destino por permitir que entregara su corazón a un hombre que no sólo era su enemigo, sino que además sólo pretendía usarla—. Es inevitable, mi querido niño. Si no es ahora, será más adelante, porque él lo desea y yo le amo. Creo que lo mejor es que procure disfrutarlo cuanto pueda. Así que vete, Phelan, y no te preocupes por mí. No hay nada que hacer.

—Ojalá quiera el destino que quede impotente —dijo Phelan, y salió de la habitación hecho una furia.

Tan pronto estuvieron solos, Tavis se acercó a la cama y miró a Storm, que se reía por lo bajo.

—¿Qué estabais diciendo el chico y tú? —preguntó con calma.

—Le he dicho que no podía hacer nada por remediarlo, que se fuera tranquilo. Y él os ha deseado una aflicción que os haría imposible cumplir vuestro propósito. —Deseó no ser tan consciente de lo guapo que estaba cuando sonreía.

Tavis se sentó en la cama, la agarró de las muñecas y le sujetó las manos a ambos lados de la cabeza.

—¿Sigues queriendo resistirte, muchacha? Te advierto que tus forcejeos no me detendrán —dijo en tono bravucón.

—Eso ya lo he comprobado —repuso ella con sorna—. No, no voy a resistirme, porque sólo me traería dolor.

Tavis comenzó a besar suavemente sus mejillas.

—Es cierto. De este modo puedo darte placer.

—He dicho que no me resistiría, no que vaya a cooperar.

Mientras los labios de Tavis se movían sobre su cara, Storm tuvo la inquietante sensación de que su cuerpo haría lo que se le antojara, pese a sus deseos.

—Quizá pueda hacerte cambiar de idea, muchacha. Dado que tienes que ceder, ¿por qué no sacar provecho de ello, pequeña? —Bajó las mantas y comenzó a desatarle la camisa de seda.

Storm sintió que el ardor del deseo se difundía por sus venas, a pesar de sus esfuerzos por sofocarlo. La luz del fuego y de la vela que había llevado Tavis le permitía ver lo que él hacía, y la experiencia resultó embriagadora. Comprendió con un toque de amargura dirigida contra sí misma que, de haberse resistido, la batalla habría sido muy corta. El único modo de salvar la cara sería no sentir placer alguno u ocultar el que sintiera, pero sabía por instinto que ni siquiera se le permitiría aquella pírrica victoria. Su corazón era su peor enemigo. Sólo podía confiar en que Tavis no se diera cuenta de hasta qué punto la tenía en la palma de la mano.

Tavis le quitó la camisa y deseó que no estuviera tan inerme. Al posar la mirada sobre sus pechos grandes y marfileños, se quedó sin aliento. Y no sólo porque su belleza le conmoviera, sino porque allí halló la prueba de que su desinterés era una pose. Storm empezaba a respirar entrecortadamente, las perfectas rosetas de sus pechos iban endureciéndose ante su vista, pidiendo caricias a gritos, y su fino cuello palpitaba de tal modo que no podía haber duda de que la sangre le corría por las venas tan vertiginosamente como a él. Tavis volvió a fijar la mirada en su cara y se despojó de la bata. El rubor de Storm era visible a pesar de la penumbra.

—Eres perfecta —dijo con voz suave y enronquecida por el deseo—. Creo que todo tu cuerpo se está sonrojando.

—Ningún hombre me ha mirado así. Es la vergüenza lo que me hace sonrojarme.

—Ah, muchacha, si alguien tiene que avergonzarse soy yo, y no me importa cargar con ella, porque significa que puedo hacer mía la hermosura que tengo ante mis ojos. Así que no te sonrojes, amor mío. No sirve de nada.

Storm prefería morir a confesarle que el rubor de sus mejillas se debía en parte a que, al ver su cuerpo desnudo, su sangre había empezado a arder. Mientras Tavis la recorría con la mirada, ella hizo lo mismo con él. Comparado con Tavis MacLagan, sir Hugh parecía contrahecho.

Storm contempló con placer casi imposible de ocultar sus anchos hombros y su pecho fuerte y ligeramente velludo. Al tiempo que se pasaba la lengua por los labios repentinamente resecos, siguió con la mirada el fino reguero de vello negro que se extendía más allá de su estrecha cintura y sus caderas fibrosas. Siguió la perfecta simetría de sus piernas largas y musculosas y regresó al lugar que antes había evitado pudorosamente. Un destello de temor virginal la recorrió al ver la prueba palmaria de su deseo y su virilidad. De pronto se sintió muy pequeña. Se estremeció cuando Tavis se tumbó en la cama y la abrazó.

—No lo hagáis, MacLagan —le suplicó en un último intento de impedir lo que parecía inevitable—. Soy virgen. No he conocido varón. Mi inocencia debería ser un regalo para mi legítimo esposo.

La idea de que otro hombre poseyera lo que tenía entre los brazos atravesó, abrasadora, el cerebro de Tavis, que tardó un momento en sofocar aquella rabia incomprensible.

—Pides demasiado, amor mío. No soy más que un hombre. No puedo renunciar a esto.

—¿No podéis satisfacer vuestra lujuria con vuestra amante? Ella sabrá mejor que yo cómo complaceros. —Mientras decía aquello, casi ahogándose, una parte de ella rezó por que Tavis no le hiciera caso.

—No, muchacha. —Deslizó la mano por su costado, deleitándose en sus formas—. No sé por qué es, pero te has metido en mi sangre. Kate estaba en mi alcoba, esperando, dispuesta a todo, pero aunque me he dicho que sería mejor quedarme con ella, me he descubierto echándola. —Pasó la mano por sus costillas y al acariciar su pecho y sentir que el pezón se le clavaba en la palma como una temeraria invitación, experimentó una leve euforia—. He perdido el gusto por sus encantos. Hace tiempo que debería haberla despedido.

—Sé que somos enemigos, pero ¿es necesario que me obliguéis a actuar como una mujerzuela para conseguir la libertad? —sollozó ella, ignorando tercamente la alegría que le habían producido sus palabras y el deseo de estrecharle en sus brazos.

Tavis tomó su cara entre las manos y la besó suavemente en los labios mientras decía:

—Ah, muchacha, no hablaba en serio. Estaba furioso. Lo que estoy a punto de hacer no tiene nada que ver con el hecho de que seas mi prisionera. Ni tampoco con ese rescate que no llega. Es sólo el deseo ardiente de un hombre por una mujer. No soportaba la idea de devolverte a Hagaleah sin haber probado tu dulzor.

Su beso, una suave seducción, casi despejó por completo la mente de Storm. Ya sólo podía pensar en él y en el placer. Sin embargo, la vocecilla de la razón se hacía oír aún, diciéndole que aquel hombre era un redomado embustero, un seductor muy hábil. Sabía qué decir para derruir el muro que ella intentaba levantar. Aun así, mientras él exploraba con la lengua su boca, Storm tuvo que cerrar los puños con fuerza para refrenar el deseo de tocarle. A su cuerpo nada le importaban las advertencias de su cabeza.

Tavis gruñó mientras sus labios se movían por la fina garganta de Storm.

—Tócame, muchacha. Quiero sentir tus lindas manos moverse sobre mi carne. Tócame, Storm. Descubre al hombre que se muere por ti.

—No, no puedo —gimió ella con una voz que no reconoció—. Esto no está bien.

—Storm, mi dulce Storm, no me hagas enfadar. No estoy muy cuerdo en este momento y podría hacerte daño, aunque no quiero hacerlo. —Besó sus pechos turgentes—. Tócame, Storm.

—No, no debo. Yo... ¡Ah! —gritó suavemente cuando él cogió uno de sus pechos y cerró la boca sobre su pezón endurecido. Una oleada de fuego la atravesó cuando su lengua rozó el pezón, avivando un ansia que aplacó con una leve pasada de los labios—. Estoy perdida —susurró ella, y enterró las manos entre su denso cabello mientras se arqueaba contra él, presa del deseo.

—Es el néctar más puro —murmuró Tavis mientras lamía su otro pecho y movía la mano en lentos círculos sobre su vientre—. Tu piel es como seda finísima.

Storm se mordió el labio, intentando ahogar los gemidos de pasión que pugnaban por salir de ella. Fue en vano, porque estallaron en su garganta y sonaron como un ronroneo sofocado. Tavis la estaba convirtiendo en el receptáculo inerme de su lujuria, y sin embargo ella no podía evitar que su cuerpo respondiera a sus hábiles caricias. Sus manos le tocaban allí donde alcanzaban, moviéndose con un deleite tímido pero ansioso que no podía controlar. Él siguió besando su terso vientre y al mismo tiempo deslizó la mano entre sus piernas para acariciarla. Ella se tensó ligeramente y un instante después se sumió en un estado de irracionalidad en el que sólo era consciente de su placer y del ansia que crecía rápidamente en su interior.

Tavis sintió su capitulación final y dejó escapar una risa suave y triunfante. Había sentido su pasión, la había notado temblar mientras luchaba por sofocarla, y se había servido de toda su habilidad para que venciera la pasión. Como recompensa, ella comenzó a cobrar vida bajo él. Sus movimientos, los sonidos de placer que dejaba escapar, le excitaban como ninguna otra cosa que hubiera conocido antes. Mientras deslizaba de nuevo la boca hacia sus pechos, buscó con los dedos el centro de su sexo, preparándola para poseerla, y se deleitó en su cálida humedad, una humedad que pronto conocería más plenamente.

Quería paladear la pasión, aquella pasión que nunca antes había sentido, pero pronto alcanzó el límite de su resistencia. Las caricias torpes y tímidas de las manos de Storm le volvían loco y le procuraban más placer del que había hallado nunca en las manos más expertas de otras. Agarrándola firmemente por las estrechas caderas, se deslizó dentro de ella, encontró el obstáculo de su inocencia y lo hizo pedazos al tiempo que sofocaba con la boca su gemido de dolor. Apretó los dientes para refrenar sus ansias y se quedó muy quieto, dejando que el dolor remitiera y que el cuerpo de Storm se acostumbrara a su presencia.

—Duele —susurró ella, un poco llorosa—. ¿No podéis dejarme ya?

—No, es el puerto más dulce que he conocido nunca. —Sus labios se movieron suavemente por la cara de Storm al tiempo que la acariciaba, disipando su tensión. Con la mano sobre su muslo, añadió—: Rodéame la cintura con las piernas, dulce Storm. Acúname. Apriétame entre esos muslos de seda.

Inducida por la pasión, Storm obedeció, y se estremeció con él cuando Tavis la penetró más profundamente. Fijó los ojos en los suyos. Tavis permanecía suspendido sobre ella, erguido sobre los codos. Storm ahogó un gemido cuando él comenzó a moverse lentamente. Un placer casi doloroso fue creciendo en su interior, disipando los últimos vestigios de dolor. Sin saber que sus ojos se habían vuelto de un color denso y profundo, quedó suspendida en el brillo de la mirada de Tavis. Pasado un momento, empezó a moverse con él, llevada por un ritmo espontáneo.

—Sí —dijo él con voz trémula por la pasión mientras sus labios se rozaban—. Así. Sal al encuentro de mi embestida. Llévame tan dentro de ti que no encuentre la salida. Mmm, qué delicia. Qué delicia —jadeó, y la besó con ansia al tiempo que empezaba moverse más aprisa.

Storm correspondió a su vehemencia creciente. Sus brazos esbeltos le rodearon, lo mismo que sus piernas, mientras su lengua jugaba con la de él y su beso se contagiaba del frenesí de sus movimientos. Sólo era vagamente consciente de que Tavis mascullaba algo con la voz adensada por un ansia que casi escapaba a su comprensión. De pronto, el placer aumentó hasta hacerse alarmante. Storm se sintió suspendida al borde de un precipicio, con el cuerpo tenso como un arco listo para disparar. A pesar de su miedo, no era capaz de detener todo aquello, y su agitación era cada vez mayor. Se había convertido súbitamente en pasajera de un viaje cuyo destino desconocía.

—Tavis... Oh, Dios, por favor... Tavis, temo romperme en pedazos. Ayúdame, por favor. Tengo miedo.

Tomando su cara entre las manos, él hizo un esfuerzo por hablar con claridad. Quería aliviar sus temores antes de que pudieran empañar su pasión.

—No te resistas, ni tengas miedo, cariño. Déjate llevar. Dámelo. Es el glorioso final de nuestro viaje. Saboréalo.

Le sostuvo la mirada y allí la vio gozar al tiempo que oía su grito apasionado. Se deleitó en sus estremecimientos de placer y, con una última embestida, buscó su descarga y, antes de derrumbarse en sus brazos, vio en el rostro de Storm cómo aceptaba su cuerpo con avidez el tributo de su pasión. Durante un instante permanecieron entrelazados y dejaron que sus mentes y sus cuerpos regresaran poco a poco a la normalidad.

Al recobrar la cordura, Storm se halló presa de una tristeza creciente. Sabía que, en parte, sus lágrimas estaban motivadas por la sensación de haber perdido algo, por la certeza de que se había visto despojada de su inocencia y de que su infancia era ya, irrevocablemente, cosa del pasado. Pero lo que más la entristecía era la convicción de que lo que para ella era tan hermoso no era para él más que el modo de usar a una mujer. Aunque no era muy dada a llorar, y pese a que sabía que se estaba compadeciendo a sí misma, no pudo contener el llanto.

Tavis se apartó de sus brazos. Intentaba sofocar los remordimientos que habían comenzado como una leve punzada al verla llorar y no cesaban de crecer. Con un paño húmedo, limpió en ambos los vestigios de su inocencia perdida. Luego regresó a la cama y la tomó en sus brazos, ignorando su ligera resistencia.

—No llores, pequeña. No puedo devolverte lo que te he quitado. Y aunque pudiera, volvería a arrebatártelo.

Storm confiaba en que no supiera nunca todo lo que le había robado.

—Para vos es fácil hablar así. No importa con cuántas mujeres se acueste un hombre. Los hombres se enorgullecen de sus conquistas. Pero para una mujer es distinto, si quiere casarse. Los hombres esperan que su esposa sea pura, que no la haya tocado ningún otro. Habéis arruinado mis esperanzas de casarme y tener hijos.

—No es para tanto —dijo él con calma, aunque no lo pensaba.

—No —bufó ella, intentando liberarse de sus brazos—, siempre puedo encontrar quien se case conmigo por mi fortuna. Hombres como sir Hugh o algún otro amante de lady Mary.

No era una idea halagüeña. Tavis se enfadó, porque Storm estaba agitando de nuevo su mala conciencia, y ello no le agradaba. El cinismo al que tan a menudo recurría flaqueaba. No podía decir que aquello le traía sin cuidado. Y la idea de que ningún hombre la querría ya, sólo le consoló un instante, porque sabía que no era cierta.

—Puede que el perfume de la rosa no sea ya tan dulce, pero no se marchitará en la rama.

—¿Os casaríais vos con una mujer que no fuera virgen? —replicó ella, segura de la respuesta.

Tavis sonrió levemente al ver su cara de sorpresa cuando respondió:

—Sí, si supiera que no es culpa suya. Una muchacha no puede defenderse de un hombre. Es un error culparla por lo que no puede impedir. Sois de noble estirpe, sana y bonita. Habrá muchos hombres dispuestos a pasar por alto el hecho de que halláis perdido vuestra doncellez. —Se rió ligeramente y detuvo sin esfuerzo los golpes de Storm sujetándola a la cama—. ¿Qué es esto que llevas, pequeña? —preguntó, cogiendo el amuleto que Storm llevaba alrededor del cuello y que antes había apartado sin prestarle atención.

Al mirar el medallón de ámbar, con una mariposa con las alas extendidas atrapada para siempre en su interior, Storm sintió que su ira se disipaba en parte.

—Era de mi madre. Lo encontró siendo niña e hizo que le pusieran una cadena. Cuando se enamoró de mi padre, se lo dio a él. En su lecho de muerte, me dijo que lo llevara siempre y que hiciera lo mismo que había hecho ella. Rara vez se encuentra tanta belleza atrapada en ámbar, y menos aún de manera tan perfecta. Mi madre creía que era el regalo de amor perfecto, porque es único y tiene el color de nuestros ojos.

—¿Y aún no has encontrado un hombre al que dárselo?

—Obviamente, no —contestó ella con sorna, intentando ignorar la punzada de dolor que sintió al recordar las circunstancias en que se hallaba.

Tavis hizo caso omiso de su respuesta y la miró a los ojos, fascinado por su color.

—Sí, es del mismo color. Tus ojos podrían cazar a un hombre lo mismo que la resina a esa pobre mariposa.

—No tengo intención de cazar a nadie —replicó ella, ofendida.

—¿No? —Tomó su cara entre las manos y acarició sus mejillas.

—No. —Storm sintió que su cuerpo respondía a sus caricias. Sintió que él volvía a excitarse—. Bien, ahora que ya habéis conseguido lo que buscabais, más vale que os escabulláis de nuevo a vuestras habitaciones.

—Yo nunca me escabullo.

Storm se mordió el labio, intentando contener su enojo creciente, y su pasión.

—Entonces id caminando —replicó entre dientes—, corred, trotad, saltad o haced lo que se os antoje, pero marchaos.

—No voy a ir a ninguna parte, muchacha. —Sonrió al ver que sus ojos se agrandaban.

—No podéis quedaros aquí. Si no, mañana todo el mundo sabrá lo que habéis hecho.

—Ya lo saben. Dejé muy claro lo que me proponía antes de marcharme del salón.

Storm se quedó sin habla un momento, llena de vergüenza y de rabia.

—¿Teníais que hacerlo? ¿Cómo voy a mirar a la cara a los demás ahora? ¿No podríais haber mantenido en secreto mi desgracia?

Tavis negó con la cabeza. Le costaba creer que fuera tan cándida.

—Eres muy bonita y estás en mi poder. No hay duda de que tu familia pensará que has perdido tu virginidad cuando te marches de aquí. Pero, además, si no te hubiera tocado, a los míos les habría extrañado. Quienes no sabían que aún no me había acostado contigo, estaban convencidos de que así era. La mitad de la gente a la que has visto esta semana creía que compartíamos la cama. No pienses más en ello, mi dulce Storm.

—Qué injusto —musitó ella—. ¿No os importa que os crean capaz de forzar a una doncella?

—No. —Comenzó a acariciar su cuerpo y sintió que el deseo ocupaba el lugar de la tensión—. Nunca he forzado a ninguna. Las he seducido, quizá, pero nunca he violado a nadie. —Trazó con la lengua el contorno de su boca y murmuró—: Pienso quedarme en tus brazos hasta que regreses a Hagaleah y a Inglaterra.

Ninguno de los dos se detuvo a pensar en lo penosa que les resultaba la idea de la separación. Pero, pese a todo, bastó para disipar por completo la resistencia de Storm y para avivar aún más las ansias de Tavis.

Iain se detuvo frente a la puerta de su padre, vio un rayo de luz, oyó voces y tocó. Abrió al oír que le mandaban entrar y su mirada se posó en Janet, una mujer en la que no confiaba y por la que no sentía ningún aprecio. No dijo nada hasta que su padre apuró su medicina, devolvió la copa a Janet y ella salió del aposento.

—Qué asco —masculló Colin—. Me ayuda muy poco y sin embargo siento que debo tomarla.

—Tavis está con la muchacha inglesa.

Colin suspiró.

—Sí. Era de esperar. Espero que no le haga daño.

—No. Puede que no se ciña a su promesa al pie de la letra, pero no le hará daño. Es una Eldon.

—Lo sé muy bien. Muchos dirían «Haz lo que quieras con ella, Tavis», pero es una buena chica y no quiero que sufra. Nuestras familias llevan muchos años enfrentándose a punta de espada, pero Eldon nunca ha sido un hombre cruel. Más de una vez he deseado tener a mi lado un amigo tan valioso como él. No me agrada deshonrar a su hija. Y luego está el asunto de la herida de mi brazo —concluyó, tocándose la tersa cicatriz del hombro.

—Sí. Todo eso lo entiendo. Pero hay algo más, ¿no es cierto?

—Nunca había visto a Tavis tan loco por una mujer.

—Yo tampoco. Eso es lo que le impulsa a actuar contra vuestros deseos. Y quizás incluso contra los suyos propios.

Colin vaciló. Sostuvo la mirada de su hijo y pensó que seguramente Iain era de la misma opinión, de modo que no consideraría ridículos sus temores.

—Temo que Tavis acabe recogiendo una cosecha de dolor —dijo en voz baja.

Iain asintió solemnemente con la cabeza.

8

Storm intentaba ignorar la tensión que iba apoderándose de ella mientras seguía a Phelan al interior del gran salón donde iba a servirse la cena. Desde que compartía la cama con Tavis, su estancia en Caraidland parecía menos un encierro forzoso. A Tavis no le gustaba tener a alguien merodeando constantemente a su alrededor, y sin embargo Storm sabía que no iría muy lejos si intentaba escapar. Siempre había alguien cerca, siempre un par de ojos siguiéndola.

Al cumplir su segunda semana de cautiverio había llegado otra respuesta de Hagaleah, redactada en términos tales que, con ser una negativa, no podía tomarse por tal. Cuando Storm presentó a Tavis lo que le parecía una tarifa razonable por sus servicios nocturnos y sugirió que se lo descontara del rescate, hubo una discusión espectacular. A ella le parecía un poco hipócrita por su parte servirse de ella como de una ramera e indignarse luego porque se atreviera a conducirse como tal, aunque fuera del modo más sutil. Aun así, procuraba no hacerlo: ya tenían bastantes discusiones.

Y luego estaban Janet y Katerine, que se empeñaban en hacerle la vida imposible. Y estaban demostrando ser especialistas en ese terreno. Las cosas habían llegado a tal punto que Storm temía una declaración de guerra inmediata. Cada vez eran más frecuentes los comentarios sutiles, los accesos de ira reprimidos cada vez con mayor esfuerzo.

Los motivos de la hostilidad de Kate estaban claros como

el agua. A Janet, en cambio, Storm había tardado un tiempo en entenderla. Cuando por fin lo logró, deseó fervientemente equivocarse. Pero a medida que la salud de Colin se debilitaba, los motivos del resentimiento de Janet iban haciéndose cada vez más obvios. Janet deseaba a Tavis. Deseaba al hijo de su esposo.

Storm sofocó un gemido al ver a Colin salir acompañado del salón. Ya no podía quedarse con los demás después de la cena. Había concluido ya el ritual por el que las mujeres hacían amago de retirarse a un rincón del salón a fin de que los hombres pudieran hablar a solas y ellos las disuadían. Storm prefería quedarse a la mesa, porque tenía muy poco en común con las otras dos mujeres, y los hombres la escudaban en parte de sus comentarios malévolos y su creciente animosidad. No les tenía miedo, pero temía, en cambio, que hubiera una escena humillante si las cosas seguían así.

Seguía teniendo la impresión de que alguien estaba envenenando poco a poco a Colin, pero, aunque sospechaba quién podía ser, aún no podía acusar a nadie. La vigilancia a la que Phelan y ella se habían entregado les había conducido a una única convicción: sólo podían descartar a Malcolm. Sus motivos para ello eran bastante vagos, pero no les importaba. En todo caso, tenían que confiar en alguien o Colin moriría muy pronto. Storm se preguntaba cómo podría llegar a los aposentos privados de Colin para hablar a solas con el fiel Malcolm. Quedaba poco tiempo. Le sorprendía que Colin siguiera con vida, porque parecía al borde de la muerte.

—Así que vuestra familia sigue negándose a pagar por vos —dijo Katerine con sorna, y sus ojos se endurecieron al ver que Tavis apoyaba la mano sobre la rodilla de Storm con aire posesivo, aunque inconsciente.

—Lady Mary no pagaría ni un real por salvar a su propia madre —respondió Storm con calma.

—Sí. Y puede que sepa que estáis trabajando con ahínco para pagar vuestro rescate —ronroneó Janet en voz alta.

—Janet —dijo Tavis en tono de advertencia, en medio del silencio repentino que había caído sobre la mesa.

Storm, que se negaba a enfurecerse por los comentarios de Janet, contestó con tranquilidad:

—Sí, bueno, sugerí a Tavis que me pagara un salario que me pareció razonable, pero creo que era demasiado bajo, porque se niega a aceptarlo.

La mano de Tavis se crispó sobre su rodilla en señal de advertencia. Se oyeron risas en torno a la mesa. No le gustaba que se refirieran a Storm en aquellos términos. A pesar de las circunstancias no pensaba en ella de ese modo, ni quería que lo hicieran ella o cualquier otra persona.

Kate ya no aguantaba más. Desde hacía dos semanas se esforzaba en vano por apartar a Tavis de la muchacha. El modo en que su antiguo amante trataba a Storm le hacía rechinar los dientes de celos. Hasta cuando se peleaban había entre ellos una complicidad que ella nunca había alcanzado con Tavis.

—Demasiado alto, querréis decir —resopló, levantándose para ponerse junto a Storm—. En la calle no pagarían ni un penique por un escuerzo como vos.

—¡Ya basta! —gritó Tavis, levantándose de un salto y mirando con enojo a su antigua compañera de cama.

El vino, la rabia y la desesperación despojaron a Kate de su orgullo, y se aferró a Tavis.

—¿Cómo puedes darme de lado por ella? Su gente no va a rescatarla, está claro. Devuélvela y regresa con quien sabe hacerte gozar. Ella no conoce las mañas del amor. No es más que una frígida perra inglesa. ¿Es que no ves que yo soy quien te conviene?

Storm se quedó mirándolos un momento antes de ponerse en pie para marcharse. Los celos, que crecían con cada caricia que Kate ofrecía a Tavis, habían formado un nudo en sus entrañas. Poco importaba que él no correspondiera a sus caricias. Tampoco apartaba a Kate, ni le decía que le dejara en paz. De hecho, parecía estar pensando en lo que Kate le había dicho. Decidió marcharse antes de perder el control y desvelar sus celos y su temor.

—¿Huís? —ronroneó Kate, que también se había tomado el silencio de Tavis por un sí.

Storm se volvió y la miró con desprecio mal disimulado.

—No. Sencillamente, ver cómo otros se manosean no es entretenimiento de mi agrado.

Las risas sofocadas que llegaron a oídos de Kate avivaron su rabia. Se acercó hasta quedar frente a Storm.

—No soportáis que os den de lado, ¿no es eso? —Creo que sobreviviré —replicó Storm—. Si queréis aceptar a un hombre que lleva quince días ignorándoos y acostándose con otra delante de vuestras narices, allá vos: haced el ridículo. Pero no me pidáis que me quede sentada mirando cómo un miembro de mi propio sexo se rebaja hasta ese punto.

Con un grito de rabia inarticulada, Kate le asestó una bofetada. Tavis quiso intervenir, pero Iain le detuvo diciéndole en voz baja que era hora de que resolvieran sus asuntos. Storm estuvo a punto de caer al suelo por el golpe. Reaccionó automáticamente. Con la fuerza que le conferían los celos y la ira reprimida durante días, devolvió el golpe. Con un suave balanceo, propinó a Kate un puñetazo en la mandíbula que la hizo caer al suelo y quedarse allí. Un silencio cargado de asombro descendió sobre el salón.

—Es toda tuya, Tavis —dijo con calma—. Aunque me temo que primero tendrás que levantarla.

Demasiado perplejo para salir tras ella, Tavis se limitó a mirar a Kate, que había quedado inconsciente, mientras Storm salía del salón seguida de cerca por Phelan. Tardó un rato en reaccionar. Cogió una jarra de cerveza, la vació sobre la cara de Kate y vio sin ninguna empatía cómo escupía y se despertaba. Se preguntó cómo había podido acostarse con ella y reconoció de mala gana que la lujuria pocas veces se paraba a considerar el carácter del recipiente en el que se vertía.

—Esa zorra me ha pegado —gimió Kate mientras luchaba por levantarse sin ayuda.

—Tú la golpeaste primero —contestó Tavis con frialdad—. Creo que será mejor que mañana te vayas a casa. —Salió del salón, ajeno a las maldiciones que Katerine chillaba tras él.

Fue a sus aposentos a lavarse. Aunque pasaba las noches en la cama de Storm, no se había instalado en sus habitaciones por razones que no acababa de entender. Mientras se ponía la bata, Janet entró en el cuarto sigilosamente, cerró la puerta y se apoyó contra ella.

Llevaba el pelo suelto y un camisón casi transparente. Era muy bella, pero Tavis no pareció impresionado.

—¿Qué quieres? —gruñó.

—No deberías ser tan grosero con tu madrastra —ronroneó ella, acercándose—. Pensaba que quizá te apetecería cambiar un poco, olvidarte de esas mocosas con las que te has acostado últimamente, que no paran de pelearse.

—La que causa problemas es Kate y se irá mañana —contestó él fríamente, sin inmutarse cuando ella se le acercó.

—¡Ah, Tavis! ¡Qué pronto olvidas! —murmuró Janet, besando su mandíbula—. ¿No te apetece saborear de nuevo la pasión que compartimos esa noche? —Deslizó las manos dentro de su bata.

Tavis la asió por las muñecas y la apartó violentamente.

—Eso dices tú, pero yo no lo recuerdo.

—Es tu mala conciencia, que intenta borrar ese recuerdo. No debes sentirte culpable, Tavis. Tu padre no se acuesta conmigo desde hace meses. —Intentó tocarle de nuevo.

Tavis se apartó y abrió la puerta.

—Sigues siendo su esposa. Buenas noches, Janet.

Ella apretó los puños y le vio marchar. El tiempo se estaba agotando. Katerine no había logrado mantener a Tavis alejado de la hija de Eldon, que parecía haberle embrujado. Pese a que Colin estaba a un paso de la muerte, Tavis seguía aferrándose a sus ideales caballerescos y no sucumbiría a sus encantos. Janet salió de la habitación, decidida a acelerar las cosas.

Storm vio a Tavis entrar en su habitación y tenderse en la cama. Se tumbó boca abajo y estuvo un rato viéndoles a ella y a Phelan jugar a las cartas en el suelo. Tenía una expresión turbulenta y, antes de que velara su mirada, Storm adivinó en ella su íntimo tormento. A pesar de que se dijo que era una necia por preocuparse por él, no consiguió dejar de hacerlo. Había hecho suya la angustia que percibía en Tavis.

—¿No se ha despertado Kate? —preguntó tranquilamente mientras jugaba.

—Bastó con una jarra de cerveza para despertarla. La dejé lanzándome maldiciones. Se va mañana. No soporto su mal genio ni un día más. Se ha vuelto insoportablemente aburrida.

—Pero no es eso lo que te preocupa, ¿verdad? —preguntó ella suavemente, mirándole a los ojos.

—No. Pero se me pasará.

—¿Sí? He visto esa mirada otras veces. A menudo ayuda hablar de ello. —Siguió mirándole a los ojos, advirtió que él dudaba y dijo en voz baja—: ¿Es por Janet? Te desea. Está claro. —Una leve expresión de desagrado cruzó su cara al verle palidecer—. No es culpa tuya que te desee.

—¿No? —contestó él en un susurro angustiado—. Puede que le haya dado pie. ¿Por qué no iba a desear una mujer a un hombre que la ha llevado a la cama? Es repugnante, ¿verdad? Santo cielo, es casi un incesto.

Storm sacudió la cabeza en silencio, con los ojos muy abiertos.

—No. No puedo creer eso de ti.

Con un gruñido, Tavis se tumbó de espaldas. Se preguntaba por qué contaba tantas cosas de sí mismo, por qué revelaba sus secretos.

—Yo tampoco quería creerlo, pero es innegable que hace seis meses me desperté en sus brazos. Estábamos desnudos. Y ni siquiera puedo alegar que estaba borracho. Borracho o no, no debería haberme acostado con la esposa de mi padre. Cuesta asumir que sea tan canalla.

Storm se olvidó de la partida de cartas y se subió a la cama para mirarle a los ojos. No podía creer que hubiera traicionado de ese modo a su padre, borracho o no. Arrugó el ceño, llena de sospechas. Si había estado con Janet, no podía creer que fuera él quien lo había provocado. Seguramente era un consuelo muy pobre, pero no soportaba verle tan atormentado. Las siguientes palabras que pronunció Tavis aumentaron sus sospechas.

—Ya que tengo que sufrir por haber gozado de ella —dijo él con una risa áspera—, sería agradable recordarlo. Si hubiera pasado un buen rato, tal vez lo entendiera mejor.

—¿No recuerdas haber gozado de Janet? —preguntó Storm.

—No, sólo que me desperté con dolor de cabeza y que tenía a mi madrastra desnuda en los brazos. —Suspiró—. He intentado recordar esa noche, pero no lo consigo. Puede que sea demasiado doloroso. Prefiero olvidarlo.

—Pero no lo has olvidado del todo. Creo que deberías intentar recordar la noche entera.

—No puedo —masculló Tavis—. Lo intento, pero siempre me topo con un muro. Déjalo, Storm.

—No, no puedo —dijo ella, imitándole—. Hay algo que no encaja. —Alargó la mano para desatar su bata.

—Estás ansiosa, ¿eh? ¿No deberíamos mandar salir a Phelan? —Sonrió cuando Phelan se rió por lo bajo.

Ella les ignoró a ambos.

—Voy a ayudarte a recordar lo que pasó esa noche. Métete debajo de las mantas y tiéndete boca abajo. Tengo la sensación de que te han tomado el pelo, MacLagan.

Tavis hizo lo que le pedía.

—¿Cómo vas a hacerme recordar? —preguntó.

—Es la vergüenza lo que te esconde tus recuerdos. Te tensas al pensar en esa noche y cuando eso ocurre el pensamiento no puede fluir libremente. Voy a hacer que te relajes usando un método que he puesto en práctica a menudo con mi padre cuando no podía pensar con claridad. Me lo enseñó un moro de España. Estuvo un tiempo en la guardia de mi padre. —Sacó un frasquito de aceite de entre los afeites que le habían dado para su uso y se sentó a horcajadas sobre él—. Ahora relájate, olvídate de la culpa y la vergüenza y deja vagar tus pensamientos. Dime todo lo que recuerdes de esa noche, aunque creas que no tiene importancia. ¿No crees que es preferible saber si es verdad de una vez por todas? ¿Para bien o para mal?

—Sí —contestó Tavis, indeciso, pero el movimiento de las manos de Storm masajeando su cuerpo ya había empezado a disipar su tensión.

Bajo las manos untadas de aceite, Storm sintió que empezaba a relajarse.

—Empieza por la mañana de ese día.

—Salimos de correría —contestó él, completamente relajado—. Qué agradable es esto.

—No pienses en eso. Concéntrate en ese día. Tienes que revivirlo paso a paso. —Disfrutaba masajeando suavemente su espalda musculosa, sintiendo cómo se relajaban sus músculos, y sonrió un instante al notar que su voz se hacía más densa.

—La salida fue bien. Sólo hubo un par de heridos. Podíamos esperar tranquilamente el invierno. Era motivo suficiente para una fiesta, y la cerveza y el hidromiel fluyeron libremente. Bebimos mucho *uisge beatha*. Supongo que me emborraché.

—¿Janet y tu padre estuvieron en esa bacanal?

—Sí, al principio. Pero se retiraron temprano porque mi padre tenía frío. —Suspiró y cerró los ojos, lleno de placer—. Todavía no se ha recuperado. Temo que no durará mucho más.

—No te preocupes por eso ahora. ¿Te quedaste mucho más tiempo en el festín?

—Mmmm. Me quedé hasta muy tarde. Es lo normal, después de una cabalgada larga o una batalla.

—Mi padre piensa lo mismo. ¿A qué hora volviste a tus aposentos? —Creo que era mucho más de medianoche. Me desvestí. No, Alex me ayudó a desvestirme. Sí, estaba tan borracho que tuvo que ayudarme a quitarme la ropa. Me arropó como si fuera un niño.

Storm se detuvo.

—Entonces —dijo—, no te retiraste solo. Alex te ayudó a acostarte.

—Sí, pero después de eso no recuerdo nada hasta el día siguiente. Es la primera vez que me acuerdo de Alex.

—Phelan, ve a buscar a Alex.

—¿Para qué? —preguntó Tavis cuando el chico se fue corriendo—. No creo que se quedara mucho tiempo conmigo.

—El suficiente para saber si estabas en disposición de acostarte con una mujer.

Tavis se sentó bruscamente, volcando a Storm.

—¡Claro! Si estaba borracho como una cuba y me dormí, no pude acostarme con Janet. —Tomó a Storm en sus brazos y la besó apasionadamente—. Qué bien sabes.

La tumbó en la cama y volvió a besarla. Pero aquel beso condujo a otros. Así fue como los encontraron Phelan y Alex. Phelan se echó a reír mientras Alex carraspeaba con fuerza. Sin soltar a Storm, Tavis se volvió hacia él con una sonrisa esperanzada.

—¿Recuerdas la última correría, antes de que cayera el invierno?

—Sí, Tavis. —Alex sonrió—. Bebimos mucho esa noche.

—Me ayudaste a acostarme, ¿verdad?

Alex asintió con la cabeza. Su sonrisa se hizo más amplia.

—Tú ni siquiera podías encontrar la cama.

—Así que no estaba en situación de acostarme con una mujer —dijo Tavis, pensativo.

Alex se rió.

—No —dijo—. No hay una sola mujer sobre la faz de la tierra que hubiera podido gozar contigo esa noche. Cuando salí de la habitación, roncabas a pleno pulmón. Nuestros enemigos podrían haber quemado Caraidland y tú habrías seguido durmiendo. Nunca te había visto tan borracho.

—Gracias, Alex —dijo Tavis. Le costaba disimular su contento—. Ya puedes irte. Siento haberte hecho venir. —Volvió a estrechar a Storm en sus brazos—. Y llévate a Phelan contigo.

—Nunca creí que vería a un hombre alegrarse tanto al saber que estaba borracho como una cuba —dijo Storm cuando se quedaron a solas—. Deberías avergonzarte.

Tavis empezó a quitarle el camisón bajo las mantas.

—Si no estuviera tan contento, iría a buscar a esa zorra y la haría pagar por haberme hecho pasar por este calvario. No entiendo por qué lo ha hecho, a qué está jugando.

—Qué tonto eres a veces. Janet te desea. Creo que, cuando se metió en tu cama, confiaba en debilitar tu resolución. Tal vez pensara que, si creías que ya habías traicionado a tu padre, no seguirías guardando las distancias. ¿No te sientes halagado?

—No. Todo esto me repugna. Como te decía, es casi un incesto. ¿Crees que mi padre sabe lo que trama esa mujer?

—Puede ser. Pero está muy enfermo. Tal vez esté ciego a todo esto. —Acarició su cara—. Él no la habría creído, si Janet le hubiera dicho que te habías acostado con ella. —Sonrió maliciosamente—. Puede que seas un granuja, pero ni siquiera yo habría creído que pudieras actuar tan deshonrosamente.

—Pagarás esa insolencia, muchacha —la advirtió él, pero su castigo fue muy del agrado de Storm, que no gritó de dolor, sino de placer.

Mucho después, mientras estrechaba su cuerpo lánguido entre sus brazos, Tavis murmuró:

—Gracias, Storm.

—¿Por qué? —balbució ella, acurrucada a su lado, saciada y feliz.

—Por librarme de la angustia. Casi tengo la impresión de que te importo.

—Qué tonto eres. Anda, duérmete.

Él se rió suavemente y enseguida obedeció su orden. Storm, en cambio, se resistió tenazmente al sueño. En cuanto sintió que Tavis caía en un profundo sopor, salió de la cama. Se puso el camisón y la bata y salió de la habitación. No podía esperar más: tenía que hablarle de sus sospechas a Malcolm.

—¿Qué queréis? —preguntó Malcolm al abrir la puerta de Colin.

Storm le hizo a un lado, entró en la habitación y cerró la puerta.

—Sé qué es lo que le ocurre —dijo. Vio un vaso sobre una mesilla de noche y lo cogió—. ¿Qué es esto?

—Es una poción que la señora le trae cada noche. No se ha despertado, así que no se la ha tomado aún.

—Gracias a Dios. —Hundió el dedo en el líquido lechoso y lo probó. La potencia del veneno la sorprendió—. Estaba pensado para ser el último que tomara. Colin MacLagan estaba siendo envenenado lentamente. —Probad esto. —Inclinó la cabeza al ver la expresión de horror del enjuto semblante de Malcolm—. Está claro que ha decidido que era hora de acabar de una vez.

—¿Lady Janet? —preguntó Malcolm con voz ronca, y Storm asintió—. Pero ¿por qué?

—Para poder casarse con mi hijo Tavis —dijo una voz débil desde la cama. Storm y Malcolm dieron un respingo, sorprendidos—. ¿Cómo lo has descubierto, muchacha? ¿Estás segura?

—Sí, mi señor, estoy segura. Lo siento.

—No te preocupes, ya no me importa. Descubrí muy pronto que había sido un error casarme con Janet. ¿Tienes pruebas de que es ella?

—No las suficientes, pero tengo un plan.

—Veamos cuál es. Echaría a esa bruja, pero no quisiera que otro tenga que sufrirla.

—Para empezar, vais a estar un tiempo en coma para que podamos extraer el veneno de vuestro organismo y devolveros las fuerzas.

Colin sonrió.

—¿Sí? ¿Y luego qué, muchacha?

Storm sonrió e improvisó, recibiendo numerosas alabanzas por su ingenio. Pasaron dos horas antes de que regresara a sus aposentos. Cuando abrió la puerta, la habitación estaba iluminada y Tavis parecía furioso.

Al despertar y encontrar la cama vacía, había sufrido un ataque de celos. Encendió casi todas las velas del cuarto y esperó el regreso de Storm. Cuanto más tardaba ella, más seguro estaba de que se había ido con otro. Cuando ella entró en la habitación, se levantó de un salto de la cama y la empujó contra la puerta.

—¿Dónde diablos has estado?

—He ido a ver a tu padre. No podía dormir acordándome de lo mal que estaba, pero no puedo hacer nada. —Le miró a los ojos sin pestañear, un tanto dolida por sus sospechas. Miró su cuerpo desnudo y murmuró—: Más vale que te acuestes o cogerás un resfriado.

Tavis se metió en la cama refunfuñando en gaélico y la abrazó rudamente cuando, tras apagar todas las velas salvo la que ardía junto a la cama, Storm se reunió con él bajo las mantas. Tavis sopló la última vela y decidió no volver a hablar del asunto. La despojó del camisón por segunda vez esa noche y, perdiéndose en la sedosa hermosura de su cuerpo, olvidó por completo su larga ausencia de esa noche. Storm hizo cuanto pudo por asegurarse de ello: si quería que su plan funcionara, incluso Tavis debía permanecer en la ignorancia.

9

Reinaba en Caraidland una atmósfera de lúgubre expectación. Desde hacía tres días, el señor del castillo yacía en coma, al borde de la muerte. Ni siquiera los más optimistas podían ignorar ya el hecho de que Colin MacLagan se estaba muriendo. Sólo Malcolm y Storm tenían permitida la entrada a los aposentos del señor. Nadie ponía en entredicho la presencia de Storm, cuyas dotes de sanación respetaba todo el mundo. Pero ella sospechaba que, si hubieran podido ver más allá de la gruesa puerta de la habitación de Colin, muchos habrían montado en cólera.

—Creo que va siendo hora de que salgáis del coma —dijo, sentada junto a Colin, que mejoraba rápidamente—. Creo que ya estáis lo bastante fuerte como para escenificar vuestra propia muerte.

Colin se rió y brindó a su salud con una jarra de cerveza.

—Lo estoy deseando. ¿Dónde será, muchacha?

—Dado que todo el mundo sabe que sois muy terco, a nadie le parecerá raro que mandéis que vengan todos a vuestro cuarto para oír vuestras últimas voluntades. Creerán que habéis despertado de vuestra agonía con ese solo propósito.

—Sí, pero ¿no parezco demasiado sano? Puede que no crean que me estoy muriendo.

—Eso se arregla con unos polvos de arroz y un poco de pintura. —Sacó una bolsita—. Convendría que Malcolm hiciera desaparecer todo indicio de que habéis recuperado el apetito. En cuanto estéis listo para dar las últimas boqueadas, iremos a buscar a vuestra familia. Me alegrará ver sus caras de alegría.

—¿Estáis segura de que esa arpía se delatará? —preguntó Malcolm mientras limpiaba la habitación.

—Oh, sí. Tavis piensa echarla si Colin muere. Aún se oirán los estertores de mi señor en la habitación cuando le diga que recoja sus cosas y se vaya. Y luego está nuestro pequeño golpe de gracia.

—Eres muy astuta, pequeña. Nunca lo hubiera imaginado de ti. —Colin se rió suavemente.

—A veces no queda más remedio —masculló ella mientras daba los últimos toques a la máscara mortuoria de Colin—. Ya está. Parece que lleváis enterrado una semana. Puede que me haya excedido. Pero no hay que preocuparse. ¿Listo para vuestra actuación, señor? —Le sonrió—. ¿Reúno al público?

Tavis fue el primero en salir a su encuentro cuando entró en el salón. Al ver su cara demacrada, Storm se sintió culpable por sus maquinaciones. Pero fue sólo una punzada fugaz. Sabía que estaba haciendo lo correcto y lo necesario. Había que desenmascarar a quien había intentado matar a Colin. Pronunció el discurso que había preparado y condujo a la solemne comitiva a los aposentos del señor del castillo.

Colin yacía apoyado en las almohadas, con los huecos de las mejillas acentuados por la luz y la destreza de Storm con los polvos y las pinturas. Vio crisparse las caras de sus hijos al intentar refrenar su pena y sintió remordimientos por engañarles y por alegrarse, al mismo tiempo, de aquella prueba de su lealtad. Le costó disimular su ira cuando fijó los ojos en su esposa, pero lo logró, consciente de que un error podía arruinar cuanto habían conseguido hasta el momento.

—Creo que sabéis cómo deseo repartir mis bienes, pero quería decíroslo una vez más delante de testigos para que no haya ninguna duda —dijo con voz adecuadamente quebradiza cuando Storm se situó a su lado—. A ninguno os sorprenderá que a Tavis le deje Caraidland y todo lo que contiene, así como la casa de Edimburgo y la mitad de mi riqueza. Sholto, Iain, vosotros podéis repartiros lo demás como gustéis. En mi escritorio encontraréis un documento con instrucciones respecto a unas cuantas personas más, como Malcolm, aquí presente.

—¿Y yo, querido? —preguntó Janet al ver que Colin cerraba los ojos y no decía nada más.

—A ti te dejo lo que traías cuando llegaste a Caraidland. Nada más. —Agarró la mano de Storm—. Ocupaos de que esta muchacha regrese con los suyos —balbució antes de expirar con un suspiro tembloroso.

Storm pensó que lo había hecho muy bien y le cruzó los brazos sobre el pecho.

—Ha muerto.

Se quedó junto a la cama para impedir que los demás vieran algo sospechoso. Con expresión sardónica, vio que Janet rompía a llorar y se arrojaba en brazos de Tavis. Storm se sintió mal por los hermanos, que luchaban visiblemente por contener la pena. Su dolor borró cualquier leve sospecha que Storm pudiera abrigar aún de que uno de ellos estuviera compinchado con Janet.

Tavis masculló una maldición y apartó a Janet de sí.

—Deja ya de fingir, mujer. Si pudiera, te echaría de aquí en menos de una hora, pero conviene que espere hasta después del entierro.

—¿Echarme? —exclamó Janet—. ¿Cómo puedes ser tan cruel? No tengo donde ir, Tavis.

—Enseguida encontrarás un agujero —siseó él—. Así que dejar de llorar. ¿O acaso lloras por el oro que no te ha dejado mi padre? No es el dolor lo que causa tus lágrimas. Lo sé muy bien, como lo saben los demás. Querías tan poco al hombre con el que te casaste que no me sorprendería que hubieras tenido algo que ver en su muerte.

Muy bien, pensó Storm, y sus ojos se movieron con la suficiente rapidez como para captar el destello de pánico de la mirada de Janet. Ésta sofocó un gemido y se llevó teatralmente una mano a la garganta.

—Yo no haría tal cosa.

—¿No? —gruñó Malcolm, interviniendo en el momento oportuno—. Pues, si estáis libre de culpa, acercaos al cadáver, mi señora.

—¿Y qué probaría eso? —preguntó Janet altivamente, pero miró con nerviosismo a Colin.

—Se dice que, cuando un asesino se acerca al cuerpo de su víctima, el muerto hace una señal. Que se mueve o empieza a sangrar por una herida nueva o antigua. ¿Os importaría intentarlo, mi señora? —preguntó Storm.

—Eso no son más que supersticiones de campesinos —bufó ella sin moverse de donde estaba.

—Entonces no pueden haceros ningún mal, ¿no? —repuso Malcolm—. Claro que tal vez seáis culpable.

Janet le miró con ira y se acercó al lecho de Colin. Storm y Malcolm fingieron asombrarse tanto como los demás cuando la sangre empezó a manar de la vieja herida del hombro de Colin, empapando su camisón. Estaba claro que los tres hermanos ansiaban negar lo que veían sus ojos. En 1362, se despreciaban tales creencias mágicas, o era de esperar que así fuera. Janet palideció y se apartó de la cama, sacudiendo la cabeza.

—Parece que sí habéis tenido algo que ver en su muerte —dijo Storm con sorna, mirando con reproche a Janet en la esperanza de que se delatara ella misma.

Janet miró el semblante acusador de cuantos la rodeaban. Su mala conciencia demostró ser su peor enemigo. Se volvió hacia Tavis y le tendió las manos, suplicante. Desde el principio se había aferrado a la ilusión de que sólo Colin mantenía a Tavis apartado de su lado. Estaba segura de que, una vez muerto su esposo, Tavis daría rienda suelta a su pasión por ella y que, por tanto, la ayudaría. Pero en él no encontró más que desprecio y sospecha, incluso franca repugnancia.

—¿Cómo puedes mirarme así, Tavis? ¿Es que no lo ves? Ahora podemos estar juntos.

La repulsión que sentía Tavis se notaba claramente en su rostro.

—Nunca he querido estar contigo.

—¡Eso no es cierto! —Se agarró a su túnica—. ¿Acaso has olvidado la noche en que hicimos el amor? ¿Todas las cosas que me dijiste? Ya no hace falta que guardemos el secreto.

—No hay ningún secreto que guardar —gruñó él, apartándola—. Te metiste en mi cama y yo estaba tan borracho que no pude echarte a patadas. No hicimos nada. Ahora lo sé. Me tomaste por tonto, pero aunque intentaste engañarme, no podías engañarte a ti misma. No te deseaba. Nunca te he deseado.

—Pero lo hice todo por ti. Sabía que no podríamos estar juntos mientras él viviera —chilló ella, y gimió, horrorizada, al darse cuenta de lo que había dicho—. ¡No!

—Estaba en la poción, ¿verdad? —preguntó Storm con calma.

—¡No! ¡Yo no he hecho nada! Me estáis confundiendo entre todos. No sé lo que digo.

—Lo sabes muy bien —dijo una voz desde la cama, y Colin se incorporó y miró con ira a su esposa. Sus hijos se quedaron boquiabiertos, mudos de asombro, y Janet pareció a punto de enloquecer.

—No, no, estás muerto. Nadie podría haber sobrevivido a la última dosis que te di —gimió, apartándose de la cama con ojos llenos de horror—. Me estás atormentando, eso es todo.

—No está muerto, Janet. No se bebió la última poción, ésa tan fuerte.

—Me has engañado —siseó ella, clavando sus ojos enloquecidos en Storm—. ¡Zorra! ¡Puta inglesa!

Antes de que pudieran reaccionar, Janet sacó una daga de un bolsillo oculto entre sus faldas y se abalanzó hacia Storm, que se había vuelto para colocar las almohadas de Colin. Storm no tuvo tiempo de reaccionar a los gritos de advertencia. Con un gruñido, Janet hundió el cuchillo en su hombro delgado. Había apuntado a su espalda, pero Storm ya había empezado a volverse, y Janet falló. Storm sintió un fogonazo de dolor tan fuerte que perdió el conocimiento y se desplomó sobre Colin. Antes de que Janet pudiera intentarlo por segunda vez, Malcolm la golpeó con el atizador de la chimenea. Janet cayó al suelo sin apenas emitir un gemido. La sangre brotaba de la herida de su sien.

—¿Está muerta? —preguntó Colin mientras sostenía a Storm y procuraba detener la hemorragia con la ropa de la cama—. Buen golpe, Malcolm. Pero podrías haberte dado más prisa.

—Está muerta —dijo Iain tras examinar a Janet.

—¿Cómo está Storm? —preguntó Tavis al tiempo que se inclinaba sobre la muchacha herida—. ¿Es grave, Malcolm?

—No tanto como podría haberlo sido —masculló éste y, tras rasgar el vestido de Storm, procedió a lavar la herida—.

El cuchillo debía clavarse en medio de su espalda, pero ella se apartó a tiempo.

—Así que ha sido una farsa —murmuró Sholto, acercándose a los pies de la cama de su padre.

—Sí. Fue idea de la muchacha. Adivinó que la enfermedad que me aquejaba no era natural.

—¿Cómo ha conseguido que te sangrara la herida? —preguntó Iain.

—Con una vejiga de cerdo llena de sangre de pollo y colocada bajo mi brazo. La boca apuntaba hacia mi hombro. Lo único que he tenido que hacer ha sido apretarla un poco para que pareciera que esa vieja herida sangraba de nuevo.

—Nunca has estado al borde de la muerte, ¿verdad? —comentó Tavis, sujetando a Storm sobre la cama para que, pese a que estaba inconsciente, no se moviera mientras Malcolm suturaba la herida.

—No. Eso también fue idea de Storm. Así he tenido tiempo de recuperarme, de recobrar energías.

—¿Cómo descubrió que estabas siendo envenenado?

—Conocía los síntomas, Sholto —contestó Colin—. Lamento mucho habéroslo ocultado, pero creíamos que era preferible. De ese modo actuaríais con naturalidad y sería más probable que Janet confesara la verdad.

—¿El veneno estaba en la poción que te daba? —Sí, Tavis. Era arsénico, un veneno muy antiguo. Una muerte lenta, para que pareciera que me moría de consunción sin despertar sospechas. Era un plan muy astuto. Y casi ha funcionado.

—Me preguntó cómo supo la muchacha lo que era. No es algo que sepa todo el mundo —dijo Iain.

—Fue así como murió su madre —dijo Malcolm mientras acababa de vendar a Storm—. Lo descubrieron demasiado tarde. Era una mujer muy delicada y no tuvo fuerzas para resistir al veneno, como las ha tenido mi señor. Lo hizo una mujer. Imagino que llegó a la conclusión de que era hora de que el señor de Hagaleah se casara otra vez.

Tavis recordó de pronto una vocecilla infantil diciendo:

—Lo propio de una dama es poner una pizca de veneno en la comida. Es mucho más refinado. —Ya entonces le había extrañado el tono amargo de Storm. Ahora lo entendía. Mientras apartaba el cabello de su rostro acalorado, se preguntó cómo era posible que hubiera sufrido tanto y que sin embargo mantuviera su inocencia y su optimismo intactos. La vida no la había tratado muy bien.

—No me gusta su color, Malcolm —dijo con los ojos fijos en el rostro de Storm.

—Llevadla a su cama, muchacho —ordenó Malcolm suavemente—. Confiemos en que sólo sea la impresión. No puedo hacer nada más, salvo cambiar el vendaje y mantener limpia la herida.

—Es una lástima que no tengamos la receta de ese ungüento que me dio hace años —dijo Colin al ver que su hijo levantaba a Storm como si manejara un jarrón de cristal muy fino.

—Puede que Phelan la sepa —dijo Tavis, y salió de la habitación con su preciosa carga.

Colin fijó la mirada en Malcolm.

—Haz todo lo que puedas por la muchacha. —Después de que Malcolm se marchara, sonrió a sus dos hijos menores—. Bueno, ¿qué os parece mi milagrosa resurrección?

—No te hagas muchas ilusiones —contestó Iain con sorna, pero su sonrisa se tornó en ceño un instante después—. Puede que me equivoque, y Dios sabe que me gustaría que así fuera, pero creo que nuestro Tavis está bien pillado, aunque quizá no lo sepa.

—Sí, me temo que así es. —Colin empezaba sentirse un poco cansado—. Lo sentiré por él, pero no puedo hacer nada. Estoy muy cansado, muchachos. Llevad a esa mujer a su habitación y ocupaos de que la preparen para enterrarla. Me gustaría haber mantenido todo esto en secreto, pero me temo que, habiendo un apuñalamiento y una muerte, no podrá ser.

—Haremos lo que podamos —prometió Sholto mientras levantaban el cuerpo de Janet—. Tú descansa.

—Mantenedme informado de cómo está la muchacha —dijo Colin suavemente cuando se marchaban—. Sé que le debo la vida.

Eso fue lo que pensaron casi todos en Caraidland cuando se corrió la voz de lo ocurrido en los aposentos del señor del castillo. Quienes la despreciaban por su origen se pusieron firmemente de su parte. Colin era un señor muy querido, y su clan sólo podía desear el bien de la muchachita que le había salvado la vida. Nadie lloró por Janet, que había hecho muy poco por granjearse el favor de la gente de su marido. Todos hicieron lo que estuvo en su mano por ayudar a recobrarse a Storm, aunque fuera únicamente incluirla en sus plegarias, y a nadie le pareció raro hacerlo.

Tavis llevó a Storm a su cuarto, la desnudó y la metió en la cama. Estaba asustado por ella, pero no se detuvo a pensar en ello. Sencillamente, aceptó que así era. Storm había perdido mucha sangre antes de que la hemorragia se detuviera. Tavis sólo veía lo pequeña que era, y le angustiaba que no pudiera recuperarse. Cuando llegaron Phelan y Malcolm, la dejó en sus manos y fue a beber algo fuerte. El día había sido muy largo y demasiado lleno de sorpresas para su gusto.

—¿Cómo está la chica? —preguntó Iain, dándole una jarra llena de cerveza.

—No lo sé. Sigue inconsciente. Phelan y Malcolm están haciendo lo que pueden. —Tavis dio un largo trago—. Es tan delicada... Y la herida es profunda. Ha perdido mucha sangre.

—Sí, pero Storm es fuerte —dijo Sholto.

Tavis se sentó a la mesa.

—No puedo creer que Janet haya intentado matar a Colin —dijo Donald—. Debía de estar loca.

—Creo que un poco sí lo estaba. —Iain sacudió la cabeza—. Se había hecho ilusiones de que Tavis y ella gobernarían Caraidland una vez muerto Colin. Pensaba que lo único que se interponía entre Tavis y ella era nuestro padre. —Fijó en Tavis una mirada que exigía una explicación—. ¿De qué noche hablaba?

En la mesa sólo había miembros de la familia, hombres en los que sabía que podía confiar.

—Bueno —explicó Tavis—, he pasado cerca de seis meses pensando que había hecho lo que decía Janet. A veces me sentía tan culpable que no podía mirar a los ojos a nuestro padre.

—¿Cómo descubriste que estaba mintiendo? —preguntó Angus.

—Storm me hizo revisar todo lo que sucedió esa noche. Te frota el cuello, la espalda y la cabeza hasta que casi te quedas dormido y empiezas a hablar. —Recordó algo y añadió con asombro—: Lo aprendió de un infiel. Sin tensión, mis recuerdos afloraron y recordé que Alex me ayudó a meterme en la cama. Él despejó mis últimas dudas diciéndome que no podría haber hecho el amor con ninguna mujer. —Sacudió la cabeza—. Creo que Janet se había creído sus propias mentiras. Casi había perdido el juicio.

—Las mujeres y tú... —suspiró Angus, y sonaron las primeras risas que se oían en Caraidland desde hacía tres largos días.

Tavis pasó un día muy ajetreado, pero de cuando en cuando hacía una pausa en sus quehaceres para ir a ver cómo estaba Storm e informar luego a su padre sobre su estado. Esa noche, cuando se retiró, Storm tenía poca fiebre y él empezó a relajarse. Se metió en la cama con cuidado de no molestarla, pero ella tenía los ojos abiertos cuando se volvió para mirarla.

—Janet intentó matarme, ¿verdad? —susurró, ronca por el dolor que la herida del hombro parecía irradiar a través de todo su cuerpo.

—Sí, pequeña. —Le apartó suavemente el pelo de la cara y sintió alivio al comprobar que estaba relativamente fría.

—Santa Madre de Dios, cuánto duele —gimió ella—. ¿Es muy grave la herida?

—Podría haber sido mucho peor, cariño. Esa arpía intentó asestarte un golpe mortal por la espalda.

—Es culpa mía. Debería haberlo previsto. Sí, debería haberme dado cuenta de que no era buena idea darle la espalda a una asesina.

—Ya previste suficientes cosas, creo yo. —Vio su fugaz mirada de preocupación—. No estoy enfadado contigo por haberlo mantenido en secreto, pequeña. Fue lo mejor. No somos actores y podríamos haberlo estropeado todo. Te estoy muy agradecido por haberle salvado la vida a mi padre. —Sonrió al ver que ella se sonrojaba y apartaba la mirada, avergonzada—. Tienes que dejar de salvar a tus enemigos.

Ella esbozó una débil sonrisa.

—No podía permitir que muriera así. Y creo que a mi padre también le parecería mal. Colin es un guerrero. Debería morir luchando valerosamente, no consumirse por culpa de una copa de veneno preparada por una esposa traidora.

—Sí, así debería ser. Janet ha muerto, pequeña. Malcolm le dio un golpe con el atizador.

Storm se quedó callada un momento.

—No sé cómo pudo casarse con Colin si le quería tan poco. Nadie la forzó. El matrimonio no fue arreglado.

—No. Le sedujo y se casó con él en Stirling. Era de una familia pobre y no tenía dote. Mi padre le ofrecía la riqueza y la posición que no podía conseguir de otro modo. Se dio cuenta demasiado tarde de qué era lo que veía de veras Janet en él. Ella le engañó. Mi padre ya no es un hombre joven. Imagino que le halagó pensar que una mujer tan joven y bonita le encontraba atractivo. Fue víctima de un juego muy antiguo.

Storm percibió la amargura de su tono.

—Eres un cínico —murmuró—. Es una pena que Janet haya hecho esto, porque creo que hay muchas mujeres excelentes, de edad más parecida a la de tu padre, que habrían dado gracias a Dios todos los días por casarse con un hombre como él. Hay muchas viudas. A Colin le gusta tener esposa. No es un libertino, como tú —añadió, recobrando momentáneamente su humor de siempre.

—Puede que aún encuentre una buena mujer que le haga compañía en la vejez.

—Estaría bien que dijeras eso con un poco de convicción.

—No puedo. Todavía no he conocido a una mujer buena.

—Si no estuviera tan débil, pagarías caro esa afrenta, Tavis.

—Qué suerte la mía, entonces —bromeó él—. Duérmete, pequeña. Necesitas descansar para ponerte bien.

Storm obedeció sin rechistar. Además del dolor que sentía, estaba cansada y soñolienta, y su breve conversación la había dejado sin fuerzas. Le sorprendió lo tiernamente que la abrazaba Tavis, estrechándola contra él lo justo para reconfortarla con su fortaleza, pero con cuidado de no hacerle daño. Era agradable sentirse tan mimada por él, aunque sus motivos para hacerlo no fueran los que ella quería.

Deseaba estar en casa, a salvo, con su padre, y que lady Mary se hubiera marchado con sir Hugh. No era infeliz en Caraidland. Se había acomodado, de hecho, muy bien allí. Sabía que el mayor peligro era Tavis. Cada día que pasaba se enamoraba más de él. Al quedarse dormida, comprendió que, comparado con el sufrimiento que le ocasionaría amar a Tavis MacLagan, el dolor que sentía en ese momento no era nada.

La noche fue larga. Aunque no tuvo fiebre y parecía a salvo de infecciones, el dolor no le permitía descansar. Tavis se despertó varias veces al oírla gemir y retorcerse. La tranquilizó, miró su vendaje y en una ocasión le dio un bebedizo para aliviar el dolor. A la mañana siguiente obtuvo su recompensa: Storm seguía teniendo la frente fresca y su herida parecía intacta.

Al ponerse la bata para marcharse de la habitación, se detuvo para observarla. Dormida parecía una niña. Sus densas y curvas pestañas se extendían sobre sus mejillas delicadas, y sus labios carnosos estaban levemente entreabiertos. Nunca dejaba de sorprenderle que una mujer tan menuda y de aspecto tan inocente fuera capaz de la pasión que demostraba en sus brazos. Storm era una sorpresa constante.

Le dio un beso en la frente y se marchó rápidamente, un poco avergonzado por aquel gesto de ternura que nadie había presenciado. Sintió de nuevo que estaba en un apuro, que Storm amenazaba los sentimientos que había logrado enterrar con tanto éxito. Aunque se daba cuenta de ello, no podía apartarse de ella. Sin intentarlo siquiera, Storm le atraía a sus brazos como ninguna otra mujer.

10

Storm hizo una mueca al intentar cepillarse el pelo. La herida curaba bien, pero estaba muy tirante. No era el miedo a que volviera a abrirse lo que la hacía proceder con cautela, sino la punzada de dolor que sentía con frecuencia. Estaba decidida, sin embargo, a bajar a cenar al comedor. No soportaría pasar otra noche tumbada en la cama, mirando el techo y preguntándose qué estarían haciendo los demás.

Había tenido visitas. Colin había ido a jugar al ajedrez con ella. Había pasado mucho tiempo intentando enseñar a Angus a jugar a las cartas. Sholto e Iain habían ido de vez en cuando a entretenerla con bobadas, a pesar de que a Tavis no parecía gustarle. Él pasaba todo el tiempo que podía con ella, igual que Phelan. Había, además, otras personas que entraban y salían, pero, con todo, estaba aburrida. Era estar confinada en su habitación lo que la exasperaba, y había decidido poner fin a aquel encierro.

—Deja que te ayude, prima —se ofreció Phelan, quitándole el cepillo de las manos—. Esto empieza a dárseme bien.

—Sí, serías una buena doncella para una dama —bromeó ella con una sonrisa, y los dos se rieron.

—No se está tan mal aquí. —El chico empezó a trenzarle el pelo—. Los hombres me están enseñando muchas cosas.

—Me alegro, Phelan. Es una pena que mi padre tuviera que marcharse, porque apenas pudo enseñarte nada. —Suspiró al ver que Phelan empezaba a hacerle la segunda trenza—. Ojalá lady Mary fracase en sus planes.

Phelan asintió con la cabeza, muy serio. Aunque no había tratado mucho a lord Eldon, aquel hombre de voz hosca, ingenioso y jovial le había sido simpático desde el principio. Sabía, además, cuánto apenaría a Storm perder a su padre, y lo último que quería era que su querida prima sufriera.

Cuando entraron en el salón, unos minutos después, Tavis se acercó enseguida a ella. Pensó que estaba muy hermosa, con aquel vestido dorado que realzaba el color de sus ojos. Ya que no podía convencerla de que se quedara en su habitación, deseó que al menos estuviera fea o demacrada. Había invitados para cenar y no quería que estuviera tan atractiva.

—Sigo pensando que es demasiado pronto para que te levantes —dijo, tocando sus trenzas recogidas en un moño.

—Tavis, me han herido en el hombro, no me han cortado las piernas —contestó ella con calma, pero sonrió y guiñó un ojo a Colin, que le dio una jarra de cerveza.

—Menos mal —respondió Tavis con sorna, y miró con deseo sus piernas esbeltas.

—Sólo tu vulgaridad excede tu engreimiento —dijo ella altivamente, pero sus ojos brillaban, alborozados—. ¿Celebráis una fiesta? Vais todos muy bien vestidos.

—Te sorprende, ¿verdad? Me parece, señora mía, que nos consideráis poco menos que patanes y piratas, pero, aparte de violar y saquear, tenemos alguna que otra habilidad. —Tavis respondió a su ceño fruncido con una sonrisa.

Phelan le miró con inocencia.

—Sí. Y os encanta escuchar los gritos de las mujeres a las que atacáis.

—¡Phelan! —Storm tuvo que hacer un esfuerzo por regañarle. Tenía ganas de echarse a reír, como los demás—. Eso no es cosa de broma —dijo con el adecuado tono de reproche, a pesar de que sus labios luchaban por reprimir una sonrisa—. Sólo preguntaba si se celebra algo en especial porque no quisiera molestar.

—No, tú no molestas, muchacha. Harás compañía a Maggie, la mujer de Angus, y a Helen, la esposa de lord MacDubh. Ellos y su hijo Alexander son nuestros invitados. Somos viejos amigos. Ah, aquí llega Angus —murmuró Colin.

Maggie, la esposa de Angus, era una mujer guapa y rolliza cuya cara risueña contrastaba vivamente con el agrio semblante de su marido. Tenía algunos mechones blancos entre el cabello oscuro, pero Storm sabía que seguía en edad de procrear porque acababa de darle a Angus su cuarto hijo varón, y apenas se había levantado de la cama. Sus ojos azules, rebosantes de buen humor, tenían una expresión sincera y amable.

—Me alegra ver que has salido de tu habitación, niña —le dijo a Storm con una sonrisa.

—Sí, es maravilloso estar libre al fin —exclamó Storm teatralmente—. Soy feliz por haberme librado de las cadenas que lastraban mis pobres miembros famélicos. —Respondió a la mirada sonriente de Maggie con una semejante—. Naturalmente, me cobraré venganza. Lo tengo todo planeado.

—No me sorprende. ¿Puedo preguntaros cuál es vuestro plan? —Maggie sabía, por las cosas que le había contado Angus, que iba a gustarle aquella mujercita inglesa de ojos color ámbar.

—Bueno, cuando esté en la cama roncando...

—Yo no ronco —protestó Tavis, pero tenía una mirada divertida.

—Le pintaré de azul —continuó Storm como si no hubiera dicho nada—. De azul claro.

—¿De azul claro? —preguntó Maggie con voz un poco estrangulada.

—Sí. Desde el principio me ha parecido que era un poco demasiado moreno. —Maggie y ella se echaron a reír.

—Angus, no sabía que tu mujer tuviera un sentido del humor tan retorcido como el de mi padre —dijo Tavis con sorna, lanzando una mirada a Colin, que intentaba contener la risa.

—Es algo que intento mantener en secreto, como una deformidad.

—¡Angus! —exclamó Maggie, riendo—. Debería darte vergüenza hablar así de tu esposa. ¡Ah! Los invitados.

El buen humor de Tavis se disipó de inmediato, aunque se mostró sumamente cortés cuando llegaron los MacDubh. En cuanto Alexander MacDubh miró a Storm con admiración, empezó a idear un modo de hacerla volver a su cuarto lo antes posible. Ni una sola vez llamó por su nombre a los celos que sentía. Se decía, en cambio, que aquel afán posesivo era natural. Storm Eldon era suya hasta que regresara a Hagaleah y lo que era suyo, era suyo.

Storm saludó a lord y lady MacDubh con todo el respeto que merecía su posición. Pensó sin poder remediarlo que parecían gemelos: ambos eran bajitos, gruesos y de cabello cano, aunque lord MacDubh era jovial y campechano y su esposa tímida y callada. Luego se volvió para mirar a su hijo, Alexander, y se quedó atónita.

No creía haber visto nunca un hombre tan hermoso, y se preguntó fugazmente cómo era posible que aquellos padres tan corrientes y rollizos hubieran engendrado un hijo tan alto y apolíneo. Su cabello rubio, abundante y ondulado, coronaba una cara de proporciones y tez tan perfectas que parecía labrada en mármol por el más fino escultor. Tan alto como Tavis, Alexander tenía un cuerpo que habría sido el sueño de cualquier mujer. Sus ojos verdes claros brillaron con admiración al encontrarse con los suyos, y Storm sintió que se sonrojaba ligeramente. Alexander MacDubh rezumaba sensualidad y Storm notó con sorpresa, puesto que amaba a Tavis, que algo se agitaba dentro de ella. *He aquí un hombre que podría turbar a una monja*, se dijo, y acto seguido pidió disculpas para sus adentros por semejante irreverencia. Un instante después pensó que tanta perfección era casi repelente y dejó de sentirse atraída por él.

Fuera cual fuese su nombre, el monstruo de los ojos verdes empezaba a apoderarse de Tavis. Al ver la mirada levemente vidriosa de Storm, al notar que se ruborizaba, rechinó los dientes. El éxito de Alexander MacDubh con las mujeres, el efecto que surtía sobre ellas, eran casi legendarios. Tavis vio que Storm pasaba rápidamente a engrosar las filas de sus admiradoras y, haciendo caso omiso de la fugaz mirada sardónica de Alex, apoyó la mano sobre el esbelto brazo de Storm con aire posesivo.

Aunque un poco sorprendida por el gesto de Tavis, Storm no se detuvo a reflexionar sobre ello. Le hizo cierta gracia que Phelan y ella fueran tratados como invitados y no como rehenes. Los MacDubh eran demasiado educados para poner de manifiesto aquella incongruencia y siguieron la corriente a sus anfitriones. Pero, pese a cómo la trataban, nadie olvidaba quién era, como demostró enseguida la conversación.

Cada vez que los comensales comenzaban a hablar de asuntos que podían interesar o servir de ayuda a su padre, la conversación se cortaba bruscamente y se pasaba a otro tema. Storm pensó que debía sentirse incómoda, pero no era así. A fin de cuentas, la habían invitado. Con todo, decidió retirarse a su habitación lo antes posible. No le parecía justo, ni cortés, quedarse sabiendo que su presencia les cohibía a todos.

Por una vez, al acabar la cena, las mujeres se retiraron a un rincón apartado del salón. Phelan acompañó a las tres damas y se sentó en un sillón, delante de la chimenea, junto a Storm. Ésta descubrió enseguida que lady MacDubh no era tan tímida como aparentaba. Alejada de los hombres, perdía su reticencia.

—¿De veras creéis que vuestra madrastra piensa negarse a pagar el rescate? —preguntó lady Helen—. ¿No teme la ira de lord Eldon cuando descubra lo que ha hecho?

—Si es que lo descubre. Si mi padre regresa de Francia, le costará menos creer que me ha ocurrido alguna desgracia o que los MacLagan, por razones desconocidas, no han respetado las costumbres sobre los rehenes, que creer que su esposa dejó a su única hija abandonada a los caprichos del destino.

Maggie asintió solemnemente con la cabeza.

—Por desastroso que sea su matrimonio, no querrá creerlo.

—Pero dejaros aquí para que... para que Tavis... —Lady Helen se sonrojó y se quedó callada.

—¿Para que Tavis me use? —concluyó Storm—. No es ningún secreto en el castillo que así es, mi señora. Y no me cabe duda de que la esposa de mi padre disfruta imaginando tal posibilidad. Disculpad que hable así, pero es una puta por nacimiento. Mi inocencia siempre le pareció una molestia.

Lady Helen sintió curiosidad por la calma con que Storm parecía tomarse las cosas.

—Pero ¿no sentís vergüenza? —preguntó sin reproche.

—¿Por qué, mi señora? ¿De qué serviría? Desde la primera noche, no hubo vuelta atrás para mí. No volveré a ser doncella. No pedí el lugar que ahora ocupo, así que ¿por qué fustigarme por ello? No me arrojé a los pies de Tavis ni le supliqué que me tomara.

Maggie soltó una risilla y Storm sonrió.

Luego dejó escapar un suspiro.

—En Hagaleah no estaba a salvo. La esposa de mi padre me había elegido marido, uno de sus amantes necesitado de fortuna. —Asintió con la cabeza en respuesta al gemido de sorpresa de la otra dama—. Yo me negué, naturalmente, pero él pensaba deshonrarme, incluso dejarme embarazada, para lograr sus fines. Por impúdico que parezca, prefiero que me fuerce Tavis MacLagan a que lo haga sir Hugh Sedgeway. El bueno de sir Hugh prefiere infligir dolor a dar placer.

—Ah. Es uno de ésos. —Lady Helen meneó la cabeza—. Las cosas son difíciles para una mujer que no tenga a mano quien la defienda. —Frunció el ceño—. ¿No ha pensado Tavis en la venganza que lord Eldon intentará cobrarse cuando regrese?

—Los MacLagan y los Eldon siempre se han hecho la guerra. Esta batalla tendrá una causa más tangible. Y, además, mi padre es un hombre razonable. Si consigo hablar con él primero, podría evitarse una verdadera masacre. —Storm se encogió de hombros—. Pero a los hombres les gusta la guerra. Es su vida.

—Eso es muy cierto —suspiró Maggie, y miró a Phelan—. Y para esa vida entrenan a los niños. Yo sufro por mi Angus cada vez que se va de correría. Es duro verlo marchar sabiendo que tal vez no vuelva vivo.

—Casi siempre lucha contra los Eldon, y sin embargo parecéis simpatizar con la hija de lord Eldon —dijo Lady Helen.

—Pero —dijo Phelan—, ¿no podría ser porque sabe que Storm sufre igual cuando sus hombres van a combatir a los MacLagan? Seguro que ninguna de las dos puede hacer nada por evitar la guerra.

—Sí —dijo Maggie—. Y ése es un vínculo muy fuerte entre nosotras. Tan fuerte que poco importa quiénes seamos.

—Comprendo. —Lady Helen observó a la delicada muchacha inglesa sentada frente a ella—. Debo preguntároslo. Tal vez parezca atrevido o incluso impertinente, pero me puede la curiosidad. Lleváis aquí unas semanas, casi todo el tiempo con Tavis. Viviendo con él en tal... intimidad... —Se sonrojó—... ¿no corréis peligro de enamoraros de él?

Storm sonrió de soslayo y dijo:

—Hay todas las posibilidades de este mundo, mi señora. Es lo único que temo —añadió, absteniéndose de señalar que aquello había ocurrido hacía ya tiempo.

Maggie derivó hábilmente la conversación hacia asuntos domésticos. Viendo que los hombres se habían puesto de pie y se habían reunido en pequeños grupos, Phelan se escabulló para volver con ellos. Poco después de su escapada, Maggie también se excusó: estaba amamantando a su hijo recién nacido y era casi la hora de volver a darle el pecho. Storm se descubrió a solas con lady Helen y pronto comprobó que las conversaciones de salón diferían muy poco a uno y otro lado de la frontera. Lady Helen, que había sido dama en la corte escocesa, hablaba por los codos.

Cuando Alexander MacDubh se acercó y lady Helen regresó con su marido, Storm se sintió menos a gusto. Aquel hombre tenía tantas cosas a su favor que la abrumaba. No le gustaba aquella sensación. Miró a Tavis en busca de auxilio, pero frunció el ceño: a pesar de que había tenido la sensación de que estaba observándola, parecía ajeno a su presencia. Se apartó discretamente de Alexander cuando él tomó asiento a su lado.

Tavis estaba pendiente de Storm, sabía dónde estaba y con quién. Desde lo sucedido con Mary, Alexander y él habían compartido los favores de muchas mujeres. Se habían enzarzado en una competición por ver quién las seducía primero, o si podían arrancárselas de los brazos el uno al otro. Desde tiempos de Mary, el hecho de que Alex se acostara con las mismas mujeres antes o después que él, o incluso al mismo tiempo, le había parecido un simple fastidio. Hasta ahora. Ahora, por razones que se negaba a examinar con atención, le importaba mucho más que con Mary.

—¿Qué os parece la vida a este lado de la frontera, mi señora? —preguntó Alex, inclinándose hacia ella.

Storm sintió que su voz suave y profunda la acariciaba y casi sonrió: aquel hombre era un instrumento perfecto de seducción.

—No es muy distinta a la del lado inglés. Las gentes y sus maneras difieren muy poco.

—Aun así, os alegrará volver a vuestro hogar.

—¿No alegraría a cualquiera en mi situación? —preguntó ella con calma.

—¿Y cuál es exactamente vuestra situación, mistress Eldon? —Su mirada la acarició sutilmente.

—Creo que lo sabéis muy bien, señor. —Deseaba que no estuviera tan cerca, pero no había más espacio en el sillón para apartarse, y no podía incurrir en la grosería de levantarse de pronto. Al menos, aún.

—Sois una prisionera a la que tratan como una invitada. Debéis admitir que resulta algo desconcertante.

—A mí no me lo parece. No represento ninguna amenaza para un hombre fuerte. Hay pocas posibilidades de que intente escapar por la fuerza o tome rehenes. Las cadenas pueden ser invisibles, pero existen.

—Tal vez no sean sólo las del cautiverio, sino las del amor —dijo él suavemente.

—Os estáis extralimitando, señor. Rehén o no, sigo siendo una dama y merezco respeto.

Alex esbozó una sonrisa: aquella muchacha era fuera de lo corriente. Se hallaba en una situación que debería haberla despojado de su dignidad, y sin embargo la conservaba intacta. Carecía, además, de afectación. No se sonrojaba, ni intentaba negar lo que todo el mundo sabía. Sencillamente, había puesto de manifiesto su falta de tacto por referirse a ello.

—Sólo deseo asegurarme de que lo que he oído es cierto, porque pensaba ofreceros una alternativa.

—Creo que necesitáis confirmación, pero habladme de esa alternativa. Tengo curiosidad.

—Los MacDubh somos amigos y parientes de los MacLagan. Desde hace mucho tiempo. Podría hablar con Colin, convencerle de que estaríais mejor con nosotros.

—¿Y lo estaría? —Se dijo vagamente que era injusto que un joven tuviera tantas cosas a su favor.

—Os trataríamos como a la dama que sois, una dama de elevada cuna. Yo sería un caballero en todo momento.

—¿Creéis que Tavis no me trata como a una dama? —Sintió que su ofrecimiento obedecía a algo más que al deseo de su compañía o al afán de defenderla de un trato injusto, pero no acertaba a decir qué era.

—Creo que no, porque, seamos francos, mi señora, os ha deshonrado.

Storm pensó un momento en ponerle en su sitio, pero decidió que era absurdo actuar como si Tavis y ella no estuvieran compartiendo la cama, como todo el mundo sabía.

—¿Y vos no lo habríais hecho?

—No tengo por costumbre forzar a una dama.

Su tono dejaba entrever que no necesitaba hacerlo, y Storm tuvo que estar de acuerdo.

—¿Quién dice que Tavis lo haya hecho? ¿Veis algún indicio de que se haya puesto violento conmigo? No tengo moratones, ni marcas de grilletes. ¿Acaso os parezco asustada?

—¿Estáis diciendo que os entregáis a él voluntariamente?

—No, pero tampoco he sido maltratada. Decidme la verdad, señor: si me fuera con vos, ¿no intentaríais atraerme a vuestra cama? ¿No estaría cambiando a un seductor por otro?

Alexander miró sus ojos grandes y ambarinos, desprovistos de artificio, y casi sintió odio por Tavis MacLagan. Storm no usaba artimañas, ni fingimientos. Poseía, en cambio, la franqueza de un hombre. La pasión que Alexander adivinaba en su boca carnosa y en las líneas sutiles de su cuerpo se manifestaría con la misma honestidad que todo lo demás en ella. Tavis estaba gozando de aquello, y Alex también quería saborearlo. Empezaba a pensar, sin embargo, que nunca lo lograría: el instinto le decía que Tavis, lo supiera él o no, no estaba disfrutando únicamente de la respuesta natural de una mujer apasionada a las caricias de una mano experta. Alex dudaba que fuera consciente de ello. En tales cuestiones, a veces era mucho más fácil que fueran los demás quienes vieran lo que sucedía.

Tocó ligeramente las gruesas trenzas de Storm y dijo:

—No haría nada por poneros en un lugar en que no desearais estar.

—Pero no por ello dejaríais de intentar que deseara estar en él.

Alex se rió suavemente.

—¿Qué hombre no intentaría conquistar a una dama tan encantadora? —preguntó.

—Me habéis pedido que seamos francos el uno con el otro, así que admito que sin duda me hallaría en vuestra casa en la misma situación en la que me hallo aquí. Creo que sois muy consciente de vuestra apostura y vuestro encanto, así como del efecto que surten. Como tengo la impresión de que no os falta experiencia con las mujeres, estoy segura de que sabríais perfectamente cómo emplear las sutiles artes de la seducción. No creo que aumente un ápice vuestro engreimiento si afirmo que estáis convencido de vuestro éxito o que tenéis razón al estarlo. Hablando claramente, ahora lo tendríais más fácil, puesto que ya no soy doncella y, por tanto, no tengo ya miedos que me refrenen, sino conocimientos que debilitan mi resistencia.

—Habláis muy claro, mi señora. Yo os ofrecería, no obstante, una alternativa.

—No, señor. Sólo me ofreceríais un cambio. Podéis ser muy sutil, pero todo se reduce a lo mismo: yo la primogénita y única hija de un señor de la frontera inglesa, soltera y quizás ya imposible de casar, compartiría la cama con un bandido escocés. Al menos ahora estoy con gentes que conozco, y puede que mi padre me perdone. —Sonrió—. No siento deseos de cambiar eso por algo desconocido que será igual de transitorio. Al menos así, cuando regrese a casa, podré decir sin faltar a la verdad que sólo un hombre me ha deshonrado.

Alex la tomó de la mano y besó su palma, pero luego no la soltó.

—Mistress Eldon, sois una mujer muy bella e inteligente. Una combinación que haría temblar a cualquier hombre. —Contuvo el aliento cuando ella se rió—. ¡Ah, y vuestra risa es tan hermosa que pondría de rodillas a cualquier hombre!

El calor de sus ojos y su forma de mirarle la boca hicieron que a Storm le faltara el aire.

—Estáis coqueteando conmigo, señor, y no sé si es prudente que lo hagáis. —Le sorprendió mirando a Tavis, vio que éste los observaba y comprendió de pronto por qué la deseaba

Alex—. ¿No creéis que ya tengo suficientes problemas sin que me convirtáis en peón de un juego entre hombres?

Por primera vez desde hacía mucho tiempo, Alex sintió que el ardor de la vergüenza inundaba sus mejillas.

—En una mujer, la agudeza de percepción es casi tan inquietante como la lógica. Me despojáis de mi virilidad, señora.

Ella se rió suavemente.

—Eso es imposible, señor. Sólo una espada podría hacerlo. —Se sonrojó y sofocó un gemido de asombro al darse cuenta de su atrevimiento, pero Alex prorrumpió en una carcajada.

Acarició ligeramente con los nudillos su mejilla ruborizada.

—Tavis y yo hemos compartido a más de una mujer. Hace tiempo que para nosotros es una especie de juego ver cuál de los dos seduce antes a una dama o se la roba al otro. Llevamos así casi cinco años.

Viendo allí algo más que una simple competición, Storm miró a Tavis.

—¿Nada más?

Él volvió a llevarse su mano a los labios.

—Eso no empaña mi deseo por vos, Storm Eldon.

—Gracias, señor, pero no es eso a lo que me refería. Hay algo más detrás de ese juego al que os habéis entregado.

Alex suspiró.

—Sí, lo hay, pero principalmente por parte de Tavis. Hace cinco años había una dama, aunque dudo en llamarla así. Tavis creía que la amaba. —Alex advirtió con escasa sorpresa las expresiones que desfilaban por el semblante de Storm—. Yo también me he visto en esa situación, de modo que soy consciente de que para él era casi una santa. Nos sorprendió juntos. Nunca me lo reprochó, porque sabía que me limité a tomar lo que se me ofrecía, pero un desengaño así es difícil de olvidar. —Le sonrió suavemente—. Pero el pasado no debe nublar nuestro futuro.

—El futuro de Storm no es asunto tuyo, Alex. Señora, creo que perdéis de vista quién sois: una rehén, no una invitada. Es hora de que volváis a vuestros aposentos.

Storm echó un vistazo a aquellos ojos azules que eran puro hielo, comparados con los cuales las frías palabras de Tavis casi parecían cálidas, y refrenó la respuesta airada que tenía en la punta de la lengua. Haciendo acopio de dignidad, se levantó, deseó buenas noches a Alex y siguió a Angus a su habitación.

11

Desde el punto de vista de Tavis, Alex estaba consiguiendo seducir a Storm. A sus ojos, las sonrisas de ambos, sus risas y sus susurros parecían un impúdico coqueteo. Las miradas que de cuando en cuando le lanzaba él le parecían cargadas de mala conciencia. Estaba seguro de que Storm estaba sucumbiendo a los encantos de Alex, como hacían siempre las mujeres.

Al verla marchar, tras lanzarle aquellas ásperas palabras, tomó conciencia de que la había ofendido, además de enojarla. La expresión gélida de sus ojos y la rigidez de sus movimientos lo dejaban claro. No estaba seguro, sin embargo, de haberle hecho daño, y ello le hacía sentirse extrañamente molesto. Creía haber distinguido un destello de dolor en su rostro antes de que se cerrara para él, truco éste que detestaba.

—No sabía que fueras tan duro con las mujeres, Tavis —dijo Alex con sorna.

—Es mi rehén, no una muchacha de la corte con la que puedas jugar a tu antojo.

—También es tu amante —repuso Alex suavemente. Los celos de Tavis le parecían fascinantes.

—Sí, y de ésta no vas a disfrutar, MacDubh. ¿Creías que iba a apartarme para dejar que pasaras la noche con ella, o quizá que iba a mandártela a tu habitación con mis mejores deseos? Hay poco que ganar seduciéndola.

—Lo cierto es que le he ofrecido esperar su rescate en nuestro castillo. Pensaba comentárselo a Colin.

Tavis soltó una risa agria.

—Y naturalmente has prometido no ponerle la mano encima.

—No, sólo me he comprometido a tratarla como lo que es: una dama. A eso, y a dejarle elegir compartir o no mi cama, cosa que creo que tú no has hecho, amigo mío. Te has limitado a apropiarte de ella, sin preguntar y sin esperar una invitación.

—Como haría cualquiera con una rehén tan apetecible. Va a quedarse aquí hasta que llegue el momento de devolverla a Hagaleah.

—¿Y cuándo será eso? Está claro que tenéis muy poca prisa en conseguir el rescate.

—Ese momento llegará, aunque tengamos que esperar a que su padre regrese. Entonces se irá a casa.

Alex le vio alejarse, deseando secamente buenas noches al resto de los presentes al abandonar el salón. Aquella inglesita le tenía en su poder, pero Tavis aún no se había dado cuenta. Sacudiendo la cabeza, Alex sintió una punzada de compasión por él. Comparado con aquél, el golpe que había sufrido con Mary parecería un simple rasguño.

Levantó la mirada y vio acercarse a Sholto y a Iain, a quienes saludó con una inclinación de cabeza.

—Con ésa, Tavis no va a jugar, Alex —dijo Sholto al dejarse caer en una silla.

—Ya me he dado cuenta. Pero no me ha preguntado si la dama quería o no entrar en la partida.

—¿Y quería? —preguntó Iain.

—No, amigo mío. No sólo me ha rechazado de la manera más halagüeña posible, sino que se ha dado cuenta de lo que ocurría y me ha puesto en ridículo. Lo ve todo con excesiva claridad.

—Por lo tiesa que iba al marcharse, esta noche habrá una buena trifulca en la torre —comentó Sholto, riendo—. Es una lástima que se hayan marchado, porque verlos pelearse es todo un espectáculo.

—¿Acaso ninguno de los dos ve lo que para los demás es tan evidente? —inquirió Alex con interés sincero.

Iain suspiró.

—No. Es una pena, pero puede que de todos modos no importe, porque ella es la única hija de lord Eldon, su primogénita, y Tavis es el heredero de esta casa. Una unión con poco futuro.

Cuando la pesada puerta se cerró tras ella al entrar en la habitación de la torre, Storm soltó tal retahíla de maldiciones en irlandés que Angus hizo una mueca y dio gracias por no entender ni una palabra de lo que decía. Storm no recordaba haberse enfadado nunca tanto con el hombre que era al mismo tiempo su carcelero y su amante. Por una vez, su cuarto le pareció un puerto de abrigo. Allí no estaba cerca de él.

Desahogó parte de su rabia al vestirse, lanzando su ropa al otro lado de la habitación. Se puso el camisón, se tumbó y se quedó mirando el techo. Imaginó con delectación diversas formas de atormentar a Tavis MacLagan. Pero en sus sueños él siempre acababa suplicándole perdón y ella concediéndoselo olímpicamente justo antes de que exhalara su último aliento. Se deleitaba en aquella visión.

Tavis sabía que tenía tanto orgullo como un hombre y que la brusquedad con que la había echado del salón había herido gravemente su pundonor. Su frialdad también le había causado un profundo dolor, pero eso no pensaba decírselo. Le quedaban muy pocas cosas, aparte de su dignidad y su orgullo, y en aquella breve confrontación Tavis había intentado despojarla de ellas. Iba a tener que explicarle muchas cosas antes de que se lo perdonara. Había sido un desplante innecesario.

Tavis vaciló al llegar a la puerta.

—¿De qué humor está, Angus? —No muy bueno. Estaba diciendo cosas en esa jerigonza irlandesa, y me alegro de no entenderlas. No va a recibirte con una sonrisa y los brazos abiertos —añadió Angus mientras se alejaba.

Tavis se arrepintió por un momento de lo que había hecho, porque le gustaba cómo le recibía ella al llegar a la cama. Sería la primera vez que compartieran la habitación estando enfadados. Entonces recordó lo cerca que se había sentado de Alex, cómo le había dejado que le tocara la mano y cómo había escuchado su ofrecimiento de abandonarle. Entró furioso de nuevo y cerró la puerta con tal fuerza que el ruido resonó en toda la habitación.

—¿Venís a conversar con vuestra prisionera, señor? —preguntó Storm fríamente, incorporándose en la cama.

—No, vengo a disfrutar de un poco de eso que estabas ofreciéndole a Alexander MacDubh —siseó él mientras se acercaba—. ¿Crees que tendrías fuerzas para satisfacernos a los dos?

Storm comprendió por su tono, cada vez más denso, que había llegado al límite de su paciencia, pero sus palabras la enfurecieron de tal modo que no pudo actuar con prudencia.

—¡Canalla! —Se levantó de un salto y se quedó de pie sobre la cama—. ¿Quién te crees que eres para hablarme así, para hacer esas acusaciones?

—Soy el tonto que ha estado viéndote conspirar en brazos de ese maldito Adonis.

—¿Conspirar en sus brazos? ¿Conspirar en sus brazos? —Cruzó la cama y le miró con furia—. Yo no he hecho tal cosa, grandísimo imbécil.

—¿No? ¿Acaso no te ha pedido que fueras a quedarte en su casa?

—Sí, me lo ha pedido. —Se bajó de la cama de un salto, se acercó a la mesa que le servía de tocador y empezó a cepillarse el pelo, cosa que siempre hacía cuando estaba furiosa—. Me lo ha pedido y le he dicho que no, muchísimas gracias. He ahí tu conspiración.

Tavis soltó un bufido burlón y se sentó en la cama.

—Y naturalmente ni siquiera te lo has pensado.

—Oh, sí, me apetece un cambio —le espetó ella, furiosa por su desconfianza—. Mi aspiración en esta vida es saltar de cama en cama. He decidido seguir los pasos de mi madrastra. A fin de cuentas, ¿qué importancia tiene prostituirse un poco para una mujer ya deshonrada? Creo que voy a ver si puedo superar a lady Mary en número y variedad. Ése es mi objetivo.

—Por los clavos de Cristo, no te hagas la ofendida conmigo —bufó él, más enfurecido aún por su modo de hablar—. Todo el mundo ha visto que te estaba manoseando y que tú no se lo impedías.

—Me ha besado la mano. Pero no era la primera vez que me la besaban. No significa nada y tú lo sabes muy bien.

—Y te ha tocado el pelo y te ha acariciado la cara. Eso no es práctica habitual.

—No, son las mañas de un redomado seductor. No me digas que no las reconoces —replicó Storm.

—Sí, las reconozco y también me he dado cuenta de que te estabas derritiendo. He visto cómo se enturbiaban tus ojos, como si estuvieras medio dormida, sentada a su lado, escuchando sus lindos embustes. Mirándoos a los ojos como un par de tortolitos. No es amor lo que te ofrece, muchacha. Sólo quiere meterse entre tus piernas —añadió con aspereza—.

Quiere montarte, como quiere montar a la mitad de las muchachas de Escocia.

—¿Crees que no lo sé? —preguntó ella con calma—. No soy idiota. Sé exactamente lo que quiere.

Mientras Tavis se ofuscaba, Storm había sentido que su propia ira se disipaba. Al recordar la historia que Alex le había contado acerca de su primer amor, comenzó a comprender su desconfianza. Y también a ver algo detrás de su ira. Por un instante fugaz, al sorprender su mirada en el espejo, había visto a un muchacho vulnerable.

Casi le parecía risible que Tavis MacLagan, siendo tan importante para ella como respirar, desconfiara de su capacidad para retenerla. Al pensarlo, se dio cuenta de que la falsedad de su primer amor había sido probablemente sólo el principio: que las mujeres le habían perseguido no como hombre, sino como heredero de Caraidland. Detrás de sus atenciones siempre se escondía la avaricia. Era ya, quizás, un tanto difícil que Tavis creyera que una mujer podía quererle únicamente por su valía como hombre y estar satisfecha.

Su problema sería convencerle de que así era en su caso sin desvelar lo que sentía por él. Veía su vulnerabilidad como el resultado del orgullo herido y la falta de confianza en sí mismo. No creía, sin embargo, que tuviera nada que ver con ella personalmente, ni tampoco con el hecho de que hubiera hablado con Alex. Su amor por él suscitaba en ella el deseo de ayudarle, pero su orgullo le impedía revelar por qué le interesaba sólo él. Decidió que el deseo físico era el camino a seguir.

Aquello la condujo al complejo problema de cómo lograrlo. Aunque no había hecho esfuerzo alguno por ocultar lo mucho que gozaba cuando hacían el amor, siempre se mostraba relativamente pasiva. Su contribución al acto era el regalo de su pasión. Tavis era quien iniciaba sus encuentros amorosos, quien los dirigía y los controlaba. Tal vez el único modo de demostrarle que sólo le deseaba a él era tomar la iniciativa, mostrarse osada y atrevida por una vez y hacerle el amor.

Pero, nueva aún en aquellas lides, no sabía cómo empezar. De pronto, sin embargo, tuvo una idea. Haría sencillamente lo que Tavis le hacía a ella. Le acariciaría, sería tan minuciosa en sus caricias como lo era él. Por una vez, no dejaría que el pudor y la timidez virginal la cohibieran. Iba a repugnarle o a convencerle de que sólo le interesaba él, de que sólo él podía agitar sus pasiones.

—Lo mismo que querías tú —gruñó él—. He visto claramente que le deseabas.

Storm se situó delante de él y dijo con calma:

—Alexander MacDubh es un hombre muy capaz de agitar las pasiones de una mujer.

Tavis frunció el ceño, tan ofuscado que no se dio cuenta de que le estaba desatando el jubón.

—¿Te apetecía pasar la noche con él?

—No hay duda de que es uno de los hombres más guapos que he visto nunca. —Le desató la camisa.

Tavis volvió a fruncir el ceño distraídamente mientras la observaba.

—¿Quieres hacerme creer que no sientes nada por él?

—No. No me creerías, si lo dijera. —Le sintió tensarse bajo sus manos—. Ese hombre es tan perfecto que aturde a la gente. Todo en él está perfectamente diseñado para seducir a una mujer. Sus ojos claros y atrayentes, la perfección de su rostro y su cuerpo, una voz que acaricia como las manos más hábiles.

—¿Qué te propones? —preguntó él con aspereza, picado por cómo hablaba de Alex, cuando Storm se agachó para quitarle los zapatos.

—Te estoy desnudando, bobo —dijo ella con calma.

Tavis la agarró del brazo y gruñó:

—¿Seguro que es a mí a quien quieres desnudar?

Ella dejó que su mano libre vagara por el torso desnudo de Tavis.

—Por un instante sentí la tentación de comprobar si tiene todo lo que hay que tener, porque su perfección física enseguida suscitó mi escepticismo.

Él soltó su brazo y se pasó una mano por el pelo.

—Maldita sea, yo sé lo que he visto. Le deseabas.

Storm se inclinó hacia él y trazó con la lengua la forma de sus labios fruncidos. Sus dedos vacilaron un momento antes de empezar a desabrochar su camisón. Nunca se había desnudado ante él. Era Tavis quien la desvestía siempre. Y en la habitación había mucha más luz de lo normal. Respiró hondo para calmarse y se afirmó en su resolución. Mientras se quitaba el camisón, fue depositando ligeros besos por toda su cara.

Tavis se quedó sin aliento. Era la primera vez que Storm le mostraba libremente su hermoso cuerpo. Se olvidó momentáneamente de Alexander MacDubh y de los celos que se negaba a reconocer y contempló su esbelta figura. Había empezado a tender las manos hacia ella cuando recordó de qué estaban hablando y titubeó.

—Te acostarías con él. Como todas —gruñó hoscamente mientras Storm exploraba su garganta con los labios.

—Sólo si tú me dieras de lado y él estuviera ahí para recogerme. Sólo si continuara sin poder buscar refugio en mi familia y tuviera que irme a su casa. Sí, Tavis. —Besó su pecho al tiempo que desataba la camisa—. Me encantaría acabar en su cama. No me cabe duda de que sabe hacer gozar a una mujer tan bien como tú.

Él dejó escapar un gemido y, cuando Storm pasó la lengua por sus pezones endurecidos y comenzó a chuparlos, hundió las manos entre su pelo. Estaba tan absorto en aquel placer desconocido que no se dio cuenta de que ella le aflojaba las calzas. Se limitó a arquearse para ayudarla. Lo mismo sucedió cuando se las bajó al tiempo que besaba y lamía su tenso vientre.

De todas las mujeres con las que se había acostado, Katerine era la más hábil a la hora de dar placer a un hombre. Sabía cómo y dónde tocar. Pero ninguna mujer usaba jamás la boca. Era ésa una habilidad que sólo solían emplear las cortesanas más caras. Sólo una vez le había permitido su frugalidad pagar el precio de aquel placer, y sin embargo no le había excitado tanto como le estaba excitando aquella delicada inglesita. No se escandalizó, ni se sintió asqueado. Se preguntaba, sencillamente, hasta dónde osaría llegar Storm.

—¿Intentas convencerme de que Alex no te interesa? —preguntó con voz ronca.

—No, Tavis. Intento demostrarte que, hasta que me abandones, sólo quiero compartir tu cama, pese a que con los ojos pueda apreciar la belleza de otros. —Se llevó la mano de Tavis a la boca y besó su palma antes de deslizar la lengua por cada uno de sus dedos y repetir aquel gesto con la otra mano mientras hablaba—. Quiero que sólo estas manos conozcan mis secretos, que sólo ellas toquen mi piel. —Le besó—. Ésta es la única boca que quiero sobre la mía. Los únicos labios que quiero que me saboreen. —Siguió besando su pecho—. Ésta es la única almohada que necesito para apoyar la cabeza. —Dejó que su lengua se deslizara alrededor de su ombligo—. Ésta es la única tripa que quiero que se apriete contra la mía, que se frote conmigo en el más íntimo de los ritmos. —Mordisqueó suavemente sus muslos—. Éstas son las únicas piernas que deseo entrelazadas con las mías, abriéndome los muslos para que esto se abra paso dentro de mí y me llene, y satisfaga por un momento un ansia que parece no abandonarme, y me lleve a ese paraíso al que sólo tú puedes llevarme.

Tavis sofocó un gemido y se inclinó hacia delante cuando la lengua de Storm se deslizó a lo largo de su miembro. Comenzó a jadear cuando aquella misma lengua siguió acariciándole en círculos, provocándole, sin dejar un solo lugar inexplorado. Dudaba de que Storm ejecutara aquella intimidad suprema, pero en ese momento le importaba muy poco: apenas podía dominarse.

De pronto, Storm se vio estrechada entre sus brazos y puesta en pie. Para su sorpresa, no se tumbaron en la cama, sino que Tavis la sentó a horcajadas sobre su regazo, de cara a él. Un gemido, mezcla de asombro y placer, escapó de ella cuando Tavis la penetró.

Agarrándola por las nalgas, dirigió sus movimientos hasta que ella cogió el ritmo. La besó con ansia, hundiendo profundamente la lengua en su boca mientras la acariciaba. Cuando pudo apartar los ojos del movimiento de su cuerpo ligero o de la pasión que reflejaba su cara, devoró sus pechos. Cuando Storm gritó y sus temblores anunciaron que había alcanzado el clímax, Tavis la agarró de las caderas para que no se apartara. Pero no hizo falta. Ella se apretó sobre su miembro y contoneó suavemente las caderas, aumentando así la intensidad del orgasmo de Tavis. Él la abrazó, escondió la cara entre sus pechos y se meció levemente mientras el placer le embargaba y refluía, devolviéndole poco a poco a la normalidad.

—Dios, qué delicia. Qué delicia. —Sintió que los músculos del interior de Storm se contraían y murmuró extasiado—: Ha sido maravilloso. Eres la mejor de todas. —Posó la mirada en el punto en el que sus cuerpos se unían, deslizó suavemente las manos por sus caderas y sintió que se tensaba con renovada pasión—. Estás hecha para esto. Para hacer gozar a un hombre.

Storm se sorprendió al ver lo rápidamente que estaba listo para volver a gozar de ella. Y le sorprendió igualmente que ella también estuviera dispuesta a disfrutar de nuevo. Con una risa gutural, se entregó a su ansia compartida.

La luz gris del alba se colaba en la habitación cuando Tavis despertó súbitamente. La tensión de su entrepierna le dijo por qué. Levantó la cabeza de los sedosos pechos que le servían de almohada y miró pensativo a Storm, que aún dormía, mientras su deseo crecía poco a poco.

Ya no le preocupaba Alexander MacDubh. Storm le había convencido de que, mientras él la deseara, no compartiría la cama con otro hombre. Tavis experimentó una clara sensación de orgullo viril.

Esa sensación fue sustituida por otra de enojo y mala conciencia. Tenía a su lado a una mujer a la que no le importaría en absoluto tomar por esposa. No sólo no temería verse traicionado, sino que no tendría que buscar a otras, ni soportar las molestias y el precio de la seducción y el halago. La pasión de Storm, su desinhibición en la cama, bastarían para asegurar su fidelidad. Carecía, además, de la avaricia, la deshonestidad o la dureza que le habían apartado de las demás mujeres, una tras otra. Nada de todo aquello importaba, sin embargo, porque sus familias no podrían unirse.

Se sacudió un desánimo repentino y cargado de tristeza, destapó a Storm y la contempló a su antojo. Su mirada se posó finalmente en la juntura de sus esbeltos muslos y, levantándose, le separó un poco las piernas y se arrodilló entre ellas.

Había algo que quería hacer desde hacía tiempo. Se había refrenado, no obstante, por respeto a su inocencia. Era un acto que rara vez ejecutaba, y que sin embargo ansiaba poner en práctica desde la primera vez que hizo el amor con Storm. Se dio cuenta con sobresalto de que ello se debía, en parte, a que no estaba seguro de que fuera limpia. Aunque no se fijaba en ello conscientemente, había notado que muchas de las mujeres con las que se había acostado a lo largo de los años no eran muy aficionadas al agua y el jabón. Muchas creían sinceramente que era poco saludable sumergirse en agua o bañarse con regularidad. Storm se lavaba a diario, y eso a Tavis le gustaba.

Se inclinó ante sus pechos y vio que los pezones se endurecían en respuesta a las atenciones de su lengua. Ella murmuró algo en sueños y se removió, pero no abrió los ojos cuando él descendió lentamente por su cuerpo. Acercó la mano a su sexo y deslizó la mirada desde sus dedos, hundidos entre sus rizos cobrizos, hasta su cara para presenciar cómo se despertaba lentamente su pasión. Lamió suavemente sus pechos, dejó que sus dedos la acariciaran con una osadía que Storm no había permitido nunca. Cuando la creyó casi despierta, luchando por separar sueño y vigilia, volvió a fijar los ojos en los tesoros de los que disfrutaban sus manos y se quedó mirándolos un momento mientras sus dedos seguían jugando. Posó luego las manos en sus muslos, le separó más las piernas y acercó los labios al centro de su pasión. Al ver que no se apartaba de un respingo, como había sucedido en otra ocasión, comprendió que sus pocos ortodoxos métodos habían conseguido su objetivo y procedió a saborear por entero su dulzor.

Storm había sentido sus caricias desde el principio del juego. Mientras se despertaba, su pasión fue cobrando fuerza y pudo disfrutar de la impresión de hallarse en un mundo de sueños. Ello le permitió gozar de las caricias de Tavis, mucho más atrevidas que nunca antes. Cuando sus labios la tocaron íntimamente, la sensación de encontrarse en un sueño impidió que se tensara, y le hizo posible gozar del placer que su reticencia le había negado hasta entonces. Cuando se dio cuenta de que Tavis se estaba demorando como nunca antes, era ya presa de una pasión casi arrolladora y necesitó que las manos de Tavis, aferradas a sus nalgas, la sostuvieran mientras se retorcía bajo sus caricias íntimas.

Una y otra vez Tavis la condujo al borde mismo del orgasmo, hasta que ella se aferraba a sus hombros, casi desesperada.

—Por favor, *acushla*, ya no más. Te necesito, mi *fona*. —Se estremeció de placer y de alivio cuando él la poseyó lentamente—. *Cushlamochree*.

Se aferró a él mientras Tavis la llevaba en un torbellino hacia un país que sólo los amantes podían descubrir. Su nombre se le escapó de los labios cuando él la penetró profundamente, buscando su propia descarga mientras ella seguía presa de la suya. Pasó un rato antes de que Tavis tuviera energías para romper su abrazo íntimo, tumbarse de espaldas y estrecharla en sus brazos. Trazó con los dedos la herida cicatrizada de su hombro, que la había mantenido en cama pero lejos de sus brazos, acrecentando así sus ansias de poseerla. Pensó por un momento en pedirle perdón por lo que había dicho sobre Alexander, pero cayó en un sueño satisfecho antes de decir palabra.

—Te quiero, Tavis —musitó Storm, consciente de que no la oía. Sonrió por su necedad y, acurrucándose a su lado, se quedó dormida.

12

Al mirar a Storm, Tavis deseó no haber accedido a su plan. La ropa de muchacho que llevaba mostraba con excesiva claridad las suaves curvas de su cuerpo. Sus hombres iban a pasárselo en grande, y aquello no le gustaba ni pizca. Sabía que sentía celos, pero se decía que cualquiera los tendría tratándose de una mujer que le daba tanto placer por las noches y que nunca había hecho aquello mismo con ningún otro hombre. Era un sentimiento natural que surgía del hecho de ser el primero y el único.

—Me miras de forma muy rara, Tavis —comentó Storm mientras se recogía el pelo hacia atrás.

—Estaba pensando que, para ser tan flacucha, tienes muchas curvas.

Storm intentó refrenar su rubor.

—La ropa me está un poco apretada, pero servirá. Me apetece tanto cabalgar...

—¿Estás segura de que tu hombro te lo permite? —La agarró del pelo y tiró suavemente de ella para abrazarla.

—Anoche no parecías muy preocupado por eso. No. Ni esta mañana.

Él tensó los labios.

—Sí, bueno, puede que crea que ya has cabalgado suficiente y que necesitas un descanso.

Storm se desasió y, cuando se disponía a salir de la habitación, dijo con aire altivo:

—Eres un hombre muy vulgar, Tavis MacLagan. No tienes ni idea de cómo hablarle a una dama.

—Muéstrame una dama y mi galantería no conocerá límites —replicó él desde una distancia prudencial, a su espalda, y respondió con una amplia sonrisa a la mirada de enojo que ella le lanzó por encima del hombro.

No le agradó ver las miradas que sus hombres dedicaban a Storm cuando se dirigió a los establos. Ni siquiera su semblante sombrío mientras caminaba al lado de Storm los detuvo. Se limitaron a mirarle divertidos o con expresión de excesiva sagacidad. A pesar de todo, Tavis no pudo evitar sentir cierto orgullo por que la mujer que compartía su cama fuera objeto de deseo para tantos hombres. Sabía, además, que su interés no era en absoluto de índole carnal, sino de curiosidad respetuosa por una persona que había demostrado su valía y había puesto a todo el mundo de su parte, a pesar de ser una Eldon y una inglesa.

Phelan miró a Storm cuando montaron.

—No pareces un chico, prima.

—Gracias, Phelan —dijo ella con una sonrisa—. Es un alivio saberlo.

—No los lleves muy lejos, Angus. Es la primera vez que monta desde que la hirieron —dijo Tavis.

Angus asintió con la cabeza y Tavis los vio alejarse a caballo. Storm cabalgaba bien, y Tavis comprendió que estaba acostumbrada a montar a horcajadas. Storm estaba echando rápidamente por tierra sus prejuicios sobre las damas inglesas. Estaba claro que lord Eldon había educado a su hija con cariño y libertad. Pero Tavis no estaba seguro de querer conocer aquella faceta de su enemigo.

Angus sólo les dejó galopar un trecho, pero a Storm no le importó. Era consciente de que no había recobrado la fuerza que necesitaba para controlar a un caballo al galope. El simple hecho de montar era un placer. Angus era un guardián indulgente: tenía su promesa de que no intentarían escapar a caballo, y ello le parecía garantía suficiente.

Desmontaron al llegar a la orilla de un lago, pero Phelan no se apeó del caballo. Con permiso de Angus, fue a explorar la orilla hasta donde pudiera. El chico no había vuelto aún cuando Storm y Angus, que estaban haciendo rebotar piedras sobre el agua, vieron desagradablemente interrumpido su juego infantil. Por primera vez en su vida, Storm no se alegró al ver una partida de rescate de Hagaleah. El instinto le decía que estaría mucho más segura con el enemigo ancestral de los Eldon.

No hubo tiempo de montar y huir. Angus y ella se vieron rápidamente rodeados. Él desenvainó la espada para enfrentarse a los doce hombres bien armados y se colocó delante de Storm. Ella se preguntó cómo sabía sir Hugh que debían ir al lago, donde solían detenerse cuando salían a cabalgar, y enseguida pensó en Katerine MacBroth. Aquella mujer era capaz de algo así: Storm estaba segura de que Katerine tenía motivos para creer que volvería a ocupar enseguida la cama de Tavis si ella desaparecía. Tavis no era hombre que pudiera pasar mucho tiempo sin una mujer.

—Matadle —ordenó sir Hugh tranquilamente, señalando a Angus con la cabeza.

—¡No! —Storm se interpuso entre Angus y los hombres de Hagaleah—. No hace falta que le matéis. Coged su caballo y dejadle atado. Tardarán en encontrarle.

—¿Dónde está ese mocoso irlandés? —preguntó sir Hugh mientras hacía señas a sus hombres de que hicieran lo que decía Storm, pensando que le convenía complacerla en aquel asunto.

Storm vio que Angus se rendía tras un breve forcejeo y dejaba que le ataran. Era un alivio saber que no le harían daño. Sin duda él también se había acordado de que Phelan andaba cerca. Con un poco de suerte, el chico no se acercaría. Estaba mucho mejor en Caraidland.

—Hoy se ha quedado en el castillo. Tenía cosas que hacer.

Sir Hugh la miró con evidente desdén.

—Vestís como una puta, además de serlo. Montad. Si no fuera por vuestra fortuna, os dejaría aquí para que sirvierais de criada a esa escoria fronteriza.

Habría sido inútil que Storm se resistiera. Uno de los hombres de sir Hugh la agarró y la subió a la silla. Luego entregó las riendas a sir Hugh. Antes de que ella pudiera pronunciar las palabras que le ardían en la boca, partieron al galope. Storm tuvo que esforzarse por no caerse, y su hombro no tardó en empezar a protestar. No era así como deseaba regresar a Hagaleah.

Phelan apareció junto a Angus en cuanto sir Hugh se marchó. Se había dado cuenta de que debía mantenerse alejado, no sólo para socorrer a Angus, sino también para ayudar a Storm. El tiempo que había pasado en Hagaleah le había demostrado que su prima no estaba a salvo allí. No era únicamente la odiosa perspectiva de que se viera obligada a casarse con sir Hugh lo que le preocupaba. Tenía el presentimiento de que Storm no sobreviviría a aquel matrimonio. Sir Hugh disfrutaría del papel de viudo adinerado.

Tavis acababa de entrar en el recinto amurallado cuando Angus y Phelan regresaron montados en un solo caballo.

—¿Sir Hugh? —preguntó cuando se acercaron—. ¿Cómo demonios sabía dónde y cuándo atacar? Me niego a creer que alguno de los nuestros se lo haya dicho, pero no dudo de que alguien le ha avisado.

—Sí —respondió Angus—. Ha sido todo demasiado limpio. —Se aclaró la garganta—. He pensado que los celos muy bien podían engendrar a una traidora.

El ceño sombrío torció el hermoso rostro de Tavis.

—Sí. Katerine sería capaz de algo así, maldita sea. —Dio media vuelta y volvió a entrar en la torre. Angus y Phelan le siguieron mientras le contaban lo sucedido—. Cuánto me alegro de que no te haya pasado nada, Angus. Habría sido para nada. —Entró en el gran salón y les contó a su padre y sus hermanos lo que había ocurrido—. Adiós al rescate.

—¿Vas a dejarla con sir Hugh? —preguntó Phelan cuando Tavis se dejó caer en un banco y se sirvió una gran jarra de cerveza—. Tú no sabes cómo es ese. La matará. Lo sé.

—No, muchacho. Ese hombre quiere casarse con ella. Está loco por su fortuna. Y por alguna que otra cosa más. —Colin notó que la cara de Tavis se crispaba—. Querrá que su novia esté viva.

—Sí, pero no su mujer. —Phelan asintió vigorosamente con la cabeza al ver que aquel comentario atraía la atención de los demás—. En cuanto haya disfrutado un poco de lo otro y se canse de ello, querrá enviudar. Y eso no es todo. Vosotros no conocéis a ese hombre. Cuando acabe con mi prima, Storm se alegrará de que la mate. En Hagaleah abundan las maltrechas beneficiarias de su amor.

—Muchacho, no puedo reunir a mis hombres para recuperar a una inglesa. No les hará gracia arriesgar la vida para devolver a una muchacha enemiga a la cama de mi hijo. —Colin suspiró—. Lo siento mucho, porque estoy en deuda con ella, pero no puedo mandar a mis huestes en su rescate.

—Entonces iré yo solo. Dadme dos monturas. Os las devolveré.

—¿Y qué harías, Phelan? ¿Llamar a la puerta y decir: «Por favor, ¿podéis devolverme a mi prima?»? —dijo Tavis en tono sarcástico. Echaba ya de menos a Storm, y no estaba de buen humor.

—No. Sé cómo entrar y cómo salir sin que se den cuenta. Prestadme esos caballos.

Tavis se sentó, miró a su padre, que asintió con la cabeza, y preguntó:

—¿Puedes entrar en Hagaleah sin que te vean?

—Sí, pero no voy a deciros cómo. Es un agujero que no puede serviros de nada.

—Phelan —refunfuñó Tavis—, si hay un modo de sacar a Storm de Hagaleah, de entrar en el castillo con poco riesgo para los hombres, sospecho que podría convencer a unos cuantos para que me ayudaran. —Intentó refrenar su enojo al ver que Phelan se obstinaba en guardar silencio—. Te daremos nuestra palabra de honor de que no utilizaremos tu secreto para atacar Hagaleah. ¿Qué eliges, muchacho?

—¿Me dais vuestra palabra de honor de que nunca usaréis mi secreto para atacar Hagaleah y a los Eldon?

—Así es, chico. Si podemos sacar a la muchacha sin mucho riesgo, estamos dispuestos a hacerlo. —Colin miró a los reunidos en el salón y todos ellos asintieron—. Lo que no podía hacer era convocar a un ejército.

—Bueno, no dudo de que me vendría bien un poco de ayuda. Es un túnel. Va desde las habitaciones de la planta baja hasta pasada la muralla. Es para que huyan las mujeres y los niños si el castillo cae en manos enemigas.

—Sí. Nosotros también tenemos uno. —Colin sacudió la cabeza—. Me asombra que nunca hayamos buscado uno en Hagaleah. En fin, ven a sentarte, muchacho. Si todo va bien, tu prima estará de vuelta al amanecer.

A Tavis, el amanecer le parecía demasiado tarde, pero no dijo nada. La sola idea de que sir Hugh tocara a Storm le resultaba intolerable. Sintió que se le retorcían las tripas, pero procuró que no se le notase en la cara. De momento, tendría que conformarse con recuperar a Storm. Más tarde haría pagar a sir Hugh por el maltrato que Storm hubiera sufrido en sus manos. No se detuvo a ponderar sus sentimientos. No tenía tiempo ni ganas de escudriñar su alma. Deseó por un instante poder ver más allá de los muros de Hagaleah, pero decidió que seguramente era preferible no hacerlo.

Sentada en la cama de su habitación, Storm observaba a sir Hugh y lady Mary con una tranquilidad que no sentía. Estaban enfadados, especialmente sir Hugh. Storm los conocía lo suficiente como para saber que no le deseaban ningún bien. Pese a ello, seguía negándose a casarse con él. Al igual que Phelan, había adivinado que sir Hugh no pensaba pasar una larga vida de felicidad conyugal a su lado; que su vida corría aún más peligro si se casaba con él. Seguía negándose, aun cuando se arriesgaba a despertar su ira. Tavis MacLagan podía ser un bandido de la frontera, un viejo enemigo, un hombre iracundo y poco afectuoso. Era, además, el hombre que le había robado su inocencia, así como algunas otras cosas de las que ni siquiera era consciente. Pero, de momento, parecía un puerto seguro.

—No puedes decirnos que sigues siendo virgen —ronroneó lady Mary—. Sir Hugh es muy galante por seguir interesado en ti.

Storm dejó escapar un bufido muy poco femenino.

—Galante, y un cuerno. Es mi fortuna lo que quiere, lo sé muy bien.

Hugh la miró con rabia. Estaba perdiendo el control.

—No puedes ponerte melindrosa, zorra. Todos sabemos que has hecho de furcia para el heredero de los MacLagan.

—¿De veras? ¿Puedo preguntaros cómo sabéis lo que ocurre en Caraidland?

Lady Mary se encogió de hombros.

—La mujer a la que quitaste el sitio nos ha ofrecido un informe muy completo y detallado.

—Eso me parecía. —Storm se preguntó si Tavis descubriría alguna vez la traición de Katerine.

—Veo que no lo niegas. —Lady Mary quería que contestara a unas cuantas preguntas antes de que sir Hugh montara en cólera.

—¿Por qué iba a negarlo? Aunque no fuera cierto, aunque lo negara con vehemencia, no me creeríais. ¿Qué importa lo que yo diga? Creed lo que queráis. A mí no me importa.

—No te molestes en negarlo. No, no hace falta que digas nada. Se te nota en la cara. —Lady Mary sonrió fríamente—. Viendo lo fogosa que es esa despechada, el heredero de los MacLagan debe de ser todo un semental, y estas últimas semanas te ha montado a placer.

—La vulgaridad os sienta bien, madre. —Storm se tambaleó bajo la fuerza de la bofetada que le asestó su madrastra, pero no lloró. Se limitó a mirarla fijamente, con odio palpable.

—Pronto se correrá la voz de que has dejado tu honor en Escocia, mi queridísima hija. No vendrá ningún enamorado a husmear tu puerta. Te casarás con sir Hugh y no hay más que hablar.

—No podéis casarme. Sólo mi padre tiene ese derecho. No me casaré con sir Hugh.

—Maldita seas —siseó sir Hugh, y le asestó un golpe que la hizo caer de la cama—. Puede que ese cerdo te haya dejado embarazada. ¿Lo has pensado, zorra? —La agarró del brazo y la obligó a levantarse—. La simiente que ha vertido dentro de ti una y otra vez podría estar creciendo dentro de este vientre tan liso. —Recalcó sus palabras asestándole un golpe en esa zona.

Más allá del dolor del golpe, Storm sintió miedo. No había pensado aún en un niño, y ahora que lo pensaba se daba cuenta de que hacía tiempo que debería haber tenido el periodo. Al miedo natural a verse golpeada se añadió el temor a lo que podía pasarle al bebé que tal vez estuviera esperando. No había tiempo de pensar en la desgracia que eso le acarrearía. Tenía que convencer a sir Hugh de que no era posible, para que, aunque la golpeara, como sin duda haría, lo hiciera únicamente por rabia, no para provocarle un aborto. Estaba ansiosa por proteger la vida que quizá llevara dentro, el hijo del hombre al que amaba.

—Tavis MacLagan no es ningún tonto —dijo mientras luchaba por recobrar el aliento—. Esa ramera que habló con vos llevaba dos años con él y no le ha dado ningún hijo. Derrama fuera su semilla —mintió, y miró con ira a sir Hugh. Su lengua era su única arma—. Pero aunque estuviera embarazada del escocés, no me casaría con vos. No quisiera dar a mi hijo un idiota por padre, aunque sea un bastardo.

Hugh la golpeó en la cara con el puño, en lugar de darle una bofetada. Storm chocó contra el poste de la cama. Aunque temía por sus dientes y le pitaban los oídos, su resolución se fortaleció. Ahora que sabía lo que podía tener (incluso aunque Tavis no correspondiera a su amor), no se conformaría con menos. La brutalidad de Hugh sólo consiguió reforzar su negativa. Se alegraba de que Phelan no hubiera vuelto, porque sabía que habrían utilizado al chico para obligarla a ceder.

Sacudió la cabeza para despejarse.

—Vos sí que sabéis declararos, sir Hugh.

—Conseguiré que me digáis que sí cueste lo que cueste. Ceded ahora, zorra, y os ahorraréis sufrimientos.

—¿Sufrimientos? Mi querido Hugh, si me caso con vos, lo de ahora me parecerá el paraíso. —Se volvió cuando él la golpeó de nuevo. Salvó así sus dientes, pero tuvo que agarrarse un momento al poste de la cama antes de decir—: Olvidadlo. He conocido a un hombre. El diablo beberá agua bendita antes de que yo me una a un patán como vos. —Esquivó su golpe—. Sí, y sin duda tenéis el mal de los cruzados.

La siguiente vez no tuvo tanta suerte, ni la otra. Cuando lady Mary y sir Hugh la despojaron de la ropa estaba tan aturdida que no pudo detenerles, aunque se resistió lo mejor que pudo. La tumbaron boca abajo sobre la cama y le ataron las muñecas a los postes. Storm descubrió muy pronto que no convenía esquivar los golpes de sir Hugh, porque sólo conseguía que aterrizaran en otra parte. Le dolían las mandíbulas de contener los gritos, pero cada vez que él le preguntaba si su respuesta había cambiado, ella contestaba con palabras llenas de veneno, inspiradas por su ira impotente.

Pronto alcanzó tal estado que los esfuerzos de sir Hugh dejaron de dar resultado. Su mente se apartó del dolor. Una pequeña parte de ella sabía que sufría más de lo que creía posible, pero no le prestaba atención, y flotaba en una especie de semiinconsciencia que le producía un falso embotamiento.

—Ya basta, Hugh —dijo lady Mary—. Ya no lo siente. Volveremos a intentarlo más tarde.

Storm se preguntó qué significaba la nota extraña y ronca que advertía en la voz de su madrastra. Volvió la cabeza para mirarlos, pero los vio borrosamente. Sus ojos medio cerrados no enfocaban bien. Aquello le hizo preguntarse si lo que veía era un sueño engendrado por su estupor.

Es un sueño muy extraño, se dijo al ver que lady Mary se arrodillaba delante de Hugh, el cual respiraba trabajosamente, le levantaba el jubón y desataba sus calzas de cuero. *Me pregunto cómo es posible que la imagine haciendo eso si ni siquiera sabía que la gente lo hacía*. Miró a sir Hugh y vio que tenía un aspecto tan feroz cuando gozaba como cuando montaba en cólera. *Al menos eso tiene cierta coherencia*.

—Nos está mirando —dijo él entre dientes y, asiendo a lady Mary por debajo de los brazos, la tumbó en la cama, junto a Storm, y le subió las faldas.

—Déjala —ronroneó lady Mary, agarrando firmemente su miembro—. Que vea que los sementales son los ingleses y no esos caballos castrados de los escoceses. Enséñale cómo llena a una mujer un hombre de verdad.

La mente de Storm, embotada por el dolor, no aceptaba por completo el espectáculo que estaba teniendo lugar a su lado. Estaba segura de que era todo un sueño. Desorientada, sólo era en parte consciente de que los sueños no hacían que la cama se moviera, ni solían ir acompañados de ruidos exageradamente lujuriosos. Sencillamente los vio acabar, levantarse, enderezarse la ropa y salir.

Durante un rato, perdió la conciencia y la recuperó varias veces. Su estado no obedecía únicamente al dolor físico, sino a la impresión de lo que le había ocurrido. Salvo cuando se peleaba de niña, nunca había sufrido más que un leve coscorrón. Su padre usaba la palabra para dirigirla, la palabra y el amor. Ni siquiera Tavis la había golpeado. Le costaba asimilar la idea de que había sido brutalmente maltratada en un lugar en el que sólo había conocido amor, ternura y afecto.

En cierto momento, su espíritu se recuperó. Era la primogénita de lord Eldon, una gran autoridad por derecho propio en las marcas fronterizas y un hombre muy respetado en la corte.

Regodearse en su miseria y su dolor no era propio de quien llevaba en sus venas la sangre de los Eldon y los O'Conner. *Ni de quien tal vez esté esperando un hijo de Tavis MacLagan*, se dijo con humor ligeramente amargo.

Recordar vagamente que lady Mary y sir Hugh habían hablado de otra sesión, y que probablemente habría otra y otra hasta que obtuvieran la respuesta que querían, le dio las fuerzas que necesitaba. A pesar de que el dolor y la debilidad la hacían temblar y sudar, se deslizó hacia delante y comenzó a morder la cuerda de una de sus muñecas. El dolor que le causaban las ataduras no era nada comparado con el que sentía por dentro, y no le costó mucho esfuerzo ignorarlo.

Vestirse fue aún más duro: varias veces estuvo a punto de desmayarse. Todos los músculos que necesitaba para ponerse la ropa parecían hallarse en su espalda maltrecha. El calor que emanaba de su hombro la convenció de que la herida del cuchillo se había abierto, pero pese a todo no se detuvo. De eso podía ocuparse más tarde. Ignoraba cuánto tiempo había pasado inconsciente y le preocupaba que los otros volvieran. Cuando Agnes entró en la habitación, sintió ganas de llorar.

—¿Qué os proponéis? —siseó Agnes al dejar la bandeja con caldo, cerveza, pan y queso que llevaba y cerrar la puerta—. No deberíais estar levantada y vestida.

—No, debería estar atada a los postes de la cama, esperando otra paliza. —Storm se puso en pie, se agarró a la cama y procuró contener una oleada de náuseas—. Me parece que no, Agnes.

—¿Cómo vais a salir? Os verán, seguro.

—No por la ruta que pienso tomar. Tengo que irme. Volverán pronto, estoy segura. —Agitó una mano al echar a andar hacia la puerta—. Maldita debilidad.

Agnes la cogió antes de que se cayera.

—Os echaré una mano. Aún no os tenéis en pie.

—¿Por qué me ayudas, Agnes? Eres la doncella de lady Mary —dijo Storm con desconfianza.

—Por mí misma. Quiero a sir Hugh. Vos y vuestra fortuna se interponen en mi camino. —Echó un vistazo al pasillo y, al ver que estaba vacío, la ayudó a salir de la habitación y a dirigirse hacia donde le indicaba—. Si os ayudo a escapar, si os ayudo a salir de aquí, sir Hugh volverá a ser mío. Todavía puedo llevarle al altar.

Storm dudaba seriamente de la cordura de cualquier mujer que deseara a sir Hugh, pero puso en práctica su diplomacia y se mordió la lengua. Hasta que pudiera sostenerse sola, necesitaba a Agnes, aunque no confiara en ella. De momento tenía cosas más importantes de las que preocuparse. Como adónde iba a ir y cómo llegaría.

13

Avanzaban por las entrañas de Hagaleah, entre paredes rezumantes de humedad. A Tavis nunca le habían gustado las cámaras subterráneas de los castillos. Una mirada a los rostros crispados de Iain, Sholto, Angus y Donald le bastó para saber que tampoco eran del gusto de ninguno de ellos. Phelan, sin embargo, caminaba con calma aparente. Parecía sentirse en casa dentro del laberinto. Pero apenas habían dejado atrás el túnel: aún había tiempo de perderse. Tavis se preguntaba si no habría sido un necio por confiar en un niño.

Donald, que se estaba preguntando lo mismo, dijo:

—Esto no me gusta. El chico podría estar conduciéndonos a una trampa. A fin de cuentas, es inglés.

Tavis casi se echó a reír al ver la mirada indignada de Phelan.

—Soy irlandés. Por el tío Roden, os traicionaría. Pero no por esa bruja de Sussex. —De pronto se detuvo: creía haber oído un ruido—. Quiero rescatar a Storm antes de que sus planes den fruto. ¡Escuchad!

El ruido de una puerta al abrirse resonó claramente en la penumbra. Los escoceses y Phelan apagaron su luz y se fundieron con las sombras, metiéndose en una pequeña cámara sin puerta. Siendo tan pocos, no esperaban que los descubrieran. Se tensaron al oír que los pasos avanzaban en su dirección. Un instante después, una voz conocida los sobresaltó.

—Ya puedes dejarme, Agnes. No te necesito. —Storm se apoyó en la pared, ajena al frío y la humedad. Casi fue un alivio notar aquellas sensaciones en la espalda dolorida.

—Sí, os dejo —dijo Agnes en voz baja, y sacó un cuchillo—. Éste es tan buen sitio como otro cualquiera.

Storm miró el cuchillo con desdén, demasiado cansada y magullada para sentir miedo.

—No seas bruta.

Aunque se tensó, listo para intervenir, y sujetó a Phelan, Tavis sonrió en la oscuridad, divertido por el tono de Storm y por la sorpresa de la doncella.

—No voy a permitir que os quedéis con sir Hugh. No os casaréis con él. Pienso impedir esa boda.

—Voy a marcharme, ¿no? ¿Qué más quieres? No hace falta que te manches de sangre las manos.

—Os vais porque estáis enfadada. Pero en cuanto comprendáis que mi señora y sir Hugh estaban haciendo lo que debían, volveréis, y no pienso consentir que os caséis con él. Si morís, sir Hugh se casará conmigo.

—Te enviaré un regalo de boda. Puedes quedarte con ese hombre, Agnes. Adelante. Quédatelo y allá tú con tu desgracia.

—A mí no me engañáis. Volveréis a casaros con él. ¿Qué mujer le rechazaría?

—Ésta. Preferiría irme a Londres y prostituirme por dos peniques que casarme con sir Hugh.

Agnes soltó un bufido desdeñoso.

—Supongo que queréis hacerme creer que vais a volver a los brazos del escocés.

A pesar de estar cansada y dolorida, Storm comprendió cuál era el modo de poner fin a la discusión. Convencer a Agnes de que era a Tavis a quien quería era la única forma de disipar su temor a que volviera para casarse con sir Hugh. Dando rienda suelta a su amor, Storm procedió a hacer justamente eso, sin saber que Tavis estaba allí cerca, escuchando cada palabra con una mezcla de alborozo y anhelo, ansioso por que todo aquello fuera cierto y no simple verborrea.

—Sí, pienso volver a sus brazos enseguida, antes de que otra los ocupe.

—No intentéis engatusarme. El escocés no aceptará que volváis. Tiene muchas con las que divertirse.

—A diferencia de sir Hugh, Tavis MacLagan no comparte la cama con más de una. Si vuelvo pronto, no me habrá reemplazado aún. Los salones de Caraidland no están llenos de amantes suyas, como lo están los de Hagaleah con las amantes de sir Hugh.

—No podéis preferir un bárbaro escocés a sir Hugh. —Agnes parecía cada vez menos convencida.

—¿No? Tú no has visto a Tavis MacLagan. Alto, fibroso y fuerte, su cabello del color de las alas de un cuervo parece suplicar que hundas tus dedos en él, como suelo hacer cuando me lleva al éxtasis. Sus hombros son tan anchos y tersos que no se inmutan cuando, en medio del frenesí de la pasión, clavo mis uñas en ellos. Y sus manos, además de empuñar la espada, tienen otra habilidad de la que no hablo por miedo a sonrojarme.

Preocupada por estar cargando demasiado las tintas, Storm miraba a Agnes mientras hablaba. La muchacha se lo estaba creyendo todo y parecía cada vez menos amenazadora. Storm deseó acelerar las cosas, porque allí de pie, hablando, estaba malgastando las fuerzas que tanto necesitaba. Tavis también deseaba que aquello terminara porque las palabras de Storm le estaban conmoviendo hasta el punto de hacerle sentir incómodo, y el regocijo silencioso pero palpable de sus compañeros le decía que estaban reuniendo material para bromas futuras.

—Sus ojos son como el cielo de una mañana de verano, capaces de seducir con una sola mirada. Pueden arder con el calor del mediodía o fundirse como el rocío de la mañana. No hay mujer capaz de resistirse a esos ojos. ¡Y esa figura! No dejaría vacía a ninguna mujer. A su lado, sir Hugh parece un capón.

—Estáis loca. Eso es lo que os pasa —bufó Agnes, pero apartó el arma—. No hay hombre con tan buena planta como sir Hugh. Volved con vuestro escocés. Veo que no deseáis a sir Hugh, tonta de vos.

La satisfacción de Agnes duró poco. Unas horas después se descubrió la huida de Storm y sir Hugh dedujo enseguida quién la había ayudado. No fue un amante, ni un esposo, quien dejó a Agnes malherida, cubierta de sangre e incapacitada para volver a yacer con un hombre. Fue esa certeza lo que la precipitó a la locura y le permitió arrastrar su cuerpo maltrecho hasta el alféizar de una ventana y arrojarse a la muralla, decenas de metros más abajo.

Storm estaba a punto de dejarse caer al suelo cuando brilló una luz. Al principio se desesperó, pero recobró enseguida el ánimo al ver quién era. Su alegría inicial (una alegría que jamás habría esperado sentir por ver a un MacLagan) se vio ligeramente empañada por el convencimiento de que Tavis había presenciado su conversación con Agnes. Su amplia sonrisa la convenció de que había oído cada palabra.

Miró con enojo a sus rescatadores.

—¿No podríais haber intervenido y haberme echado una mano antes de que empezara a parlotear como una mujerzuela? —les espetó.

—Muchacha, ¿es ése modo de recibir a tus galantes paladines? —bromeó Iain, riendo.

Ella le lanzó una mirada de fastidio que cambió de pronto cuando se dio cuenta de que, aunque los MacLagan estaban dentro de Hagaleah, no se había dado la alarma. Eso sólo había un modo de conseguirlo, y Phelan lo conocía.

—¿Qué has hecho, Phelan? —gimió ella, previendo una catástrofe para el castillo.

—Me han dado su palabra de honor de que no usaran el túnel para atacarnos, Storm —dijo su primo con calma.

Storm sintió una oleada de alivio y suspiró.

—Está bien, entonces.

—¿Aceptas nuestra palabra, muchacha? —preguntó Sholto, algo asombrado.

—¿No aceptarías tú la palabra de honor de un Eldon? —contestó ella, y no volvió a hablarse del tema—. ¿Habéis vuelto a tomarme de nuevo prisionera? —preguntó con una débil sonrisa.

Tavis envainó su espada, la agarró del brazo y frunció ligeramente el ceño al notarla temblar.

—Sí. Aún no nos han pagado tu rescate y sé que estarás mucho más segura en Caraidland que aquí. —La sintió estremecerse y la apretó un poco más fuerte—. ¿Te ha hecho daño sir Hugh, pequeña?

—No como te lo imaginas —contestó ella, apartando de sí el horrendo recuerdo de su breve estancia entre los muros de Hagaleah, que ya no reconocía—. ¿Podemos irnos ya, Tavis? No es seguro quedarse aquí. Estamos cerca de los cobertizos.

Tavis asintió con la cabeza, y recorrieron el camino que conducía fuera del castillo. En la penumbra, Tavis había entrevisto los moratones de la cara de Storm. Por lo demás, parecía encontrarse bien, aunque Tavis sospechaba que la habían golpeado. Por el momento le bastaba con que no la hubieran violado. Ya habría ocasión de hacer pagar a sir Hugh por haber agredido a la muchacha. Frunciendo el ceño, se dio cuenta de que en algún momento Storm se había vuelto más una responsabilidad que una prisionera. Y él había pasado de ser su captor a ser su adalid.

Storm rechinó los dientes para no sentir dolor. El instinto le decía que sólo complicaría las cosas si desvelaba el grado de sus lesiones. El tono de voz de Tavis al preguntarle por una posible violación había bastado para convencerla de que tal vez buscara una confrontación inmediata con sir Hugh. No lo consideró una señal de que Tavis pudiera abrigar algún sentimiento por ella, aparte del deseo. Las cosas que ella había hecho para ayudar a Colin bastaban para que los MacLagan tomaran las armas para defenderla. Aunque le habría gustado ver sufrir a sir Hugh, sabía que en ese momento era más urgente escapar.

El regreso a Caraidland fue un calvario desde el momento mismo en que Tavis la sentó en el caballo, delante de él, hasta que, a la luz del alba, traspusieron la muralla interior del castillo de los MacLagan. Sólo eran ocho hombres y cabalgaban a buen ritmo. Ninguno deseaba que los alcanzaran las huestes de Hagaleah. Pasado un rato, Storm cayó en una especie de aturdimiento. El dolor, que seguía atravesándola, la condujo a un estado de semiinconsciencia. Sólo a veces, cuando una sacudida hacía saltar un rayo de dolor entre la capa de malestar físico que se había acostumbrado a sentir, tenía que sofocar un gemido.

Cuando Tavis la apeó del caballo dejándola en manos de Sholto, en medio del patio cada vez más lleno, Storm descubrió que sus piernas ya no la sostenían. Por un instante, tras derrumbarse contra él, contempló fascinada cómo temblaba y se difuminaba el bello rostro de Sholto. Tuvo la sensación de que iba a desmayarse, y le faltaron fuerzas para resistirse. Había invertido todas sus energías en sobrevivir al viaje de regreso.

—Disculpad —dijo con una cortesía que su hilillo de voz hizo que sonara ridícula—, pero me temo que estoy a punto de desmayarme. Perdonadme, por favor.

Sholto la agarró con fuerza, rodeándola con los brazos cuando perdió el conocimiento. Al apoyar las manos en su espalda notó una extraña humedad bajo la densa cortina de su pelo suelto. Tavis desmontó y se quedó mirando, y Sholto le enseñó su mano. A pesar de la luz grisácea del alba, no había duda de que era sangre lo que manchaba su mano.

Tavis no perdió el tiempo: apartó el pelo de Storm y rasgó su túnica. Soltó un aullido escalofriante, y muchos echaron mano de la espada y crisparon el rostro, llenos de rabia ante aquella visión. Pocos de ellos podían decir que jamás habían levantado la mano a una mujer, porque la suya era una vida dura e intrínsecamente violenta, pero ver la prueba de la brutalidad de sir Hugh los conmovió a todos. Poco importaba que Storm fuera una Eldon. Ningún hombre tenía derecho a tratar así a una mujer.

—Lo mataré —siseó Tavis con los ojos fijos en la espalda ensangrentada y amoratada de Storm.

Iain hizo una mueca mientras examinaba las heridas.

—La sangre es en su mayor parte de la herida abierta. De estas marcas, hay pocas que hayan rajado la piel. El que le ha hecho esto no quería dejar cicatrices.

Tavis tomó en brazos el cuerpo inerte de Storm y entró en el castillo. No se fijó en quién le seguía, ni le importaba. La noticia de que Storm había vuelto hizo salir a Colin, que se detuvo el tiempo justo para mandar a una criada en busca de alguna mujer que tuviera dotes de sanadora. Una vez en sus aposentos, Tavis e Iain despojaron a Storm de sus ropas mientras Sholto reunía lo que creía que necesitarían para socorrer a la muchacha inconsciente.

—Santa Madre de Dios —murmuró Colin con voz ronca al acercarse a la cama y rodear con el brazo los hombros de Phelan, que, muy pálido, lloraba en silencio.

Había pocas partes del cuerpo de Storm que no estuvieran heridas. Colin pudo leer las marcas como un libro. Estaba claro que quien había hecho aquello había usado primero los puños y luego había recurrido a una vara o una fusta. Lo único que le consolaba en parte era que muy pocas de aquellas lesiones dejarían cicatriz.

—No puedo creer que haya soportado el viaje hasta aquí —murmuró Iain mientras empezaba a lavarla para quitarle la sangre—. No ha dicho ni una palabra, y tiene que haber sido una tortura. ¿Quién ha podido hacerle esto a una muchacha tan dulce?

Con voz llorosa pero cargada de odio, Phelan contestó:

—Sir Hugh y esa bruja de Sussex. —Respiró hondo, tembloroso, y tocó suavemente la cara amoratada de Storm—. No fui lo bastante rápido.

—No podías serlo, muchacho —dijo Colin en un intento de aliviar la pena del chico.

—No tiene nada roto —dijo Tavis en voz baja—. Y tampoco hay signos de que la hayan violado, Phelan.

—Ella dijo que no lo habían hecho —contestó Phelan, algo más animado.

—Muchacho, un hombre capaz de hacerle esto a una criatura como ella sería capaz de cualquier cosa, y creo que Storm tuvo que desmayarse en algún momento mientras la golpeaban. —Colin suspiró—. Y espero que así fuera.

Una jovencita llamada Jeanne, la doncella a la que Colin había mandado a buscar ayuda, entró bruscamente en la habitación. Tras ella apareció una mujer fornida de edad indeterminada que era esposa del jefe de cuadras. La pena que sentía Jeanne era evidente, pero el rostro anodino de la otra mujer reflejaba escasa emoción. Con admirable diligencia, despejó el cuarto y se concentró en hacer lo que pudiera por Storm, que, por desgracia, no fue mucho. Sus lesiones eran de las que tenían que curar solas, difuminándose con el tiempo.

Los MacLagan y Phelan se retiraron al salón. Aunque estaban serios e indignados, ninguno de ellos sufría la rabia feroz que sentía Tavis. Atribuía el hecho de preocuparse por primera vez profundamente por una mujer que compartía su cama a que Storm se desenvolvía muy bien en ella, y a que sencillamente no merecía un trato tan brutal. Ignoró tajantemente una vocecilla que le decía que estaba siendo algo obtuso. Ningún hombre podía ver los daños inflingidos a aquella piel de alabastro sin sentirse conmovido.

Al dejar a Storm, la mujer les informó escuetamente de que se había ocupado de la herida abierta del cuchillo y añadió que había poco más que pudiera hacer. El dolor se disiparía pasados unos días y podía aliviarse con un ungüento o una copita de whisky.

—Me cuesta creer que un hombre haya podido tratar tan brutalmente a la muchacha —dijo Colin después de mandar a Phelan a la cama—. Storm tiene una lengua muy afilada, sí, pero no se merece esa paliza.

—Presenció la humillación de sir Hugh —dijo Tavis—, y no se mostró muy amable cuando él rechazó el ruego que ella hizo en su favor. Además, quiere casarse con ella, necesita su fortuna, pero ella no está dispuesta a hacerlo. Y sir Hugh no me pareció de talante muy mesurado.

—Todo esto es un poco confuso —comentó Sholto, mirando con el ceño fruncido su jarra de cerveza.

—¿Y eso? —preguntó Colin al ver que su hijo menor no decía nada más.

—Bueno, a fin de cuentas la muchacha es nuestra prisionera, y sin embargo me parece que lo hemos perdido de vista. Es como si hubiéramos ocupado el lugar de su padre para defenderla.

—Sí, pero le debo la vida. No tenía por qué salvarme de la traición de Janet. Si hubiera muerto, habría sido un MacLagan menos con el que combatir. Eso no puedo olvidarlo. Puede que sea una Eldon, y una inglesa, pero eso no es nada comparado con el hecho de que me salvara estando al borde de la muerte.

—Padre tiene razón —declaró Iain—. No es momento de pensar en quién es, sólo en lo que ha hecho. Además, que sea una Eldon no significa que lo que le han hecho tenga que gustarnos, ni impide que me den ganas de librar al mundo de escoria como ese inglés que la ha maltratado. Esto no tiene nada que ver con la larga guerra entre nuestras familias. Es otra cosa. Sí, Storm se ha ganado que la defendamos.

Sholto asintió con la cabeza.

—¿Creéis que ese hombre vendrá a buscarla? ¿Que saldrá por fin a pelear a campo abierto?

—Es imposible saberlo, muchacho —contestó Colin—. Sólo podemos esperar, pero no volverá a ponerle las manos encima, si puedo impedirlo. —Habló con tal gravedad que nadie cuestionó la sinceridad de su promesa.

Hicieron planes para adelantarse a cualquier posible contingencia, en caso de que sir Hugh y sus huestes fueran a buscar a Storm para devolverla a Hagaleah. Como era común entre los hombres de su época, la idea de la batalla, especialmente si era justificada, les resultaba estimulante. Su única actividad desde que acabara el invierno había sido la salida a Hagaleah, y había sido poco arriesgada. Aquello podía resultar divertido: tal vez, al volver de Francia, lord Eldon descubriría que su viejo enemigo le había librado del nuevo.

Mucho más tarde, mientras Tavis se preparaba para meterse en la cama, Storm empezó a gemir y a retorcerse, reviviendo en sueños el calvario que había sufrido a manos de sir Hugh. Tavis se tumbó a su lado, la tomó en sus brazos e ignoró sus forcejeos al tiempo que intentaba liberarla de las garras de sus terrores inconscientes. La angustia que había mantenido oculta mientras estaba despierta se manifestaba al fin en sueños.

—¡Tavis! —gritó, frenética, al desligarse de su pesadilla.

Él, que sentía una extraña euforia por que se hubiera despertado con su nombre en los labios y se aferrara a él con fuerza, le acarició la mejilla y procuró tranquilizarla.

—Sí, pequeña, soy yo.

—Dios mío. —Storm se estremeció mientras buscaba su calor—. Creía que estaba...

—No. Olvídalo, cariño. Estás en Caraidland. Aquí no te encontrará.

—Me duele tanto... —murmuró, tranquilizada ya por el latido firme y constante del corazón de Tavis bajo su oído.

—No van a quedarte cicatrices, mi niña. Bueno, puede que una o dos, pero pequeñas.

—Eso no me importa. Pero me gustaría que desapareciera el dolor.

—Se te pasará, Storm. Sólo hace falta un poco de tiempo. Vuelve a dormirte. Descansar es lo que más puede ayudarte.

Storm se abrazó a él con fuerza, asqueada por su miedo pero incapaz de refrenarlo.

—Quédate conmigo, Tavis.

—No pensaba ir a ninguna parte. ¿Por qué se puso tan furioso contigo?

—Quería castigarme, sin importarle lo que hiciera o dijera. Sí, puede que lo que dije inflamara su cólera, a la que es proclive, pero no pude someterme dócilmente a sus golpes, aunque lo intenté. —Se estremeció y sintió que Tavis la estrechaba un momento entre sus brazos, aunque no lo suficiente para hacerle daño—. Insultarle me impedía llorar o suplicarle piedad. Me negaba a darle la satisfacción de verme temblar ante él.

Tavis escuchó con furia creciente cuando le pidió que le hablara con más detalle de su breve estancia en el que antaño había sido su hogar. Pese a todo, se le escapó una carcajada sincera, aunque enronquecida por el torbellino de sus emociones, cuando Storm le contó las cosas que había dicho. Aquella nueva prueba de su ímpetu y su arrojo le produjo una sensación de orgullo, sobre todo cuando pensó en cómo había encontrado fuerzas para escapar, a pesar de todo lo que había sufrido.

Relatar lo ocurrido esa noche hizo recordar a Storm ciertas cosas que había visto y que sólo ahora empezaba a revisar. Entre ellas, la expresión de lady Mary mientras veía a sir Hugh maltratar a su hijastra. Mientras iba cayendo en la inconsciencia, Storm había creído ver algo, pero su mente se había apartado de aquel recuerdo. Nadie podía comportarse de manera tan vil. Tímidamente, pero confiando en que él le asegurara que estaba en un error, decidió hablar con Tavis. Puesto que eran amantes, no podía hacerle ningún mal hablar con él de aquellas cosas.

—Lady Mary lo presenció todo —dijo en voz baja mientras acariciaba la dura tersura de la espalda de Tavis.

—Olvídate de esa arpía —le ordenó él con calma, y besó su frente.

—Lo haré, en cuanto aclare algo. Lady Mary no se limitaba a mirar. Estaba disfrutando. Por su expresión parecía que... que... —Sintió que el rubor teñía sus mejillas—. Parecía estar haciendo el amor.

—Pobre Storm —murmuró Tavis, y se preguntó por qué sentía un deseo tan intenso de protegerla de semejante fealdad—. Es posible, pequeña. Hay quienes gozan infligiendo dolor, o presenciándolo.

—Santo cielo. —Storm ocultó la cara en su pecho. Se sentía levemente enferma. De pronto dudaba de que Tavis pudiera asegurarle que lo demás no había sucedido—. Entonces lo que vi mientras estaba casi inconsciente puede que fuera verdad —murmuró—. Es posible que lady Mary y sir Hugh hicieran el amor frenéticamente. Allí mismo. A mi lado, en la cama en la que yacía ensangrentada y dolorida.

—Esos cerdos —dijo Tavis con vehemencia—. Ojalá pudiera decirte que no, pero ese lado oscuro existe. Da gracias a que esos animales se satisficieron entre sí y te dejaron en paz. Ahora descansa, Storm. Pronto te recuperarás. Y yo no puedo pasar muchas noches abrazándote sin hacerte el amor.

—Yo tampoco —dijo ella sinceramente, en voz baja, mientras cerraba los ojos.

Poco después, Tavis comprendió que se había quedado dormida y deseó poder hacer lo mismo. Catalogó metódicamente todas las emociones que le habían asaltado en las cuarenta y ocho horas anteriores y fue explicándolas una por una. Ignoró implacablemente, sin embargo, una idea que pugnaba constantemente por concretarse: no sólo no la quería, sino que, teniendo en cuenta quiénes eran, resultaba imposible.

14

—Niña, quizá te ayude hablar de lo que te tiene tan cabizba-
ja. ¿han curado bien tus heridas? ¿Te molestan aún? —preguntó Maggie, observando la expresión melancólica de Storm
con preocupación sincera.

—No, las heridas no me molestan en absoluto, Maggie. Y
han dejado muy pocas marcas duraderas.

Dejó escapar otro suspiro mientras veía a Maggie amasar
el pan. Se estaba bien en la pequeña cocina, y los niños estaban en la cama o por ahí, dependiendo de sus edades. Storm,
sin embargo, no parecía capaz de animarse, pese a que eso era
lo que pretendía al visitar a Maggie, siempre tan alegre. Poco
acostumbrada a la melancolía, se le hacía cuesta arriba: aquella emoción le desagradaba.

—¿Echas de menos a tu padre y a tu familia, niña?

—Sí. Y estoy preocupada por ellos. No sabes cuánto me alegraría tener noticias suyas, saber que están sanos y salvos en
Hagaleah y que los odiosos planes de lady Mary han fracasado.

—Es duro preocuparse y no tener noticias, lo sé muy bien,
pero eso no es todo, ¿verdad?

Storm movió la cabeza de un lado a otro. No temía que
Maggie desvelara los secretos que le confiara. Decidió que tal
vez la aliviaría contar sus muchas preocupaciones a otra mujer y, levantando los ojos del tablero desgastado de la mesa,
lanzó a Maggie una sonrisa débil y ligeramente torcida. Sencillamente, ya no podía seguir callándoselo.

—No, eso no es todo. He hecho una cosa absurda. Me he enamorado locamente de Tavis.

—Eso me temía, niña. —Maggie sacudió la cabeza—. Me di cuenta cuando estuvieron aquí los MacDubh.

—Entonces ya estaba perdida, aunque intentaba resistirme. —Se encogió de hombros.

—Pero no es fácil cuando el hombre al que amas está ahí cada noche para abrazarte y hacerte gozar.

—Maggie, quiero que mi padre vuelva a casa, que esté sano y salvo, pero en parte odio pensarlo. Cuando regrese, tendré que dejar a Tavis. —Sintió de pronto que las lágrimas la ahogaban y miró de nuevo la mesa, confiando en poder contenerlas—. Creo que me moriré.

—Bueno, pequeña, no es seguro que vayas a marcharte —dijo Maggie, consciente de que mentía.

Storm también lo sabía.

—No me engaño a mí misma respecto a cómo acabará todo esto. Bastante malo es ya que sea inglesa, pero peor aún es que sea una Eldon. Tal vez, si mi padre tuviera otras hijas, le importaría menos mi suerte, pero soy su única chica. Y su primogénita. Me trajo a este mundo con sus propias manos, fue él quien me dio el primer azote. Muy pocos padres tienen ese vínculo con sus hijos. Me parezco mucho a mi madre, y ella fue su primer amor y quizás el más importante. Creo que no se recuperó de su pérdida hasta que encontró a Elaine, su amante. No, mi padre no me dejará aquí para que siga calentando las sábanas de Tavis MacLagan.

—¿Y si... y si te casaras con Tavis? —preguntó Maggie, visiblemente indecisa.

—Eso es impensable. A pesar de sus hermosas palabras, Tavis nunca me habla de amor, ni de nuestro porvenir juntos. Si alguna vez habla del futuro es para referirse a mi regreso a

Hagaleah. Pero, aunque no fuera así, ¿nos dejarían casarnos? Mi padre es un hombre comprensivo, pero permitir que su única hija se case con un MacLagan podría resultarle intolerable.

—Entonces, lo único que puedes hacer, niña, es aprovechar las circunstancias presentes cuanto puedas.

—Eso es lo que me digo, lo que me esfuerzo por hacer. Pero a veces, por la noche, me quedo despierta, mirando a Tavis, y me duele tanto saber que sólo será un tiempo... No puedo hablarle de mis sentimientos porque no estoy segura de que él sienta lo mismo por mí, y lo único que me queda es el orgullo. Confío en que llegará a amarme y en que encontraremos un modo de estar juntos, pero no hay ni rastro de ello. Lo único que veo delante de mí es vacío y dolor. Tavis se ha convertido en parte de mi ser hasta tal punto que no soporto pensar en estar sin él. Me asusta. No soy tan tonta como para creer que sin él me moriré, pero ¿cómo será mi vida?

Maggie estaba preparada para su llanto cuando llegó. Lo había intuido en su voz y se había limpiado la harina de las manos. Se acercó a Storm, la rodeó con sus rollizos brazos y dejó que la muchacha se aferrara a ella mientras sollozaba. Le resultaba fácil hacer de madre para Storm, más menuda y joven que ella. No pensaba en sus orígenes, ni en su alcurnia. Sólo veía a una muchacha asustada y entristecida que necesitaba el consuelo de una madre, y ella era experta en eso.

—Nunca lloro —dijo Storm con voz ahogada, pues tenía la cara pegada al pecho de Maggie.

—Bueno, eso significa que cuando lloras, lloras de verdad. Desde el corazón. —Maggie le dio un paño para que se secara las lágrimas y le sirvió un poco de cerveza con whisky—. Bébete esto, niña. Te sentará bien. Ojalá pudiera decir algo que te diera esperanzas, pero...

—Pero no hay ninguna. —Storm probó un sorbo de la potente bebida y pensó que tenía un sabor extraño—. Lo sé, pero últimamente parezco acobardada. Se me saltan las lágrimas por cualquier cosa.

Los ojos de Maggie se aguzaron de pronto al oírla. Miró a Storm de arriba abajo mientras bebía de la jarra ligeramente desportillada. Teniendo en cuenta el tiempo que hacía que se acostaba con Tavis, parecía lógico pensar que estuviera embarazada. Era evidente, además, que Storm no había llegado aún a esa conclusión. Maggie decidió guardarse sus sospechas. Sólo preocuparían más aún a la joven y, si estaba embarazada, había poco que pudiera hacerse al respecto.

Storm aceptó otra jarra de aquella mezcla potente y siguieron charlando de los parecidos y las diferencias entre las comidas de uno y otro lado de la frontera. Al marcharse, Storm se dijo que después de todo había sido buena idea visitar a Maggie, porque se sentía menos deprimida. Cuando entró en el salón de Caraidland y se cruzó con Tavis, le saludó alegremente.

—Pero Tavis —protestó al ver que él la cogía del brazo y la llevaba fuera—, quería comer algo.

Él levantó una cesta tapada.

—Estáis de suerte, mi señora: da la casualidad de que llevo un auténtico festín escondido en esta cesta. Pienso buscar un lugar apartado donde podamos comer a gusto y... —La miró con un brillo sugerente en los ojos—...hablar.

—Hace mucho tiempo que no hablamos —dijo ella pudorosamente cuando Tavis la montó sobre su caballo.

—Sí —contestó él, y montó tras ella—. Pero ahora ya estás bien y pienso mantener una larguísima conversación contigo.

Storm se apoyó contra él, miró su cara y batiendo las pestañas ronroneó:

—Será muy esclarecedor. Prefiero con mucho las largas conversaciones a las charlas cortas.

Riendo, Tavis aguijó a su montura para que partiera al trote. Su familia, que estaba en la muralla, los vio marchar con una mezcla de emociones. Daba gusto ver a Tavis despojarse de aquel aire duro y solemne del que se había revestido en los últimos años, pero todos habrían deseado que el motivo fuera otra mujer. Al final del camino que había tomado, sólo podía haber dolor.

Storm se recostó en él y disfrutó del paseo a caballo. El campo poseía una belleza salvaje, una belleza que ella había llegado a amar. Por si eso fuera poco, era consciente de que empezaba a pensar en Caraidland como en su hogar. Era una idea deprimente, pero con la ayuda del tónico de Maggie, cuyos efectos notaba aún, logró ahuyentarla sin esfuerzo.

El lugar en el que se detuvo Tavis le pareció, en efecto, muy apartado. Era un pequeño claro al borde de un riachuelo. Los árboles y la suave ladera de una colina parecían rodearlo. El hecho de que fuera tan adecuado para lo que Tavis tenía en mente hizo que Storm le mirara con recelo.

—Puedes dejar de mirarme así, pequeña. Descubrí este sitio cuando era un muchacho, pero la idea de usarlo para... conversar con lindas señoritas acaba de ocurrírseme —dijo Tavis con sorna mientras se ocupaba de su montura—. ¿Tú no tienes un lugar para pensar en Hagaleah?

—Solía ser el sitio donde me encontraste con sir Hugh. Pero supongo que no volveré a disfrutar de él a solas.

Cuando Tavis acabó de ocuparse de las necesidades de su caballo, Storm se había quitado los zapatos y las medias, se había subido las faldas y estaba metiendo los pies en el agua clara, aunque fría. Tavis se acercó a ella y pensó que, tal y como estaba, parecía muy joven. Se preguntó fugazmente si siempre tendría aquel aire de desenfado, ese toque de inocencia que la hacía tan seductora.

—¿Sabes nadar, Storm? —preguntó, mirándola de soslayo.

—Sí. —Ella le miró del mismo modo, adivinando que iba a proponer que se bañaran en cueros.

Tavis se limitó a arquear una ceja, consciente de que Storm sabía qué estaba insinuando. Ella se lo tomó como un desafío. Miró el agua, volvió a mirar a Tavis y empezó a desatarse el vestido. La audacia de aquel gesto la hizo sonrojarse, pero estaba decidida a seguir su propio consejo y el de Maggie: el tiempo pasaba volando, era un bien muy valioso, y pensaba disfrutar de lo que le quedara y llenar al máximo sus días de experiencias con Tavis. Al menos, se aseguraría de que él nunca la olvidara.

Tavis se quitó la ropa despacio, sin apartar los ojos de Storm. No se cansaba de mirarla, y era tan extraño que se mostrara atrevida que quería disfrutar por completo de aquel cambio delicioso. Contuvo el aliento cuando, desnuda ya, fue soltándose el pelo lentamente. Sabía que intentaba ponerse seductora y no era del todo consciente de su éxito, lo cual lo hacía aún más irresistible. Cuando desapareció dentro del agua, Tavis se quitó rápidamente el resto de la ropa y fue tras ella.

Chapotearon en el agua fresca del riachuelo como dos niños. Se salpicaban y se perseguían, se reían y disfrutaban el uno del otro. Justo cuando Storm empezaba a pensar en volver a la orilla, Tavis la estrechó entre sus brazos y la besó. Él era el único que tocaba el fondo con los pies.

—Nadas como un pez, ninfa mía —murmuró mientras deslizaba los labios por su garganta.

—Mi padre enseñó a nadar a todos sus hijos. Ah, Tavis... —gimió ella cuando comenzó a besarle los pechos.

—Nunca he hecho el amor en el agua —dijo él al tiempo que jugueteaba con uno de sus pezones endurecidos.

—Nos ahogaríamos —jadeó Storm mientras él chupaba suavemente sus pechos—. Hay demasiadas piedras en el fondo.

—Ya deberías saber, muchacha, que no hace falta tumbarse de espaldas. Rodéame el cuello con los brazos y la cintura con esas lindas piernas —la urgió con voz ronca. El deseo que sentía por ella iba cobrando fuerza rápidamente.

Ambos sofocaron un gemido al unirse. Permanecieron inmóviles un momento, besándose suavemente al principio y después con pasión cada vez mayor. Con las manos sobre las caderas de Storm, Tavis comenzó a moverla poco a poco. Luego fue aumentando el ritmo hasta que su pasión alcanzó el clímax y ambos estuvieron a punto de desplomarse en el agua.

—Podríamos habernos ahogado —dijo Storm, y procuró no sonrojarse cuando se sentaron envueltos en toallas sobre la manta en la que habían extendido la comida—. Hace un poco de frío. Debería vestirme.

—No —dijo Tavis con suavidad al darle una copa—. Bébete esto. Te ayudará a entrar en calor. —Tocó su pelo húmedo mientras ella bebía un sorbo de whisky—. Te secarás enseguida al sol y ya no tendrás frío.

El whisky la hizo entrar en calor mientras bebía aún. Comieron con apetito, dándose de vez en cuando a probar un bocado el uno al otro y riéndose cuando farfullaban. La mezcla del whisky y la sensación de libertad que experimentaban, aunque fuera momentánea y tal vez ilusoria, les había puesto de muy buen humor. Cuando acabaron de comer, Tavis se tumbó con los brazos cruzados tras la cabeza y disfrutó del sol mientras veía a Storm recoger la comida.

Ella bebió otro sorbo de whisky al sentarse a su lado. Luego le miró. Se preguntaba vagamente por qué no tenía un aspecto ridículo allí tumbado, con un paño alrededor de la cintura. Deseaba hacer el amor con él. Quería pasar las manos por su cuerpo fibroso y tenso, palmo a palmo. Bebió otro trago de whisky, pensativa, y se preguntó si se atrevería. No era propio de una dama, pero tampoco lo era sentarse allí, medio desnuda, y beber whisky con un hombre con tan poca ropa como ella.

Se sonrojó un poco al recordar la única ocasión en la que había tomado la iniciativa. Tavis, desde luego, parecía habérselo agradecido. Recordó entonces lo que lady Mary le había hecho a sir Hugh. El hecho de que lo hicieran ellos no significaba que fuera malo: a fin de cuentas, hacían el amor igual que Tavis y ella. Era simplemente su actitud lo que lo convertía en algo sórdido. Pensando en lo mucho que sus caricias habían hecho gozar a Tavis en aquella ocasión, empezó a preguntarse si aquella nueva intimidad sería también placentera. Si había algo que lady Mary hacía bien, era complacer a un hombre. Storm tenía curiosidad. Y sentía que, si a los hombres les gustaba aquello, debía hacerlo por Tavis, el hombre al que amaba.

Él abrió los ojos y los fijó en su mirada cálida y pensativa. Reconoció en su semblante la expresión que ponía siempre cuando estaba dando vueltas a algo. Mientras su mirada se deslizaba sobre ella, desde la suave curva de los pechos por encima del paño hasta sus delgados muslos, decidió que esperaría hasta después para preguntarle qué estaba pensando. Levantó la mano y aflojó el paño de Storm, que cayó hasta sus caderas y se quedó allí amontonado, preservando a duras penas su pudor.

—Eres preciosa, Storm —dijo suavemente, y al levantar los ojos vio sus mejillas coloreadas—. ¿Por qué eres tan pudorosa? Eres muy hermosa y es un placer mirarte. Me gusta hacerlo.

—¿Sí, Tavis? —preguntó ella en voz baja, y movió la mano para acariciar su pecho—. ¿Qué más te gusta? ¿Esto?

—Sí —murmuró él cuando ella empezó a juguetear con su boca con labios y lengua antes de besarle lentamente.

—Para una mujer es difícil saber qué hace gozar a un hombre —dijo Storm pensativamente al tiempo que trazaba una línea de besos sobre su pecho—. Un hombre aprende a medida que crece, de mujeres a las que paga o de mujeres que tienen amantes para enseñarles. A nosotras, en cambio, no se nos enseña nada, ni se nos dice nada. ¿Cómo vamos a saber si a los hombres les gusta esto? —preguntó con voz ronca, y su lengua jugueteó con los pezones de Tavis antes de que comenzara a chuparlos.

Tavis hundió las manos en su densa cabellera.

—No puedo hablar por otros, pero a mí me encanta —dijo.

Storm se arrodilló entre sus fuertes muslos, y el paño con el que se cubría resbaló y cayó sobre la manta. Con la lengua fue trazando filigranas sobre su pecho, hasta el borde del paño que seguía rodeándole las caderas, filigranas que sus besos volvían a trazar. Exploró con las manos cada palmo de sus piernas musculosas, lenta y amorosamente.

—¿Y esto qué es, Tavis? —susurró mientras sus labios seguían jugando sobre el tenso vientre de él, justo por encima del borde del paño. Sintió que él crispaba las manos entre su pelo.

—Una provocación, *m'eudail* —gruñó él.

Desde la visita de los MacDubh, Tavis no había dejado de pensar en la magia que Storm podía obrar con su hermosa boca y su lengua embriagadora. Se le ocurrió de pronto que pensaba mucho en ella, pero lo atribuyó a su destreza innata para el amor. Su capacidad para hacerle gozar garantizaría que la recordara. No podría olvidar que era capaz de convertir su sangre en puro fuego, de excitar su pasión como ninguna otra mujer antes.

—Tal vez, si me dijeras lo que quieres... —ronroneó Storm, sin abandonar sus juegos.

—Sabes muy bien lo que quiero, brujilla —respondió él con voz ronca.

—¿Esto, *acushla*?

Apartó lentamente el paño. Movió la mano sobre la sede de su pasión al tiempo que deslizaba los labios hasta sus muslos. Le sintió estremecerse mientras le acariciaba y le provocaba, y conoció el poder que una mujer tenía sobre un hombre. En su caso, ella misma se había revestido de aquel poder. Su pasión iba creciendo a medida que crecía la de Tavis, cuyo placer aumentaba el suyo, y se rindió al deseo casi tan rápidamente como él.

—Dios mío, qué bien sabes usar esas manos tan bellas. Ah... —jadeó cuando ella rozó con los labios su verga—. Storm, Storm mía, ¿por qué me torturas así? Apiádate de mí.

—¿A esto lo llamas piedad, Tavis? —murmuró, y su boca se hizo cargo de la grata labor que hasta entonces había desempeñado su mano.

—Lo llamo paraíso —respondió él ásperamente, cerrando los ojos de placer—. Sí. Es el paraíso.

La premura de su deseo, insatisfecho mientras ella se restablecía, había desaparecido, de modo que tuvo fuerzas para dominarse y disfrutar. No quería apresurarse, deseaba deleitarse en las oleadas de placer que le embargaban. Estuvo, sin embargo, a punto de perder el control cuando Storm rodeó con los labios su sexo, poniendo en práctica una íntima caricia que nunca se había atrevido a pedirle. Abrió los ojos de golpe y se incorporó a medias por la sorpresa.

La brusquedad de su reacción hizo detenerse a Storm, que le miró por entre la enredada cortina de su pelo.

—¿No? —preguntó con una vocecilla, aterrorizada por haberse equivocado.

—Sí —gruñó él, y, empujándola suavemente con las manos que tenía aún entre su cabello, la urgió a seguir. Sentado, fijó la mirada en su lustrosa cabellera, esparcida sobre su regazo. Tembló mientras intentaba dominarse. La aparente sumisión de Storm, postrada ante él, era falsa, pues en ese momento era él quien se hallaba esclavizado. El éxtasis le hizo casi retorcerse, y pronto comprendió que había alcanzado el límite de su resistencia.

Storm se halló de pronto tumbada de espaldas. Tavis la poseyó con ansia frenética, echándose encima de ella y penetrándola profunda y rápidamente. Tras la impresión inicial, se sintió arrastrada por la ferocidad de su amor, cuya violencia fue efímera, pues alcanzaron el clímax casi al mismo tiempo. Tavis se dejó caer sobre ella y escondió la cara en la curva de su cuello; su respiración era entrecortada y brusca. Ella, por su parte, sentía los miembros pesados y entumecidos.

Se separaron en silencio y empezaron a vestirse. Había en el aire una tensión que inquietaba a Storm. Porque a veces un hombre no aprobaba que una dama hiciera ciertas cosas, por muy gratas que fuesen. Storm se había percatado de aquella hipocresía siendo aún muy niña.

El silencio de Tavis se debía, en parte, a su azoramiento. Sabía que la había tomado violentamente, con más brusquedad de la que recordaba haber poseído nunca a una mujer. Nunca antes se había sentido arrastrado por un deseo tan ardiente y ciego. Y el hecho de que Storm fuera capaz de ponerle en ese estado le inquietaba ligeramente. Notó que ella se movía con rigidez y la vio hacer una mueca al agacharse para recoger la manta.

—¿Te he hecho daño? —preguntó con evidente mala conciencia al acercarse a ella.

Storm abrazó la manta doblada y murmuró:

—No es nada, Tavis.

—Mientes muy mal, pequeña. —Le apartó el pelo de la cara—. Estás dolorida. Se nota por cómo te mueves. Lo siento. Dios mío, eres capaz de volverme loco.

—No es un dolor desagradable, Tavis. Antes no lo he notado. Y, además, se me pasará.

Tavis le quitó la manta, la dejó a un lado y abrazó a Storm. Estaba tan confuso que la apretó con fuerza y escondió la cara entre su sedosa cabellera. Sentía un fortísimo deseo de escapar con ella, de marcharse a algún lugar donde no importara quiénes fueran. Pero, consciente de que ella deseaba regresar a Hagaleah, miró hacia el futuro y vio en él un vacío que le heló la sangre. No había nada que pudiera llenar el espacio que dejaría ella.

Tavis se sacudió de encima aquella sensación e intentó convencerse de que sólo era presa de la melancolía que aparecía tras hacer el amor. Cualquiera detestaría la idea de perder semejante placer. Durante un tiempo, transitoriamente, sentiría que había perdido algo.

—Storm... —Se apartó un poco para mirarla, sin saber qué quería decirle.

—¿Sí, Tavis? —Ella vio su expresión confusa y se preguntó a qué obedecía.

—Gracias —murmuró, y, tomando su cara entre las manos, le dio un suave beso en la boca.

—No hay de qué —respondió, y se obligó a sonreír, a pesar de que el dolor le retorcía el corazón. Un dolor cuya causa era su íntimo convencimiento de que aquello era lo único que obtendría de Tavis MacLagan.

15

El aire encrespado decía adiós al verano y anunciaba la llegada del otoño. Storm suspiró mientras se preparaba para bajar al salón. Sabía que estaba embarazada y lo único bueno que podía pensar al respecto era que los mareos habían pasado ya y había logrado ocultárselo a Tavis. Ahora sólo tenía que preocuparse de lo que ocurriría cuando empezara a notársele de veras. De momento, sólo parecía haber cogido algo de peso. Sabía, no obstante, que eso cambiaría en cualquier momento. El embarazo estaba tan avanzado que no podría seguir ocultándolo mucho más tiempo. Le extrañaba que Tavis no hubiera notado los movimientos del bebé, que eran más fuertes cada día.

No se lo había dicho porque tenía la impresión de que aquello les separaría. Una de las cosas que temía era que él exigiera que, si era un varón, se quedara con él. Eso no podría soportarlo. Era cada vez más urgente que regresara a casa.

Se acercó a la puerta, suspirando de nuevo, y se dijo que sus problemas no cesarían cuando estuviera en Hagaleah. Al final, tendría que decírselo a su padre, y de tal modo que lord Eldon no partiera hacia Caraidland a uña de caballo, exigiendo sangre. Tendría, además, que enfrentarse a las malas lenguas, que la harían responsable de algo que escapaba a su control. Y, deshonrada y madre de un hijo bastardo, el matrimonio le estaría vedado.

Un futuro frío y falto de amor se extendía ante ella. Eso sería lo más difícil de soportar, sobre todo ahora que había probado el amor, aunque fuera no correspondido, y la pasión que éste engendraba. Con un estremecimiento, imaginó interminables noches de melancolía.

Al entrar en el salón pensó en la vida que crecía dentro de ella. Pese a lo lúgubre que veía su futuro, y pese a sus preocupaciones presentes, sintió que una chispa de alegría pugnaba por alzarse. Tendría un trozo de Tavis al que amar y abrazar. Sabía que ello le causaría dolor en un futuro, pero sentía que la alegría de tener un hijo suyo eclipsaría su tristeza. Tendría un hijo de Tavis al que entregar todo el amor que ansiaba ofrecerle a su padre.

Sentado en el salón, Tavis bebía cerveza y hablaba con su familia, pero no pensaba en lo que decía, sino en Storm. Imaginaba que la temporada de campañas militares estaría acabando incluso en Francia. Lord Eldon volvería pronto a casa. El rey no podía retener a todos sus vasallos a su lado ni siquiera aunque optara por quedarse en Francia a pasar el invierno. Lord Eldon debía de haber recibido ya noticias de lo que sucedía en su casa, y Tavis no dudaba de que regresaría cuanto antes a Hagaleah para rescatar a su hija a punta de espada o por dinero. Esperaba tener noticias suyas en cualquier momento.

El rescate se pagaría, Storm regresaría a Hagaleah y la cama de Tavis quedaría vacía de nuevo. Aquella idea le helaba los huesos. Aun así, hacía oídos sordos a la vocecilla que, cansinamente, intentaba hablarle de sus sentimientos. Seguía diciéndose que Storm no sólo le gustaba, sino que le hacía gozar con su pasión, mezcla ésta de la que nunca antes había disfrutado. Por eso detestaba la idea de perderla. Ello significaría volver a las mujeres que satisfacían su deseo únicamente en el grado más elemental.

Últimamente, a medida que Storm ocupaba más y más su cabeza, se había vuelto avaricioso. No le sorprendía que ella se quedara en la cama por las mañanas. Sintió una punzada de mala conciencia al recordar lo cansada que parecía a veces. Ello, sin embargo, no le impedía hacerle el amor cada vez que tenía ocasión. Decidió intentar no perturbar su sueño tan a menudo por las noches. No convenía devolvérsela a su padre con aspecto de estar enferma y agotada.

Al pensar en aquello se preguntó qué ocurriría cuando lord Eldon descubriera que su hija se había acostado con su carcelero. Era razón de sobra para empuñar las armas. Tavis sabía que su padre exigiría sangre si su amada hija, en caso de tenerla, hubiera recibido el trato que él había dispensado a Storm. Sería su deber. La deshonra se pagaba con sangre.

El único motivo por el que no estaba seguro de que fueran a enfrentarse de nuevo a los Eldon era la propia Storm. Estaba convencido de que ella disfrutaba enormemente de sus encuentros amorosos, y no por vanidad. Al principio, sus protestas habían sido muy débiles. Después, nunca le había rechazado. Más bien al contrario: le recibía con los brazos abiertos cada noche en su cama, con una sonrisa dulce y una pasión comparable a la suya.

¿Le diría a su padre cómo se había servido de ella? Y si Eldon lo adivinaba, ¿intentaría ella contener su comprensible cólera? Storm no parecía vengativa, pero, dado que él no le ofrecía palabras de amor, ¿reaccionaría con despecho y clamaría por la sangre de los MacLagan sólo para satisfacer su vanidad herida?

Tavis se respondió que no nada más formularse aquellas preguntas. Storm haría cuanto estuviera en su mano por impedir que sus familias se enfrentaran a punta de espada por su inocencia perdida. Era una persona práctica y razonable, y no querría que nadie muriera por algo que había sido inevitable y de lo que había disfrutado. Aunque sólo fuera por eso, haría lo posible por impedir que su familia entrara en guerra.

La entrada de Storm interrumpió sus cavilaciones. La miró despacio, placenteramente, mientras se acercaba a la mesa, y se dijo que nadie podría decir que hubiera sido maltratada. De hecho, a su modo de ver tenía mejor aspecto que al llegar a Caraidland, aunque a veces hubiera en sus ojos una tristeza que se resistía a investigar. Sus curvas suaves se habían vuelto más rotundas y femeninas. Una sonrisa encantadora asomó a su bello rostro al saludar a todos los presentes. Tavis sintió que se excitaba y sonrió de soslayo, divertido por su propia flaqueza.

Justo cuando iba a saludarla, se anunció la llegada de un enviado de Hagaleah. Todos se tensaron, y Tavis notó que Storm estaba de nuevo pálida cuando se sentó a su lado. No tuvo tiempo, sin embargo, de pararse a pensar en su reacción: su padre ya había empezado a leer la misiva que le había entregado el correo.

Storm descubrió que se sentía dividida. Necesitaba buscar refugio en Hagaleah, pero la idea de dejar a Tavis le resultaba casi insoportable. Olvidó, sin embargo, sus contradictorias emociones al ver la expresión de Colin. Las noticias de Hagaleah no eran buenas.

—¿Por fin se niegan claramente a pagar el rescate? —preguntó con una calma que estaba lejos de sentir.

—Sí. Así es, muchacha. —Colin estudió su tenso semblante y comprendió que sospechaba qué más decía la carta, y la razón de su negativa a satisfacer el rescate—. Tu padre y hermanos han muerto.

—No, no es cierto. —Agarró bruscamente el mensaje cuando Colin se lo tendió.

Lady Mary tenía una letra llena de florituras, pero Storm logró descifrar sus palabras, y el corazón pareció salírsele del pecho mientras leía.

«Lord Eldon y su hijo y heredero sufrieron un fatal contratiempo en su viaje de regreso desde Francia. No hay cariño ni lazos de sangre entre su hija mayor y yo. Por tanto, me niego a pagar cualquier rescate por una joven que sin duda ha perdido su honor. No penséis en enviar pedir su rescate a lord Foster, pues su hijo y él corrieron la misma suerte que los Eldon. Y lo mismo puede decirse de los gemelos Verner, que también les acompañaban. Mi hijastra no tiene ya quien la defienda. Os doy permiso para hacer con ella lo que os plazca. Lady Mary Eldon.»

¡Todos muertos!, susurraba su cabeza al tiempo que luchaba por negar la noticia. Con manos extrañamente firmes, dejó la misiva sobre la mesa, delante de sí, apoyó las palmas a ambos lados de ella y fijó los ojos en aquellas palabras que parecían amontonarse unas sobre otras. Se levantó lentamente, aunque no sabía por qué. No había lugar adonde escapar de aquella marea. Posó la mano sobre un cuchillo y con una rapidez que impidió intervenir a quienes la observaban, lo cogió con las dos manos y profirió un grito horrendo al tiempo que hundía el cuchillo en el pergamino, clavándolo en la mesa.

—Mataré a esa bruja hija de Satanás —sollozó al echar a correr hacia la puerta. La roja neblina de una rabia vengativa saturaba su mente, una rabia que de momento refrenaba su pena.

Aunque todos salieron tras ella para sujetarla, Tavis llegó primero. Storm intentó desasirse mientras escupía su odio por lady Mary en voz baja y fría. Creyéndola histérica, Tavis le propinó una bofetada. Se quedó quieta y él la soltó, mirando con preocupación sus ojos dilatados. Su expresión se tornó en asombro cuando ella le devolvió la bofetada.

—No estaba histérica —siseó, pero a continuación fijó los ojos en la marca roja que había dejado en su cara y, sofocando un gemido, se tapó la boca con la mano un momento. Luego tocó esa huella en la piel de Tavis—. Oh, Tavis —musitó con voz temblorosa al tiempo que el dolor empezaba embargarla, ahogando su cólera—. No es a ti a quien deseo abofetear.

—Lo sé, Storm, pero no vas a acercarte a esa mujer.

Ella cerró los ojos, inundada por una oleada de dolor, y cayó lentamente de rodillas.

—Han muerto todos. Todos. ¿Qué voy a hacer? No queda nadie. Estoy sola. Completamente sola. Dios mío, no puedo soportarlo.

Por un instante, Tavis se sintió impotente ante la hondura de su dolor. Nunca había oído a una mujer llorar así: los sollozos sacudían su cuerpo, amenazando con desgarrarla. Le dolía verla así, pero no se detuvo a pensar por qué al agacharse para ponerla en pie. Cuando Storm se dejó caer contra su cuerpo y se aferró a él, la rodeó con los brazos en un intento de reconfortarla. Por el rabillo del ojo vio acercarse a Phelan, pálido y con la cara mojada por el llanto.

—Me tiene a mí —musitó el chico—. Todavía me tienes a mí, Storm. Díselo, Tavis. No está sola.

Tavis le sonrió débilmente.

—Sí. Se dará cuenta cuando deje de llorar, pequeño. —Cogió a Storm en brazos, sin importarle que se aferrara a su cuello y que sus lágrimas le empaparan—. Voy a llevarla a su habitación. Podrás ir a verla cuando haya pasado lo peor. Vuelve con Colin, muchacho —añadió suavemente.

Tras mirar una última vez a Storm, que seguía presa de su dolor, Phelan regresó corriendo con Colin. El viejo, que había tomado cariño al huérfano irlandés, le recibió con un abrazo. Vieron todos en silencio cómo Tavis abandonaba el salón. Lo único que se oía eran los sollozos de Storm, hasta que se apagaron por completo.

—¿Qué haréis con nosotros ahora, mi señor? —preguntó Phelan pasado un momento, con los ojos llorosos fijos en Colin.

Colin suspiró, llevó al chico a la mesa y le dio una jarra de cerveza.

—Es difícil saberlo, muchacho. ¿No os quedan parientes a los que podáis recurrir, a los que pedir cobijo y ayuda?

Phelan sacudió la cabeza.

—Los padres de los gemelos Verner murieron hace dos años. Sus tierras pasarán ahora a la Corona y el rey hará entrega de ellas a quien crea oportuno. Y en Erin no queda nadie. Por eso vine a Hagaleah. Puede que Matilda Foster aún esté viva, pero es una niña de once o doce años. No puede hacer nada. Los hermanastros de Storm son aún más pequeños y están en poder de lady Mary. La amante del tío Roden, Elaine Bailey, huyó al sur para escapar de lady Mary. Podríamos reunirnos con ella, porque sin duda nos acogería, pero le causaríamos problemas, no hay duda, y no tiene quien la defienda.

Colin suspiró mientras se frotaba las sienes.

—Maldita sea. Nunca antes había tenido que hacerme cargo de una muchacha. Es un problema, porque no puedo mandarla a Hagaleah aunque no paguen el rescate.

—No, no podéis —dijo Iain—. Ya hemos visto cómo la tratan. Aunque consiguiéramos que Tavis diera su consentimiento, a nuestra gente no le gustaría. Sería como degollarla con nuestras propias manos.

—Sí, y le debo la vida a esa muchacha. Eso me obliga a velar por ella. —Colin movió la cabeza de un lado a otro—.

Tengo que pensarlo. Pero no hay prisa. —Esbozó una sonrisa—. De momento está en buenas manos.

Tumbado en la cama, Tavis abrazaba a Storm mientras ésta intentaba controlar sus sollozos, secos ya tras haber gastado todas sus lágrimas. No estaba acostumbrado a ofrecer consuelo, pero las emociones que aún intentaba ignorar le convertían en un experto sin saberlo. Se apiadaba sinceramente de ella en su dolor y comprendía su profunda tristeza, porque hacía muy poco que había estado a punto de perder a su padre. Sin decir nada, comunicaba su compasión sincera a la mujer afligida a la que abrazaba e intentaba consolar.

Se preguntaba qué sucedería ahora. No había peligro de que Storm fuera enviada de vuelta a Hagaleah, con rescate o sin él: estaba seguro de que su padre no haría tal cosa, sabiendo lo que sería de Storm si sir Hugh le ponía las manos encima. Sentía vergüenza porque una pequeña parte de su ser hubiera sentido alivio, incluso alegría, por el hecho de que Storm pudiera quedarse con él. El precio había sido demasiado alto.

Se concentró en detener sus sollozos. Poco a poco, sus esfuerzos traspasaron la pena de Storm. Ésta siguió esforzándose por atajar el llanto que se había apoderado de ella. Recordar la vida que crecía dentro de ella le sirvió de ayuda. Sabía que una emoción tan fuerte podía tener efectos nocivos sobre su bebé. Aferrándose a Tavis, quiso absorber su tierno consuelo y su fortaleza y lentamente fue recobrando la compostura.

Yacía inerme como una muñeca rota cuando él le limpió la cara y la obligó a beber whisky. Su cuerpo delgado se sacudía aún, presa de sigilosos temblores, a pesar de que ya no lloraba. No apartó los ojos de él mientras la atendía con ternura, y la desolación que Tavis vio en ellos le causó un profundo desasosiego. Temía que aquella pérdida fuera una carga demasiado pesada para ella. No era raro que una tragedia semejante quebrantara el espíritu o la mente.

Cuando hizo ademán de levantarse de la cama, ella le agarró de la muñeca con fuerza sorprendente y le impidió levantarse.

—Quédate conmigo, por favor —dijo con voz débil y ronca—. Me siento muy sola, y eso me asusta.

Tavis se tumbó de lado, rodeó su cintura y la apretó contra sí.

—No estás sola, pequeña. Tienes a Phelan, que te quiere y te necesita. Sí, y aunque seas una Eldon, tienes muchos amigos en Caraidland —se preguntó fugazmente a qué obedecía la expresión de dolor que asomó a su cara—. Nunca estarás sola.

Storm cerró los ojos para que él no viera lo mucho que le dolían y al mismo tiempo la ayudaban sus palabras. No tenía esperanzas de que le declarara su amor imperecedero, pero le dolía oírle hablar de amistad. La única cosa que podía aliviar la pérdida de tantos seres queridos era el amor de Tavis, y le estaba vedado. Haciendo un esfuerzo por recobrar su fortaleza y su pragmatismo de siempre, intentó contentarse con su ternura sincera y sus intentos de aliviar su dolor.

—Al menos aquel día pude despedirme de ellos con palabras de amor —musitó.

—¿Hablas de amor con tu familia? —preguntó él en voz baja mientras empezaba a desatarle el pelo lentamente.

—Sí. Es la verdad. Tengo el consuelo de saber que mi familia y mis amigos más queridos, los Foster, sabían que los quería, como sé que me querían ellos a mí. Es un sentimiento que hay que compartir, no guardar en secreto. Tal vez saber que se les quería y que serían recordados tranquilizó su espíritu. No me atormenta la idea de que no supieran cuánto los quería. No tengo que lamentar las ocasiones perdidas, ni las palabras que no dije. —Ignoró una leve sensación de hipocresía, pues seguía ocultando su amor por Tavis: si le hablaba de él, sólo conseguiría incomodarle y sufrir al constatar que sus sentimientos no eran correspondidos.

—Siempre que teníamos que separarnos hablábamos de lo mucho que nos queríamos, porque cada despedida podía ser la última. Tú me importas mucho, Tavis —dijo suavemente. No quería cerrar del todo su corazón y ocultar para siempre lo que sentía.

—Lo sé, pequeña —contestó él, abrazándola más fuerte—. Me lo dices cada vez que hacemos el amor. Tú sabes que siento debilidad por ti. Que te considero lo mejor que me ha pasado nunca. Me gustas, Storm, y eso es algo que nunca le he dicho a una mujer. Sí, me gustas y confío en ti.

—Gracias, Tavis —murmuró, y a pesar de su aflicción sintió un íntimo deleite al saber que había conseguido más de Tavis que cualquier otra mujer—. ¿Qué será de Phelan y de mí ahora?

—No vamos a entregaros a sir Hugh, pero aparte de eso no puedo decirte nada más ahora mismo. —Acarició le densa y sedosa nube de su pelo suelto—. No pienses en eso ahora, pequeña.

—Tavis... ¿Quieres hacerme el amor? —preguntó ella en voz baja al mirarle a la cara.

—¿Ahora, pequeña? —preguntó él mientras intentaba refrenar el súbito arrebato de deseo que se había apoderado de él—. ¿Estás segura?

—Sí. —Empezó a desatarle la túnica—. Me siento tan perdida, tan sola. Tengo un vacío dentro, una tristeza tan negra que me asusta. —Sostuvo su mirada cargada de preocupación—. Temo no librarme nunca de ella. Necesito saber que todavía puedo sentir, que la pena no me ha convertido en un cascarón vacío. Hazme gozar y tus abrazos romperán su cerco de hielo. Ansío que tu calor alivie mi frío. ¿Te parece mal, Tavis? —preguntó con una vocecilla.

—No, pequeña —contestó él con ternura, y se despojó de su ropa y comenzó a desabrocharle el vestido—. Nunca está mal querer escapar del dolor, intentar demostrarse a uno mismo que aún está vivo y que no está solo. Entiendo tu necesidad. No sientas vergüenza. Nadie va a culparte por lo que buscas. Sólo espero poder dártelo.

Cuando le quitó la última prenda y la abrazó, Storm suspiró y lo apretó con fuerza.

—Puedes, Tavis. De eso, al menos, estoy segura.

Le hizo el amor lentamente, tomándose su tiempo, y usó toda su pericia para despertar su pasión a través de la densa capa de su dolor. Storm no atajó ninguna de las libertades que se tomó: quería perderse en un festín de los sentidos. Convertida en sibarita, devoró su cuerpo, saboreó con labios y manos cada palmo de su piel, deleitándose en ella, y siguió sus indicaciones sin escrúpulo alguno. Quería olvidarse por completo de su tristeza durante un rato.

Tavis se preguntó, febril, quién estaba consolando a quién. Una y otra vez, la boca de Storm le llevaba hasta el límite sólo para detenerse allí y mantenerle en las alturas sin permitir nunca que se precipitara en el abismo. Comprendió enseguida que ella confiaba en perderse, aunque fuera fugazmente, en el festín de la pasión, y le dijo cuanto se le antojó, gozando del éxtasis que su cuerpo le ofrecía. No apartó los ojos de ella mientras le daba placer, y aquella imagen realzaba el efecto de su pericia innata.

Cuando comprendió que no podría refrenarse más, la hizo levantarse lentamente. La besó, y al sentir el sabor de su propio sexo en los labios de Storm se estremeció de deseo. Deslizó la boca hasta sus pechos al tiempo que sus manos la recorrían con avidez. Lamió y chupó sus pechos, y ella gimió y apretó las caderas contra él. Luego descendió despacio, deteniéndose a pasar la lengua alrededor de su ombligo. Ignoró su gemido de protesta cuando descendió más aún para hacerla gozar con la boca como ella le había hecho gozar a él.

Storm se agarró al poste de la cama y cerró los ojos. Una oleada de placer se abatió sobre ella. Tavis le acariciaba la espalda mientras su lengua se deslizaba por su sexo. Ella gritó al acercarse al clímax, pero Tavis la detuvo cuando intentó retirarse, se deleitó en el regalo de su pasión y volvió luego a llevarla al borde del clímax antes de hacer que se sentara sobre él y penetrarla. No apartó los ojos de ella cuando Storm empezó a cabalgarle. Sus manos se movían sobre ella con ansia, acariciando sus pechos y deslizándose hacia abajo para tocar el lugar donde se unían sus cuerpos. Alcanzaron juntos el orgasmo y sus roncos gemidos de placer se mezclaron cuando Storm se dejó caer sobre él.

—No —suplicó ella cuando Tavis hizo intento de apartarse—. Un momento más. Necesito sentirte cerca.

Él accedió sin decir nada y la abrazó mientras Storm caía en un sueño satisfecho. *Aunque sólo sea eso*, se dijo al taparla y levantarse de la cama, *la he ayudado a encontrar el olvido*. La contempló mientras se vestía. Se compadecía de su dolor, pero al mismo tiempo se alegraba egoístamente de que fuera a quedarse por tiempo indefinido y de que, por tanto, pudiera seguir dándole placer.

—¿Cómo está? —preguntó Colin cuando Tavis entró en sus aposentos.

16

Con expresión sombría, Tavis vio partir hacia Athdara a una fuerza equivalente a la mitad de sus huestes. Y no porque lamentara que acudieran en ayuda de los MacBroth, sino porque dudaba de que fuera necesario. Haciendo una mueca, se reprochó a sí mismo su pesimismo, pero al darse la vuelta se encontró con unos ojos ambarinos cargados de preocupación. Arqueó una ceja, invitándolos a expresar sus recelos, a pesar de que no estaba seguro de querer oírlos. Tenía ya suficientes preocupaciones que habría preferido olvidar.

—Es mal momento para prescindir de la mitad de vuestras fuerzas —dijo Storm. Tenía sospechas, estaba preocupada, pero le faltaban datos en los que basar sus intuiciones.

—Sí, de eso no cabe duda, pequeña. —Tavis le pasó un brazo por los hombros—. No ha habido ni una sola incursión enemiga en respuesta a nuestro último paso por Hagaleah. Supongo que se debe a la incertidumbre sobre cuál sería tu destino.

—Y ahora mi destino está decidido —dijo ella suavemente. Tenía aún muy fresco el dolor de su pérdida. Sintió que Tavis le apretaba los hombros—. Sir Hugh y lady Mary no tienen que refrenarse por el bien de mi seguridad.

—¿Crees que sir Hugh desea todavía casarse contigo?

Storm se encogió de hombros, pero Phelan tenía pronta una respuesta.

—Su fortuna sigue intacta. Está ya en sus manos, apartada como dote para cuando se case, o para mantenerla, si no se casa. Puede que sir Hugh todavía la necesite.

—Puede que se case con lady Mary —dijo Storm, pero mientras hablaba sintió que era una esperanza vacua.

—Puede ser, pero no ganará mucho con eso. Ya sabes que tu padre dejó casi toda su fortuna a sus herederos. Pertenece a sus dos hijos varones, por lo tanto, aunque no puedan disfrutar de ella hasta que alcancen la mayoría de edad. Tu padre dijo que dejaba una renta para mí, y una suma importante para mistress Bailey y los hijos que tuvo con él. Aunque dudo que la haya dejado sin nada, yo apostaría a que lady Mary está muy lejos de tener tanta riqueza como cree necesitar.

Tavis arrugó la frente al oír aquella noticia.

—Entonces es posible que sir Hugh intente recobrar a Storm.

—Pero ¿no sería más fácil pagar el rescate que intentar asaltar Caraidland?

—Sí, cariño, así es, pero puede que crean que eso es lo que vamos a pensar. Tal vez esperan que nos confiemos. —Masculló una maldición—. Ojalá se me hubiera ocurrido antes de mandar fuera a mis hombres. No. No, no puedo creer que los MacBroth nos hayan engañado hasta ese punto.

Storm deseó que Tavis pareciera más seguro de sí mismo.

—¿A qué distancia está su castillo? —preguntó.

—Si todo va bien, llegarán al anochecer. Pero si hay cualquier contratiempo tendrán que acampar y no llegarán hasta el alba. Si no hay problemas en Athdara, volverán como muy pronto mañana por la noche. Eso significa que vamos a pasar al menos cuarenta y ocho horas con la mitad de nuestra guarnición. Seguramente más. Recemos por que sir Hugh no se entere, porque, si lo supiera, podría estar ante nuestras puertas mañana al amanecer.

En épocas turbulentas abundaban los espías, y en Caraidland había uno. Aunque sabía que corría el riesgo de perder su utilidad como espía, se apresuró a marchar a Hagaleah. La excusa de la que se sirvió para marcharse le permitiría informar a sir Hugh antes de que notaran su ausencia. Aquélla era la oportunidad que sir Hugh había estado esperando.

Sir Hugh estaba harto de esperar. De esperar siempre y de no actuar. Tumbado cómodamente sobre la cama de lady Mary, miraba el techo con el ceño fruncido. En su tortuosa imaginación giraban como un torbellino diversos planes para acceder a la mayor parte de la fortuna de lord Eldon ayudando a lady Mary a conservarla. Planeaba, además, apoderarse de Storm, cuya fortuna sería suya una vez se casaran. No temía que el vínculo matrimonial durara mucho, pues lady Mary estaría más que dispuesta a ayudarle a convertirse en afligido viudo.

Lady Mary se apartó de la mesa donde había estado cepillándose el pelo y se acercó a la cama. Sir Hugh era el favorito entre sus muchos amantes, porque era tan amoral como ella. Los otros solían rechazar escandalizados algunas de las variaciones que ella proponía. Hugh, en cambio, no lo hacía nunca. Mientras contemplaba su hermoso cuerpo, tiró del cordel de la campanilla. Una sonrisa asomó a su cara al pensar en la sorpresa que tenía para él. Aquel giro inesperado le permitiría olvidarse por un tiempo de sus estratagemas. Su dormitorio era para divertirse, no para conspirar.

—¿Te aburres, querida? —preguntó él mientras observaba su bata, que mostraba más de lo que ocultaba.

—Tendrás que reconocer que últimamente estás un poco cabizbajo.

—Hay muchas cosas en las que pensar. Storm es dueña de una fortuna y yo la quiero.

—Y la quieres también a ella. Creo que el deseo que sientes por la hija de mi difunto y amado esposo procede principalmente del hecho de que te haya rechazado.

—No sólo me ha rechazado: me ha insultado —gruñó él, cerrando los puños—. Y participó en mi humillación. Pagará por ello, y con creces. Ninguna mujer me hace eso a mí.

—Tranquilo, Hugh, tu oportunidad llegará, pero, de momento, una pequeña sorpresa. —Sonrió cuando una bella y esbelta muchacha de ascendencia mora entró en la habitación—. ¿Qué te parece?

Sir Hugh se fijó en las suaves curvas de la muchacha, realzadas por un vestido casi transparente de finísima seda blanca.

—Preciosa —dijo—. ¿De dónde la has sacado?

—Me la ha mandado mi hermana porque su marido le había tomado demasiado cariño. —Lady Mary tocó la prueba que evidenciaba el interés de sir Hugh por la muchacha—. Lo cual podría pasarte también a ti. ¿Quieres verla más de cerca? —Cuando él asintió con la cabeza, ella desnudó lentamente a la joven—. Tiene muchos talentos —ronroneó al ver que sir Hugh miraba ávidamente su piel morena y tersa—. ¿Quieres que te haga una demostración?

Él asintió, y vio cómo lady Mary empezaba a acariciar a la muchacha. Miró con ansia cuando la recién llegada le quitó la bata a lady Mary y ambas comenzaron a hacer el amor. Se apartó cuando cayeron en la cama, dándose ávidamente placer la una a la otra, y por un instante imaginó a Storm en medio de aquella maraña. Aquello fue demasiado: no pudo seguir dominándose. Se colocó detrás de lady Mary y la poseyó furiosamente. Cuando yacían los tres entrelazados, sudorosos y saciados, le sonrió.

—Tus sorpresas son siempre deliciosas. ¿Quién es? —gritó cuando alguien llamó a la puerta.

—Soy Lawrence, vuestro pariente. Acabo de llegar de Caraidland y traigo noticias, sir Hugh —anunció el joven espía.

Las dos mujeres se cubrieron con las mantas mientras sir Hugh se ponía su bata. Ordenó entrar a Lawrence secamente para que le diera su mensaje. El joven no apartó los ojos de la cama mientras le informaba sobre lo sucedido en Caraidland. Había oído rumores acerca de lo que ocurría en los aposentos de lady Mary, pero nunca les había dado crédito. Mientras intentaba recordar todo lo que sabía, comprendió que aquellas escandalosas habladurías eran ciertas.

—Así que esa zorra sigue viva —dijo lady Mary, sentándose y cubriéndose los pechos con la sábana.

Lawrence tragó saliva, porque la muchacha mora había quedado descubierta hasta la cintura y él miraba con ansia sus grandes pechos morenos.

—Sí. Sigue siendo la amante de Tavis MacLagan.

Viendo que la noticia enfurecía a sir Hugh, lady Mary no pudo resistirse a la tentación de mofarse de él.

—Vuestra presa estará bien adiestrada cuando por fin os apoderéis de ella. Me pregunto qué podrá enseñarle un escocés a una mujer.

Aquello hizo prorrumpir a sir Hugh en una sarta de furibundos improperios. Con una sonrisa en los labios, lady Mary le miraba pasearse por la habitación hecho una furia. Luego, aburrida de aquella diversión, fijó su atención en Lawrence. Al ver la dirección que tomaba su mirada, dejó que sus manos se deslizaran por los grandes pechos de la mora, hasta que los pezones se endurecieron y Lawrence empezó a costarle trabajo respirar. Muy despacio, movió la mano hacia abajo, tirando de la sábana. La mora ronroneó cuando encontró su objetivo, y Lawrence estuvo a punto de ahogarse de lujuria mientras las miraba.

Sir Hugh cesó en sus exabruptos y miró con asco sus jugueteos.

—Voy a reunir a mis hombres. Es una ocasión demasiado buena para dejarla pasar. Pienso atacar Caraidland y mandar a esos MacLagan al infierno.

Sin dejar lo que estaba haciendo, lady Mary ronroneó:

—Y recoger tu fortuna.

—Sí. Traeré a esa puta aquí de rodillas —bufó él—. Y de rodillas se quedará.

—Una postura por la que sientes especial debilidad —contestó lady Mary con sorna, respondiendo a su ceño con una sonrisa.

Costaba pensar en otra cosa que no fuera el modo en que aquellos dedos largos y pálidos se deslizaban sobre los morenos tesoros de la muchacha mora, pero Lawrence lo consiguió.

—¿Y mi recompensa? —preguntó con voz ronca cuando la mora se arqueó, exponiendo más aún su cuerpo.

—Ah, sí. —Sir Hugh cambió una mirada cargada de intención con lady Mary, que asintió con la cabeza—. Descuida, muchacho, tendrás tu recompensa. Me has servido bien —dijo, y le dio una palmada en la espalda al salir de la habitación.

Al encontrarse a solas con las dos mujeres, Lawrence dio un paso indeciso hacia la cama. Lady Mary sonrió, le llamó con un gesto y sin decir nada le invitó a disfrutar de la mora. Le observó entonces con un tibio interés que fue creciendo a medida que se quitaba apresuradamente la ropa, sin importarle que le observaran. Al ver que estaba tan bien dotado como sir Hugh, su pariente, lady Mary sonrió y se destapó lentamente.

—¿Piel blanca o piel morena, mi joven amigo? —Se arqueó voluptuosamente.

Lawrence puso una mano con avidez entre los muslos de cada una y dijo con sorna:

—Siempre he sido de gustos variados. ¿Qué os parece si pruebo un poco de las dos?

Una sonrisa cruzó la cara de lady Mary mientras se retorcía bajo sus caricias.

—Demostrad lo que valéis.

Él se tumbó de espaldas en la cama y sentó a la mora sobre él. Con una sonrisa, asió a lady Mary por las caderas y la atrajo hacia sí. Ella le devolvió la sonrisa mientras decidía que esperaría un rato para matarle. Había varias combinaciones que quería probar primero.

Sir Hugh sabía que no llegaría a Caraidland antes de que anocheciera. Los días eran cada vez más cortos, y Lawrence había tardado casi todo el día en llevarle la noticia. Aun así, reunió a sus hombres, decidido a recorrer toda la distancia que pudiera antes de que cayera la noche. Si tenía suerte, podría iniciar el ataque al rayar el alba. Confiaba en que su estratagema cogiera desprevenidos a los MacLagan, pero no contaba con ello.

Al comprender que Storm no regresaría, tras la negativa de lady Mary a pagar el rescate, había empezado a idear formas de atacar Caraidland con el menor costo posible y la mayor ganancia. El puesto que Lawrence había conseguido en Caraidland después de la llegada de Storm había sido un modo de facilitar sus planes. El chico ya no le servía de nada, y Hugh no sentía remordimientos por librarse de su pariente. Sonrió agriamente, consciente de cómo se serviría lady Mary del desprevenido joven antes de matarle con la misma sangre fría con que le habría matado él.

Pensar en Storm le hizo rechinar los dientes de rabia y frustración. Ella era una espina en su costado, en su orgullo y en su bolsillo. La deseaba y ella le rechazaba. Su espíritu no era de los que consentían someterse por completo a otro, y eso le atraía, porque ansiaba aplastarlo, ver a aquella altiva beldad arrastrarse ante él. En cuanto la tuviera en sus manos le enseñaría el verdadero significado de la palabra humillación. Ninguna mujer miraba por encima del hombro a sir Hugh Sedgeway.

Sus planes de venganza incluían también a aquel semental escocés que se había apoderado de lo que debería haber sido suyo. El hecho de que aquella zorra altanera se hubiera acostado con un bandido escocés antes que con él era una afrenta difícil de tragar. Haría todo lo posible por que Tavis MacLagan muriera, preferiblemente con una lenta agonía y ante los ojos de su amante inglesa. Sir Hugh se regodeó en aquella fantasía mientras cabalgaba.

No todos sus hombres se alegraban de cabalgar hacia la batalla. La muerte de lord Eldon y la de su heredero les había dejado en manos de lady Mary, con escasas esperanzas de verse libres de ellas, lo cual les desagradaba. Muchos intentaban convencerse de que su juramento de lealtad no se hacía extensivo a la viuda, de la que sospechaban había tramado personalmente la desaparición de su esposo. Por desgracia, eran hombres honorables y se tomaban muy a pecho sus juramentos. Iban desganados y molestos, pero seguían adelante.

Cuando acamparon para pasar la noche estaban apenas a una hora a caballo de Caraidland. Encendieron fuegos y los taparon para que los vigías de Caraidland no adivinaran que avanzaban sobre ellos. Sir Hugh no se sorprendió cuando aparecieron lady Mary, su nuevo juguete, la mora, y su guardia personal, un hombre fornido y guapo. Lady Mary quería presenciar el inicio de la perdición de su hijastra. A su modo de ver, era culpa de Storm que nunca hubiera podido hechizar a su marido. Pero además tenía curiosidad por ver al hombre que había deshonrado a Storm Eldon.

Después de que montaran su lujosa tienda, se retiró dentro con su séquito, al que más tarde se uniría sir Hugh, y se entregó a una orgía que exasperó más aún a sus hombres de armas. El honor exigía que trasladaran su juramento de lealtad a la viuda de su señor feudal, pero el honor mismo quedaba en entredicho desde el momento en que esa viuda era una furcia inmoral, una mujer cuyo lugar natural era un burdel y no el castillo de un conde. Fueron muchos los que añoraron el regreso de su señor y los que lamentaron de nuevo la traición, imposible de probar, que había acabado con su vida.

Lord Eldon hacía cuanto podía por llegar cuanto antes a su castillo, pero aún quedaban muchas leguas hasta Hagaleah. Sus tropas y él cabalgaban con tesón, ansiosos por enfrentarse a quienes habían tramado su intento de asesinato, que había estado a punto de tener éxito. Aunque le preocupaba hacer sufrir a algunos con ello, había enviado al castillo la noticia falsa de que el ataque había logrado su objetivo, pues estaba ansioso por ver las caras de quienes habían intentado asesinarle, cuando regresara milagrosamente de las fauces de la muerte.

El único asesino al que habían cogido vivo les había contado historias sobre lo que sucedía en Hagaleah que le habían helado la sangre. Pero lo peor de todo había sido saber que Storm estaba en Caraidland y que llevaba allí todo el verano. Aunque ansiaba dirigirse directamente a la fortaleza de los MacLagan, sabía que tenía que ir a casa primero, aunque sólo fuera para llevarse monturas y hombres de refresco. Maldecía al destino que le había llevado a Francia y le había retenido allí mientras todo cuanto le importaba se precipitaba hacia la ruina.

Había otra cosa que le enfurecía, y era saber que su casa se había convertido en poco menos que un burdel. Conocía desde siempre sus voraces apetitos, pero su presencia siempre había garantizado la discreción de lady Mary. Ahora, al parecer, y si la mitad de lo que aquel hombre decía era cierto, su esposa había prescindido de toda discreción. Lord Eldon se preguntaba cuántas personas de sus dominios habrían sufrido bajo el yugo de su gobierno y su depravación. La ramera con la que se había casado había convertido un castillo honorable y respetado en un lupanar. Sólo por eso podría matarla sin esfuerzo.

Al ver el semblante de lord Eldon, su viejo amigo, lord Foster se compadeció de él. Su propia casa no había escapado a la corrupción, pero no parecía haber caído tan bajo. Aquella bruja de Sussex había arrastrado por el lodo el nombre de lord Eldon y el de sus antepasados. Era ésa una ofensa que lord Eldon lamentaría durante mucho tiempo, porque la mancha tardaría en borrarse.

Eldon masculló una maldición al sentarse en torno a la hoguera con su hijo, sus sobrinos y amigos.

—Bastante duro es ya estar casado con esa arpía. Ahora, además, todo el mundo sabe que soy un imbécil. Por las barbas de Cristo, casi me alegro de que Storm esté en poder de MacLagan. Al menos está lejos de esa inmundicia a la que llamo mi esposa.

—Ese hombre dijo que lady Mary pensaba negarse a pagar el rescate. ¿Qué habrá sido de Storm y Phelan? —preguntó Andrew, confiando en que su padre negara la idea que se agitaba en su cabeza.

Pero lord Eldon se limitó a mirarle y a preguntar:

—Si tú tuvieras en tu poder a una joven bonita durante todo el verano o más tiempo aún, ¿qué harías? —Suspiró al ver que su hijo bajaba la cabeza—. No me cabe duda de que se portaron con honor hasta que les negaron el rescate. Luego, quién sabe. —Sonrió amargamente—. Siempre han sido los mejores enemigos.

—No les habrán matado al ver que no iban a conseguir el rescate, ¿verdad? —preguntó Hadden en voz baja.

—No —respondió Eldon sin vacilar—. Serían tan incapaces como nosotros de asesinar a una mujer indefensa entre los muros de su casa. Los MacLagan nunca han matado a inocentes, ni siquiera en el fragor de la batalla. Recuerdo una vez en que una loca cogió una espada y atacó a uno de ellos durante una incursión. El escocés acabó con una herida en el brazo porque intentó desarmarla en lugar de matarla de un mandoble, como habría podido hacer con toda facilidad. No, lo que temo no es que Storm haya muerto.

—¿Vamos a atacarles?

—Creo que debo esperar a ver cómo está mi hija. No es culpa de los MacLagan que se haya quedado sin defensores. ¿Cómo iban a saber que la traición campa por sus respetos en Hagaleah? Lo único que saben es que nadie quiere rescatarla. Si Storm ya no es virgen, ¿la culpa es de los MacLagan? ¿Puedo reprocharle a un hombre que haya seducido a una doncella a la que sus propios parientes han abandonado y arrojado en su regazo? No, la situación no es tan simple. Maldita sea Mary. Porque si Storm ha sido deshonrada, es culpa suya.

Seguía pensando lo mismo cuando llegaron a Hagaleah al día siguiente, al anochecer. Nadie le cortó el paso cuando cruzó las puertas, y los pocos que le vieron, boquiabiertos, se persignaron llenos de temor supersticioso al ver que su señor gozaba de buena salud. En cuanto entró en el salón, lord Eldon mandó llamar a Hilda.

—Mi señor —lloró la mujer—, estáis vivo. ¡Es un milagro de Dios!

—Deja de gimotear y dime qué está pasando. ¿Dónde está esa furcia que por desgracia lleva mi nombre?

—Ha seguido a sir Hugh a Caraidland. Él ha ido a liberar a la señorita Storm para casarse con ella. —Hilda estaba tan contenta por que su señor hubiera vuelto sano y salvo que casi sonrió al ver que empezaba a lanzar improperios—. Hay un hombre que puede deciros lo que ocurre en Caraidland. Es un pariente de sir Hugh al que pensaban matar —dijo Hilda cuando lord Eldon se detuvo para tomar aire—. Era espía en Caraidland.

Lord Eldon no se sorprendió al encontrar a aquel hombre en las habitaciones de lady Mary. Hizo una mueca de asco al ver las sedas brillantes, las lujosas pieles y los espejos dorados. Fijando su mirada en el pálido joven de la cama, lord Eldon dedujo con sorprendente precisión cómo se había librado por los pelos de la muerte.

—¿Hay alguna razón concreta para que sir Hugh pretenda atacar a los MacLagan precisamente ahora?

—Sí, mi señor. Sólo cuentan con la mitad de sus fuerzas. —Aunque su voz era débil, no temblaba—. Lady Mary les avisó de que no pensaba pagar rescate por la señorita Storm, les dijo que habíais muerto junto con todo vuestro séquito y que podían hacer con la muchacha lo que les vinieran en gana. Sir Hugh confía en sorprenderles desprevenidos.

—¿Para qué quiere rescatar ese hombre a mi hija?

—Quiere casarse con ella, o más bien con su fortuna. Ella le ha rechazado de todas las maneras posibles, y eso le pone furioso. Se apoderó de ella una vez, y me temo que lady Mary y él la trataron muy mal. Pero logró escapar y regresó a Caraidland, con los MacLagan. Se cree que los escoceses tomaron parte en su rescate. Fueron, en efecto, los hermanos quienes la llevaron a Caraidland, y la muchacha estaba malherida. Cuando lady Mary se negó rotundamente a pagar el rescate, no la mandaron de vuelta aquí. No querían que sufriera a manos de sir Hugh.

Tras desfogar su ira a base de improperios, lord Eldon preguntó:

—¿Cómo se encuentra mi hija? ¿La tratan mal en Caraidland? ¿Los han maltratado a ella o al chico?

Lawrence le sostuvo la mirada.

—Gozan los dos de buena salud y en Caraidland se les tiene mucho aprecio. El señor estaba siendo envenenado por su joven esposa y fue la señorita Storm quien lo descubrió. La señora apuñaló a la señorita Storm antes de que la mataran, pero vuestra hija se ha recuperado. Y también la atendieron después de la paliza que le dio sir Hugh. La tratan más bien como a una invitada, aunque la vigilan constantemente. La gente la trata con respeto.

Aunque asintió, complacido por la noticia, lord Eldon siguió mirando fijamente a un Lawrence cada vez más nervioso.

—Hay algo más. Decidme todo lo que concierne a mi hija.

—Ya no es virgen —dijo Lawrence en voz baja, y al ver un destello de rabia en los ojos de su señor temió pagar por ello.

—¿La violaron?

Lawrence negó con la cabeza.

—¿Ha sido más de uno? ¿La están tratando como a una mujerzuela?

—No. Cuando el rescate fue denegado por primera vez, Tavis MacLagan se acostó con ella. Y en su cama ha seguido todo este tiempo. La tratan bien, os lo juro. Como si fuera su esposa. Ningún otro la toca. Nadie se atrevería.

Con un grito de rabia, lord Eldon arrojó un jarrón contra uno de los muchos espejos. Al salir de la habitación, juró hacer pagar por todo aquello a su esposa y el amante de ésta, a los que consideraba los verdaderos responsables de lo ocurrido. Habían dejado a Storm sin protección, se la habían entregado al enemigo para que hiciera con ella cuanto se le antojara.

Lord Foster, que había encontrado menos desorden en su casa, estaba esperándole en el salón.

—Saldremos hacia Caraidland al amanecer —dijo Eldon tajantemente.

—Me lo imaginaba y he traído a mis hombres. Están listos para enfrentarse a los MacLagan.

—Entonces más vale que habléis con ellos, porque vamos tras sir Hugh y mi esposa, que están asediando Caraidland —repuso Eldon, y sonrió agriamente al ver la cara de sorpresa de Foster—. Por lo visto, para salvar a mi hija de sir Hugh y de esa bruja, tendré que salvar Caraidland. Me gustaría ver la cara del viejo Colin cuando vea que acudimos en su auxilio.

—Por primera vez desde hacía días, lord Eldon sonrió con verdadero regocijo.

17

La luz tenue del amanecer pugnaba por abrirse paso entre la oscuridad cuando Storm se halló de pronto despierta y temblando. La cálida cercanía de Tavis no disipaba el frío que la calaba hasta los huesos. La primera vez que le ocurrió tal cosa fue tras el envenenamiento de su madre. Para ella, aquella sensación equivalía a peligro: era una advertencia que no convenía ignorar. Desde la desaparición de su familia, sólo podía significar que Caraidland se hallaba amenazado. Sin pensar en que tal vez él acogiera con sorna o con desdén sus sentimientos, despertó a Tavis con un zarandeo.

—¿Mmmm? —Se despertó frotando la cara contra sus pechos. Luego, todavía medio dormido, comenzó a chupar uno.

—¿Estás despierto, Tavis? —preguntó ella débilmente mientras luchaba por concentrarse en lo que quería decir.

Tavis miró su pezón endurecido, admiró el resultado de sus atenciones y pasó luego a ocuparse del otro pecho, despertando el pezón con la punta antes de cerrar la boca sobre él.

—Lo estoy cada vez más. Pero es temprano, amor mío. Hacía mucho tiempo que no te despertabas tan pronto.

—¿Qué? —preguntó ella, confusa. La neblina de la pasión se había apoderado de su mente mientras la boca de Tavis seguía jugueteando con sus pechos y sus manos se deslizaban, embriagadoras, por su cuerpo—. Ah. ¿Pusiste más guardias?

—Sí. —Tavis bajó las mantas, siguiendo su lento avance con la boca—. ¿Por qué lo preguntas?

—Puede que te parezca una tontería, pero tengo la sensación de que estamos en peligro, de que va a pasar algo. Me he despertado helada hasta los huesos. —Su voz salía en roncos jadeos. Los labios de Tavis jugaban sobre su vientre—. Creo que deberíamos estar alerta.

—No, no es ninguna tontería, y ya estamos alerta. Si hay problemas, oiremos dar la alarma. —Se arrodilló entre los esbeltos muslos de Storm. Respiraba entrecortadamente—. Los hombres pueden estar armados y listos en un abrir y cerrar de ojos. —Apoyó las manos a uno y otro lado de ella y deslizó la mirada por el delgado cuerpo que estaba a punto de poseer—. No te preocupes, pequeña. Y ahora, si tienes que hablar, puedes decir «Mmm, Tavis» —dijo con una sonrisa.

Storm lo dijo varias veces. La luz del alba era mucho más intensa cuando Tavis por fin se apartó de sus brazos y la vio desperezarse como un gato satisfecho, mostrando una sensualidad inconsciente que nunca dejaba de excitarle. Estaba pensando medio en serio en volver a meterse en la cama cuando Sholto irrumpió en la habitación casi desnudo y miró un momento a Storm, que se apresuró a taparse con la sábana.

—¿Te diviertes? —gruñó Tavis, colocándose delante de su hermano menor.

Sholto sonrió, pensando que aquellos pechos de alabastro eran tan perfectos que no tenían parangón.

—Sí.

Tavis lanzó a Storm una mirada rápida y autoritaria al ver que se reía, pese a su azoramiento.

—¿Por qué has entrado a todo correr?

—El vigía que enviaste al bosque acaba de llegar a galope tendido. Se acerca un ejército. Viene de Hagaleah, pero no lleva el estandarte de los Eldon. ¡Ah! Nuestro padre está tocando a rebato.

—Es ese canalla de sir Hugh, no hay duda. —Tavis rodeó con el brazo los esbeltos hombros de Storm cuando ella palideció, y hundió la mano en la hermosa y densa cabellera que Sholto admiraba abiertamente—. ¿Nos superan en número?

—Son el doble. Tal vez el triple. Viene preparado para asaltar nuestras murallas.

Tavis dio a Storm un beso rápido y fuerte y comenzó a vestirse.

—No salgas de la torre, Storm. Maggie no tardará en llegar. Puedes echarle una mano. Ven, Sholto, tengo que pasarme por mi habitación —dijo al salir de la alcoba, atándose todavía las calzas.

—Qué muchacha tan bonita, Tavis —dijo Sholto mientras bajaban a toda prisa las escaleras.

—Sí, demasiado bonita para un perro inglés —masculló Tavis cuando cruzaron el salón.

—Sí —repuso su hermano con vehemencia, presa ya de la euforia de la inminente batalla.

Storm se vistió precipitadamente y no se molestó en hacerse un moño; simplemente, se pasó un cepillo y se lo recogió hacia atrás. No logró, sin embargo, alcanzar a Tavis. Apenas había empezado a ayudar a las mujeres a preparar el salón para los heridos cuando se hizo evidente que las huestes de sir Hugh habían llegado. En cuanto Maggie se despistó, corrió a las almenas.

—Mandad salir a Storm Eldon, MacLagan. No querréis que se derrame sangre escocesa a causa de una inglesa. Os superamos en número. Es indudable que os venceremos —dijo sir Hugh en tono bravucón.

Mientras Colin respondía a sus fanfarronadas con un lenguaje muy colorido, Storm miró a las tropas reunidas y sofocó un gemido cuando sus ojos se posaron en un grupo de personas situadas a la derecha.

—Santo cielo, es lady Mary en persona.

—¿Qué demonios haces aquí arriba? —bramó Tavis, y, agarrándola del brazo, la zarandeó con violencia.

—¿Dónde está? —preguntó Sholto mientras intentaba localizar a la célebre condesa, haciendo caso omiso de la ira de su hermano.

Aunque la reacción de Tavis la había dejado sin aliento, Storm contestó:

—Allí, a la derecha. Ese carro tan llamativo.

Tavis se dejó llevar por la curiosidad y también echó un vistazo. «Llamativo» era un apelativo demasiado sutil para describir el carro y a sus ocupantes, así como a los cuatro jinetes que lo flanqueaban. Resultaba ridículo en un campo de batalla. Ataviados de rojo y amarillo, los cuatro jinetes parecían musculosos bufones. Tavis pensó con desagrado que a aquellos hombres no se les pagaba por montar a sus caballos, sino otra cosa.

Storm se dio cuenta de la dirección que seguía su mirada de repugnancia.

—Los hombres de lady Mary —dijo, y sonrió al ver que Sholto se echaba a reír. Luego, sin embargo, se puso seria—. Debes entregarme a sir Hugh —dijo, a pesar de que sentía una opresión en la garganta y de que la sola idea de verse en manos de sir Hugh hacía que se le retorcieran las tripas de miedo y repulsión—, si con eso puede evitarse esta batalla. No merece la pena que luchéis por mí.

Tavis la miró con fijeza. Sus ojos se posaron un instante en sus labios llenos antes de sostenerle la mirada. Vio miedo en sus ojos, aunque sabía que su ofrecimiento era sincero. Pese a que sir Hugh la aterrorizaba, y pese a ser muy consciente de lo que planeaba para ella, Storm prefería entregarse a él antes de que se derramara una sola gota de sangre por ella.

—No, pequeña. Como dice mi padre en este mismo instante, no te entregaremos a sir Hugh. Lady Mary te dejó en mis manos para que hiciera contigo lo que me placiera —añadió, bajando la voz—, y aún no estoy saciado. Además, ese hombre no sólo te quiere a ti. Pide que devolvamos todo lo que robamos la última vez, y un poco más aún. No, pequeña. Vamos a luchar. Un poco por ti y un poco por nosotros mismos.

Sir Hugh contestó a la última réplica de Colin con una andanada de flechas, y Tavis hizo agacharse bruscamente a Storm.

—Vuelve al salón enseguida y quédate allí —gruñó—. Y ponte unas medias, maldita sea —añadió al ver que llevaba las bonitas piernas desnudas.

—Sí —dijo Sholto, tocando uno de sus bellos muslos—. Podrías coger un resfriado. —Sonrió cuando Tavis le apartó la mano y tiró de las faldas de Storm hacia abajo.

Storm tomó la cara de Tavis entre las manos y le dio un largo y tierno beso.

—Ten cuidado, *cushlamochree*.

Tavis la vio regresar al salón.

—Ojalá supiera qué significa eso —murmuró.

—Corazón mío —dijo Phelan, que pasaba por allí con un cubo de agua—. O mi amor. Tú eliges.

Tavis reprimió el impulso de ir tras ella y preguntarle si lo decía en serio. Concentró toda su atención en la batalla, que pronto pasó de un intercambio de insultos y unas pocas flechas a una confrontación en toda regla. A pesar de sus muchos defectos, sir Hugh demostró ser un enemigo formidable en el campo de batalla. Sabía que los escoceses andaban escasos de hombres y, poco a poco pero con éxito evidente, maniobró para recortar su número aún más sin hacer intento de abrir brecha en la muralla. Quería tenerlo todo a su favor antes de emprender el asalto.

Storm se vio pronto desbordada por el trabajo. Los hombres que sufrían heridas de poca importancia eran vendados y regresaban a la refriega. Hacían falta soldados: no había tiempo para complacencias. Poco a poco, inevitablemente, iban sumándose muertes, y al dolor de perder un amigo o un pariente se añadía el miedo a que cada baja debilitara las defensas de Caraidland. Cada vez que un hombre moría aumentaban las posibilidades de que venciera sir Hugh.

Storm acudió enseguida a atender a Sholto cuando éste fue llevado al salón con una flecha clavada en la pierna. No le extrañó el alivio que sintió al comprobar que era poco más que un rasguño que sangraba mucho. Cuando acabó de vendar la herida, sintió que él le tocaba el pelo y le miró.

—La tentación era demasiado fuerte. No he podido resistirme —dijo el muchacho con una sonrisa que hizo que Storm se acordara tristemente de su hermano Andrew.

Pero se echó a reír y besó impulsivamente a Sholto. Tavis, que acababa de llegar con otro herido, la sorprendió besando a su hermano.

—¿Se puede saber qué os traéis entre manos? —gruñó mientras ayudaba al hombre a tumbarse en un camastro.

—¿Nunca te curaban las heridas con un beso cuando eras pequeño?

—No veo que Sholto tenga ninguna herida en los labios —replicó Tavis, cuya mirada de enojo no lograba ensombrecer la sonrisa de Sholto.

—Sí, es en el muslo donde le han herido. Si quieres, puedo besarle...

—Hazlo y me encargaré de que no puedas sentarte en una semana —contestó él, mirando con enfado a Storm y a los dos hombres, que se reían pese a sus heridas—. Largo de aquí, muchacha. —Sus labios se tensaron en una sonrisa cuando Storm le guiñó un ojo antes de alejarse. Luego, sin embargo, se puso serio—. Esto va mal, Sholto.

—Sí. Ese malnacido sabe lo que hace. No hace ningún movimiento que nos permita igualar un poco nuestras fuerzas. Sabe que sólo tiene que esperar a que seamos pocos. Tan pocos que no podamos contenerles.

—Si seguimos perdiendo hombres, entrará aquí mañana al anochecer.

—Pues dadle a la inglesa —sollozó la mujer que estaba atendiendo al hombre al que había llevado Tavis.

—No —respondió la mujer del jefe de establos antes de que Tavis pudiera hacerlo—. No pienso entregar a una muchacha a un hombre que la pega hasta casi matarla. Yo vi sus heridas, y eso no lo hace un hombre. Es un animal. Una bestia con la que ningún cristiano debería tratar. Ese canalla no dejaría de luchar aunque le entregáramos a la muchacha. No puede confiarse en que una bestia como ésa actúe con honor o clemencia.

Todos miraron a aquella mujer, normalmente taciturna, mientras se alejaba. La otra concentró toda su atención en el hombre al que estaba atendiendo y no dijo nada más. Tavis pensó un instante en los muchos y variados amigos que había hecho Storm en el tiempo que llevaba en Caraidland; después se volvió hacia Sholto para hacerle partícipe de un plan que sabía que no iba a agradarle.

—Sir Hugh tendrá que interrumpir la batalla cuando caiga la noche —dijo en voz baja para que nadie le oyera—. Voy a intentar salir en busca de ayuda.

—No. Estamos rodeados. Estarán esperando algo así. No podrás burlar a la guardia.

—Es un riesgo que tengo que correr. Puede que nuestros hombres estén ya en camino hacia aquí. Pero, aunque no lo estén, si cabalgo toda la noche, puedo llegar a Athdara y traer ayuda antes del atardecer de mañana.

—Si es que han resuelto sus problemas.

—Sí. Pero ¿se te ocurre alguna otra idea? —El silencio de Sholto fue respuesta suficiente. Tavis inclinó la cabeza—. Saldré en cuanto se haga de noche. No se lo he dicho a nadie, salvo a ti. Que nadie más se entere.

Como Tavis esperaba, cuando cayó la noche sir Hugh dejó a unos pocos hombres de guardia. Los demás se retiraron al campamento a descansar, lo bastante cerca como para acudir de inmediato si se les necesitaba. Era absurdo luchar a ciegas, de noche. Convenía dejar que las tropas recobraran fuerzas para la batalla del día siguiente. Pero nadie podía escapar de Caraidland: de eso se había asegurado.

En Caraidland sólo se permitió descansar a los heridos. Siempre cabía la posibilidad, aunque fuera remota, de que sir Hugh intentara asaltar las murallas durante la noche. Sería impropio de él, puesto que supondría un mayor sacrificio de hombres, pero había que estar atentos a cualquier movimiento inesperado. Si se impacientaba, tal vez actuara con precipitación.

Vestido de negro y a lomos de un caballo de ese mismo color, Tavis salió por una puerta lateral. Sabía que corría un gran riesgo, pero no tenía elección. Necesitaban más hombres y para conseguirlos había que intentar llegar a Athdara. Confiaba en que, si llegaba, los problemas de sus aliados se hubieran resuelto y él pudiera regresar a Caraidland no sólo con sus hombres, sino también, quizá, con los de los MacBroth.

No era la mejor noche para intentar burlar a los vigías enemigos. Las hogueras de los guardias de Caraidland proyectaban una luz poco propicia. Había luna, además, y ninguna nube velaba su resplandor. Era un poco difícil ocultarse entre las sombras llevando al caballo de las riendas y avanzar poco a poco hacia el bosque. La tensión y la necesidad de guardar silencio hacían que las yardas le parecieran millas y los minutos horas.

Montó nada más llegar al bosque, pero refrenó el galope de su caballo. Picar espuelas estando aún tan cerca de los vigías de sir Hugh habría sido una imprudencia. Atravesó despacio el bosque, avanzando oblicuamente entre su oscura maraña. De ese modo, confiaba, llegaría al camino que llevaba a Athdara y estaría lo bastante lejos como para escapar a los esbirros de sir Hugh.

El suspiro de alivio que exhaló al llegar al camino quedó atascado en su garganta cuando dos hombres a caballo aparecieron delante de él. Era casi como si estuvieran esperándole, aunque sabía que había sido simple mala suerte lo que le había hecho salir justo por el lugar donde sir Hugh había apostado a dos de sus vigías. El hecho de que estuvieran éstos muy lejos del lugar donde solían situarse los guardias sólo demostraba lo astuto que era sir Hugh. Había adivinado lo que intentarían y sin duda había colocado un mayor número de guardias a aquel lado de Caraidland. Tavis masculló una maldición, porque aquello significaba que sir Hugh sabía lo escasos de hombres que estaban y por qué motivo.

Aunque sus posibilidades de éxito eran muy escasas, Tavis hizo dar media vuelta a su montura y cabalgó hacia el castillo asediado. Conocía formas de volver a entrar, si lograba acercarse a las murallas. No había modo de llegar a Athdara, pero quizá pudiera regresar a Caraidland y ahorrarles así la penosa pérdida de otro hombre. Al ver que los guardias no disparaban sus arcos de inmediato, sus esperanzas se acrecentaron: comprendió que sir Hugh había ordenado a sus hombres atrapar vivo a cualquiera que intentara escapar.

Veía las hogueras de los vigías de Caraidland cuando los hombres que le perseguían gritaron de pronto. Como por arte de magia, dos soldados más aparecieron en el camino, justo delante de él. Comprendió entonces que sir Hugh había apostado a sus guardias a lo largo del camino. La súbita aparición de los dos jinetes hizo que su caballo se encabritara. Sorprendido, Tavis perdió el control y no pudo evitar la caída. Al golpear el suelo, antes de sumirse en las tinieblas, su último pensamiento fue para Storm.

Acurrucada en un camastro, junto a Maggie, Storm dormía presa del agotamiento. Habían dejado de atender a los heridos al caer la noche, cuando cesó la lucha, para dar la cena a los hombres. Maggie la había animado a irse a la cama, pero ella se había negado. Quería estar cerca de los heridos que pudieran necesitarla, cerca de la batalla para saber si había algún cambio, y cerca de Tavis. Maggie se había dado por vencida y la había dejado quedarse.

Storm se sentó de pronto con el nombre de Tavis en los labios. Se rodeó con los brazos, temblorosa, mientras el frío de aquel presentimiento que tanto detestaba se filtraba en sus huesos. Tenía que encontrar a Tavis; asegurarse de que sólo eran los nervios y el cansancio; cerciorarse de que él estaba bien y no corría peligro. Estando atrapada en medio de una batalla, muy bien podía ser que viera tragedias y peligros donde no los había.

En las almenas se agolpaban hombres y mujeres por igual. Esposas, novias, hijas y madres vigilaban en lugar de sus hombres mientras ellos yacían a sus pies, sumidos en un sueño exhausto, vestidos todavía para la batalla. De no ser por la falta de hombres, aquello no se habría permitido. Los hombres, sin embargo, sabían que las mujeres veían tan bien como ellos y que, en caso de haber problemas, estarían listos en un instante y expulsarían a las mujeres de las almenas. De aquel modo podían dormir un poco y estar más frescos para afrontar la lucha cuando saliera el sol.

Storm se detuvo junto a Jeanne, que montaba guardia en lugar de su prometido, y preguntó:

—¿Cómo van las cosas, Jeanne?

—Esto es un aburrimiento. No entiendo cómo van a luchar mañana las tropas de sir Hugh con el jolgorio que hay en su campamento. ¿No lo oyes?

—Sí —contestó Storm con una mueca—. Sospecho que es la esposa de mi padre. Tiene debilidad por las orgías.

—¿Qué es una orgía? Es pecado, ¿verdad? —preguntó Jeanne sin disimular su interés.

Storm asintió con la cabeza y explicó:

—Es cuando un grupo de hombres y mujeres se reúne para beber y revolcarse juntos. Lady Mary prefiere que haya más hombres que mujeres. Es pura lascivia, pura lujuria.

—¡No! —exclamó Jeanne, con los ojos llenos de espanto y fascinación.

—Sí, muchacha —dijo una voz profunda a sus pies—. Es una descripción muy adecuada. —Haciendo caso omiso de las exclamaciones azoradas de las mujeres, el prometido de Jeanne preguntó—: ¿De veras celebra orgías?

La oscuridad ocultó el malestar de Storm.

—Sí. En Hagaleah las celebraba a menudo. Yo me encerraba en mis habitaciones con mi vieja aya, Hilda, y unas cuantas doncellas a las que no les interesaba unirse a los festejos.

—¿Y nunca echasteis un vistazo? —preguntó Jeanne, y dio un puntapié a su novio cuando éste se echó a reír.

—Claro que no —contestó Storm altivamente—. ¿Para qué iba a querer ver a gente desnuda bañándose en leche y haciendo cochinadas en prácticamente todas las habitaciones del castillo? —Se volvió para alejarse, pero Jeanne la detuvo.

—¿De verdad se bañaban en leche? Deja de reírte, Robbie.

—Sí, así es. Eso sí lo vi. Y también vi algunas otras cosas antes de que Hilda me pillara y me llevara de vuelta a mis habitaciones arrastrándome por el pelo, pero no pienso contártelas. —Dejó a la joven pareja riéndose en voz baja.

Tardó un rato en encontrar a Sholto, Iain y Colin. Éstos dos últimos dormían, pero Sholto estaba de pie junto a las almenas, vigilando. A Storm le chocó que pareciera dedicar el mismo tiempo a mirar hacia Athdara que a observar el campamento de sir Hugh. Se preguntó si esperaba la llegada de sus aliados o el regreso inminente de los hombres que habían partido hacia Athdara.

—No deberías estar aquí, Storm —la reprendió Sholto suavemente—. Deberías descansar un poco.

—¿Dónde está Tavis, Sholto? —preguntó ella. Le inquietaba que él evitara mirarla directamente.

—Estará durmiendo —masculló él, mirando hacia el lugar de donde procedían los ruidos de fiesta.

—Sholto, he buscado por todas partes y no le encuentro. Por favor, Sholto, ¿dónde está?

—No lo sé —respondió él, pero suspiró al ver su expresión, mezcla de abatimiento y determinación—. Vamos, vamos, niña —dijo suavemente, y, pasándole un brazo por los hombros, la apretó contra su costado—. Tavis ya es mayorcito. No temas por él.

—Tú no lo entiendes. Me he despertado helada, llamándole. No es buena señal. Por favor, Sholto...

—Tonterías. Mira allí y dime qué está tramando la célebre lady Mary.

—Cosas pecaminosas —masculló ella. Seguía preocupada por Tavis, pero no quería presionar a Sholto.

—Ah, uno de mis temas predilectos. Así me mantendré alerta. Cuéntanoslo todo, muchacha —dijo él en broma.

Mientras Storm procedía a satisfacer su petición recitando todo cuanto había visto y oído, pese al azoramiento y la vergüenza que de vez en cuando causaba su relato, Tavis era arrojado ante una tienda de campaña. Lo que vio cuando un hombre levantó un momento la cortina de la tienda y salió le hizo preguntarse si estaría teniendo visiones. Antes de que pudiera deducir si había visto o no una maraña de cuerpos desnudos, le obligaron a levantarse. Sujeto entre dos hombres, se halló cara a cara con sir Hugh, el hombre al que ansiaba matar.

—Vaya, vaya —dijo sir Hugh, frotándose las manos con delectación—. Tavis MacLagan en persona. Ahora sí que nos darán a esa zorra pelirroja. De hecho, puede que se entregue voluntariamente.

Pidió antorchas y, llevando a Tavis maniatado y sujeto con una cuerda, partió con diez hombres hacia las murallas de Caraidland. Marchaban bajo una bandera blanca, porque sir Hugh pretendía parlamentar. Confiaba en poder llevarse a Storm nada más proponer el trato. Luego, al día siguiente, podría tomar Caraidland como golpe de gracia.

Tavis confiaba en que no hubiera acuerdo. No quería que Storm pagara por su error. Había pocas probabilidades de que le mataran: sir Hugh sabía que podría conseguir un buen rescate por él si, por obra de algún milagro, Caraidland no caía en su poder. Ahuyentó la insidiosa idea de que sir Hugh podía matarle por puro despecho o por ira: cuando montaba en cólera, se ponía al borde de la locura. *C'est la guerre*, como decían los franceses, pensó con sorna mientras luchaba por mantenerse erguido, con los ojos fijos en los muros de Caraidland.

Al ver que algo se movía en el campamento, Storm interrumpió su sórdido relato sobre lady Mary. Aguzó la vista, empeñada en ver qué ocurría. De pronto se tensó y agarró a Sholto del brazo.

—Mira, Sholto, se acerca gente con antorchas y una bandera blanca. Sir Hugh desea parlamentar.

Mientras Sholto despertaba a su hermano y su padre, ella se fijó en el hombre de la cuerda. Tardó un momento en reconocerle. Su corazón pareció detenerse. Fijó los ojos espantados en la cara cenicienta de Sholto.

—Es Tavis. Sir Hugh tiene a Tavis.

18

—¡MacLagan! —gritó sir Hugh cuando se detuvieron a unos pasos de las murallas de Caraidland.

—No hace falta gritar. Ya os veo —contestó Colin sardónicamente, y Tavis esbozó una sonrisa.

Hugh le empujó hacia delante.

—Como veis —dijo—, tengo en mi poder a Tavis, vuestro hijo y heredero.

—Sí, lo veo muy bien. —Colin miró a Sholto y preguntó en voz baja—: ¿Cómo diablos ha caído en sus manos? Dime lo más brevemente que puedas qué hacía ese necio fuera de estas murallas.

—Quería llegar a Athdara —contestó Sholto enseguida—. Necesitamos hombres para luchar.

—Haz salir a la hija de Eldon, MacLagan, y os devolveré a vuestro hijo.

—¿Se puede saber dónde vas? —preguntó Colin con aspereza, asiendo a Storm del brazo cuando ella ya se marchaba.

—Afuera, con sir Hugh —contestó Storm, sofocando un gemido cuando Colin tiró de ella—, para que libere a Tavis.

—No seas tonta, muchacha. ¿De veras crees que es eso lo que quiere Tavis? No, niña, no vamos a negociar. —Storm vio en silencio cómo contestaba Colin—: No, sir Hugh, no hay trato. ¿Lo ves, muchacha? —añadió cuando Tavis meneó las manos atadas para mostrar su acuerdo.

Sir Hugh comenzó a lanzar exabruptos, lleno de furia e incredulidad.

—Dejadme ver a la chica. Puede que no tengáis nada que canjear.

Colin indicó a dos hombres que se adelantaran y desató la cinta que ataba el pelo de Storm.

—Así no le quedará duda de quién eres, niña. Adelante. Deja que te vea y háblale.

Storm ignoraba lo guapa que estaba cuando se apoyó en el parapeto de las almenas, con el luminoso cabello agitado por el viento e iluminado por la luz de las antorchas.

—¿Queríais verme, sir Hugh? —gritó.

—Sí, quería veros —contestó él, mofándose de su tono cortés—. Tengo aquí a vuestro amante, Storm.

—No permitas que se dé cuenta de que te importa, niña —le dijo Colin en voz baja—. Hazte la dura, hija. Hazte la arpía.

—Ya lo veo. ¿Qué tal, Tavis? —preguntó ella tranquilamente, sentándose a horcajadas en el parapeto.

—He tenido momentos mejores, pequeña —respondió Tavis y, al ver la blancura de su pierna recortada contra la muralla añadió—: No te has puesto medias, tontina.

—Puede que se me haya ocurrido incitar a las tropas de sir Hugh a la rebelión —contestó ella, y balanceó lentamente la pierna. La gente de las murallas se rió por lo bajo y Tavis sonrió fugazmente antes de que sir Hugh tirara con furia de la cuerda.

—Salid, Storm, y dejaré que vuestro amante vuelva con su familia sano y salvo.

—¿Y por qué iba a salir, si su propio padre ha dicho que no hay trato? —preguntó ella sin inmutarse—. No quiero irme con vos.

—¿No os importa lo que sea de este semental escocés? —Sir Hugh se negaba a creer que hubiera fracasado, que tener en sus manos al heredero de Caraidland no fuera a servirle de nada.

—Sí, me importa porque es un buen semental, pero aunque me apenará perder, digamos, sus afectos, no es irremplazable. —Cogió a Sholto de la mano y tiró de él para que se colocara a su lado—. Tengo muchos entre los que elegir, sir Hugh. —Sholto la rodeó con el brazo, complaciente—. Superaré su pérdida. —Intentó sofocar la vergüenza que le causaba hablar con tanta crudeza.

—¿Debo creer que la altiva Storm Eldon se ha convertido en la furcia de los escoceses? —bufó sir Hugh, y no se dio cuenta de que Tavis parecía a punto de atacarle, aun teniendo las muñecas atadas—. ¿Ahora te montan todos? —Vos sabéis mucho de esas cosas, sir Hugh. No. Sencillamente, no creo que tenga sentido entregarme a un capón. Sir Hugh adora a los caballos —añadió en un susurro, dirigiéndose a Sholto, que se echó a reír y empezó a juguetear con su pelo.

Sir Hugh apretó los puños y rezongó algo en voz baja antes de gritar:

—Es vuestra última oportunidad, Storm Eldon. Venid conmigo y devolveré a Tavis a su familia. Vos sois el precio de su libertad.

—Ésta es la respuesta a vuestra oferta, sir Hugh —respondió Storm, y, deslizando los brazos alrededor del cuello de Sholto, procedió a besarle, con mucha cooperación por su parte.

Tavis se sorprendió al comprobar que no sentía celos: veía claramente que todo aquello era una pequeña farsa puesta en escena a beneficio de sir Hugh, y no temía que Storm se acostara con su hermano. Sir Hugh parecía al borde de un ataque mientras veía besarse a la pareja en las almenas del castillo, entre los vítores de sus acompañantes. Storm no podría haber elegido mejor modo de convencerle de que no habría trato y de que le importaba muy poco la suerte que corriera su amante.

—Me parece que te tomas el juego demasiado a pecho, granuja —le susurró Storm a Sholto cuando dejaron de besarse.

—Seguid divirtiéndoos, puta —bramó sir Hugh—. Todavía te veré arrastrarte.

—Para alejarme de vos, sir Hugh. Sólo para alejarme de vos.

—Pensad en lo que le estaré haciendo a vuestro amante mientras disfrutáis de vuestro nuevo jinete, zorra.

Storm no vio la mueca de dolor que hizo Sholto cuando le apretó el brazo compulsivamente.

—Yo que vos mantendría a Tavis alejado de lady Mary, sir Hugh, o se dará cuenta de lo poco hombre que sois.

—¿Quieres darme algún consejo, Tavis? —gritó Sholto cuando sir Hugh se alejó hecho una furia, dejando que uno de sus hombres se hiciera cargo de Tavis. Varios ingleses tropezaron, empujándose los unos a los otros al intentar alumbrarle el camino.

—Sí —respondió Tavis mientras se le llevaban—. Si te cansas un poco, deja que sea ella la que cabalgue. Le gusta hacerlo. Y, Sholto, has heredado una boca digna de un rey.

No le sorprendió oír una sarta de maldiciones en irlandés procedente de las almenas, pero no le gustó ver a Storm de pie en el parapeto, lanzándole improperios, por muy hermosa que estuviera allá arriba. Tampoco le gustaba hablar así de ella, pero era necesario para seguir el juego. Storm había adoptado el papel de furcia despiadada ante sir Hugh, y él tenía que comportarse como si lo fuera. Dejó escapar un suspiro de alivio cuando alguien la hizo bajar del parapeto, y se volvió para ver por dónde iba.

Entre las sombras del bosque, al sur de Caraidland, un solitario vigía compartía las risas de los escoceses. Hadden había llegado con facilidad a su puesto de observación. Por aquel lado había pocos guardias: nadie esperaba ya una amenaza desde aquella dirección. Tenía por delante un largo viaje a caballo, pero emprendió el camino con ánimo ligero. Storm estaba a salvo y era evidente que no había peligro de que fueran a entregarla a sir Hugh.

—Dios mío, muchacha, casi se me para el corazón al verte de pie encima de la muralla —dijo Colin, sentado junto a Storm, que de pronto parecía calmada y algo abatida—. Es un milagro que tu padre no tenga el pelo blanco como la nieve, si te comportabas así en Hagaleah. ¿Qué es lo que le has gritado a ese sinvergüenza de mi hijo?

Una débil sonrisa asomó a su cara pálida.

—Digamos que, si mis maldiciones se hacen realidad, será un hombre cambiado. —Cogió a Phelan de la mano cuando su primo fue a sentarse junto a ella—. Sir Hugh pierde la razón cuando monta en cólera.

—Sí, lo sé muy bien, niña. Aun así, estoy seguro de que no matará a mi hijo. Se dejará tentar por un posible rescate. Sé que es un hombre avaricioso, y Tavis es como una moneda que tuviera entre las manos. No va a tirarla. —Tocó el hombro de Storm—. Ve a descansar, hija. Las mujeres tendréis mucho que hacer cuando amanezca.

Al verla marchar con Phelan, Sholto murmuró:

—Tavis tiene mucha suerte.

—Me he dado cuenta de que disfrutabas de ese beso —dijo Colin, riendo—. Tiene una boca muy dulce, supongo.

—Dios mío, esa boca hace que a uno se le derritan los huesos. Entonces, ¿vamos a dejar a Tavis en manos de sir Hugh?

—Debemos hacerlo, muchacho, aunque me pese. Sir Hugh no le matará. Pensará en la posibilidad de cobrar un rescate —se dijo Colin, expresando en voz alta las mismas conclusiones a las que había llegado Tavis—. Estarán esperando que intentemos liberarle, pero no puedo perder a un solo hombre. Puede que mañana, cuando empiece la batalla, Tavis corra menos peligro allí que aquí.

Storm pensaba que Tavis se hallaba en extremo peligro, aunque ella también compartía la opinión de que sir Hugh no le mataría. Mientras bebía cerveza con Maggie y Phelan, se imaginó todo lo que sir Hugh podía hacerle a Tavis. Tal vez no le matara, pero podía hacer que Tavis ansiara la muerte. Por fin se le ocurrió una idea. Tardó en persuadir a Maggie, pero ésta les dio por fin todo lo que necesitaban y hasta les dijo cómo salir de Caraidland sin que les vieran.

Sholto frunció el ceño al ver que una figura menuda corría hacia los establos. Creyendo dormido a Iain, abandonó su puesto para ir a ver qué ocurría. Iain, que sólo tenía los ojos entornados, le vio alejarse y, pasado un momento, le siguió. Él también había visto aquella pequeña figura y sabía que el beso y la atmósfera tensa pero emocionante de la batalla habían acrecentado la admiración que Sholto sentía por la amante de Tavis hasta un punto peligroso. Por la mañana se enfrentarían a una lucha sin cuartel. Quizás, incluso, a la muerte. Iain temía que aquello volviera temerario a Sholto.

Al llegar al fondo de los establos, Storm apartó una trampilla. Daba ésta a un túnel que la conduciría a la parte del bosque de Caraidland que ocupaban los hombres de Hagaleah.

Maggie le había explicado que aquel túnel se usaba para escapar a escondidas durante un asedio o atacar por sorpresa el campamento enemigo. Serviría perfectamente para su propósito.

Sólo al caer de espaldas sobre un montón de paja se dio cuenta de que no estaba sola. Miró a Sholto con los ojos como platos. Él observaba con curiosidad su jubón negro, sus calzas negras y ceñidas y sus suaves botas oscuras. Storm apretaba con nerviosismo un gorro de lana negro y unos guantes del mismo color. Ninguno de los dos vio a Iain entrar en los establos y buscar un escondite desde donde observarlos sin ser visto.

—¿Pensabas ir a alguna parte, muchacha? —preguntó Sholto con sorna y los ojos fijos en sus pechos.

Demasiado alterada para percatarse del deseo de Sholto, ella respondió:

—Sí. Voy a buscar a Tavis.

—No. No puedo permitirlo. —Miró anhelante su hermosa cabellera.

—¿Por qué? ¿Se te ocurre una idea mejor? —contestó ella. Estaba enojada por haberse dejado sorprender, y perdió la diplomacia.

—Sí, se me ocurren algunas, pequeña —dijo él suavemente—, pero no tienen nada que ver con rescatar a Tavis.

Ella reconoció demasiado tarde la expresión de sus ojos color índigo. Dejó escapar un gemido de sorpresa cuando Sholto se echó encima de ella, sobre el heno, y sacó partido de sus labios entreabiertos. Para vergüenza de Storm, su cuerpo reaccionó ante aquel beso. Sholto tenía mucha experiencia y ella era muy vulnerable.

—No, Sholto —gimió mientras él le besaba la garganta. Pero no tenía fuerzas para luchar.

—Sí, Storm.

Encontró los lazos de su jubón y los deshizo rápida y hábilmente. Vio con delectación que ella no llevaba nada debajo. Primero sus ojos y luego sus manos se deslizaron por aquellos pechos perfectos, cuyos pezones endurecidos rozaban sus palmas y demostraban el deseo de Storm. Apartó la mirada de sus pechos y la fijó en sus ojos. Un suspiro tembloroso escapó entre sus dientes al ver el oro batido de sus pupilas, una visión que siempre hacía zozobrar a Tavis. Había en ellas, sin embargo, algo más que deseo: había desesperación.

—No lo hagas —le suplicó ella en voz baja al tiempo que se arqueaba contra él en respuesta a sus caricias.

—Tú me deseas —respondió Sholto ásperamente, y con los pulgares excitó sus tensos pezones hasta que Storm dejó escapar un gemido—. Tu cuerpo me lo dice de mil modos distintos. —Desabrochó las calzas de Storm.

—Mi cuerpo está bien adiestrado. Grita que sí, pero mi corazón y mi mente gritan lo contrario.

—Tu corazón y tu mente no me interesan —gruñó él al tiempo que besaba sus pechos con avidez.

Storm estuvo a punto de sucumbir bajo una oleada de deseo indiscriminado. Iain sintió lástima por ella. Sabía que tenía las emociones a flor de piel y que era vulnerable. El hombre al que amaba, y estaba seguro de que amaba a Tavis, corría grave peligro. Su amado nunca le había hablado de amor. Storm se hallaba en medio de una batalla, en poder de sus enemigos ancestrales mientras un contrincante nuevo y más peligroso acechaba fuera. Estaba sola: sus parientes y amigos habían muerto. No era justo que Sholto se aprovechara de su extrema debilidad, y sin embargo Iain lo entendía. Al día siguiente podían morir. Sholto quería saborear una sola vez cuanto hasta entonces había admirado desde lejos. Él mismo había sentido aquel impulso, pero lo había ocultado. Se ocuparía de que Sholto dominara su deseo, pero no podía intervenir aún. Era preferible que lo resolvieran entre ellos.

—No, Sholto, por favor —jadeó Storm cuando él deslizó la mano dentro de sus calzas para acariciar lo que sólo había conocido Tavis—. No quiero. No quiero —insistió, pero su voz sonaba enronquecida por el deseo.

Sholto levantó la cabeza de los pechos que había estado saboreando y la miró. Con una mano apartó el pelo de su cara. Con la otra, siguió acariciando su sexo.

—Tu boca dice que no, pero esto... —La sintió retorcerse bajo sus caricias tiernas y seductoras—. Esto dice que sí. Está caliente y listo para un hombre.

Ella intentó apartar la mano que la atormentaba, pero al agarrar su brazo sus dedos se negaron a tirar; sólo se aferraron a él.

—Es sólo que no consigo dominarme. Hay tantas cosas que me angustian, tantas cosas que me debilitan... No te aproveches de eso. Haz caso a mis palabras, no a mi cuerpo, que me traiciona. Esto está mal.

Sholto tomó su cara entre las manos, se colocó entre sus muslos y se frotó contra ella con una urgencia sutil que la hizo temblar.

—¿Sí? ¿Notas lo que me haces? ¿Está mal que quiera satisfacerme? Te deseo y quiero saciar ese anhelo antes de que amanezca el que podría ser mi último día.

—Eso no es justo —susurró ella—. Primero juegas con mis pasiones y ahora con mi compasión.

—Pequeña, haría cualquier cosa por meterme ahí dentro. Él no te quiere —dijo, y de pronto comprendió que no era cierto.

—Lo sé.

—No se casará contigo. Cuando llegue el momento y haya que elegir, te mandará de vuelta a Inglaterra.

—Eso también lo sé.

—Entonces, ¿por qué, muchacha? ¿Por qué negar nuestros deseos? ¿Por qué privarnos del placer que podemos compartir?

Le costó no llorar, pero contestó con voz débil:

—Quiero a Tavis.

Sholto se quedó muy quieto, mirándola. Luego, con un gruñido, se dejó caer sobre ella, escondió la cara entre sus pechos y cerró los puños a ambos lados de su cabeza. Storm se quedó quieta un momento, esperando a ver qué hacía él. Luego se removió un poco bajo su peso.

—Por los clavos de Cristo, mujer —dijo Sholto con voz ronca—. No te muevas. Quédate quieta como un muerto. Si te mueves, volveré a perder el control.

Storm se quedó tan quieta que casi se olvidó de respirar. Sholto tardó un momento en ponerse de rodillas y empezar a atar los lazos de su jubón. Estaba pálido y demacrado, y Storm sintió pena y remordimientos. Si no hubiera respondido a sus caricias, Sholto no estaría sufriendo los rigores del deseo insatisfecho.

—Después te habrías odiado —dijo en voz baja cuando Sholto se apartó y se tumbó de lado, junto a ella.

—Lo sé. En este momento no tengo muy buena opinión de mí mismo. —Respiró hondo—. Lo siento, muchacha.

—No es nada, Sholto —murmuró ella sinceramente mientras remetía su cabello bajo el gorro—. Phelan está al llegar.

—¿Sí? —Sholto se sentó—. No vas a salir de Caraidland, muchacha.

—Sí voy a salir. Phelan y yo vamos a traer a Tavis.

—Eso es absurdo. No va a pasarle nada. Sir Hugh no le matará. Puede cobrar un buen rescate por él.

—Sí. Estoy segura de que le mantendrá con vida para cobrar el rescate. O, al menos, hasta que esté seguro de su victoria. Pero no es eso lo que temo. Tú no conoces a ese hombre como le conozco yo.

—Sé que es un malnacido capaz de pegar a una mujer hasta casi matarla y que tiene por compañera a una furcia sin moral. —Cogió los guantes de Storm antes de que ella pudiera ponérselos—. Pero Tavis puede aguantar una paliza, pequeña.

—Estoy segura de que sí, aunque preferiría que no tuviera que demostrarlo. Tampoco es eso lo que temo. Sir Hugh quiere mi fortuna, pero creo que todo esto se debe también a que le rechacé. Está furioso conmigo. Le enfurece que otro hombre haya tenido lo que él considera suyo. Y que Tavis le humillara aquel día. Cuando monta en cólera, sir Hugh se vuelve loco. Y disfruta infligiendo dolor. A lady Mary y a él les excita hacer daño a los demás. Hasta tal punto que hicieron el amor a mi lado cuando dejaron de pegarme.

—No —musitó Sholto, y aflojó la mano, de modo que Storm pudo recuperar sus guantes.

—Sí. Hay otra cosa que debes saber sobre sir Hugh. Cuando desea a una mujer y ella le dice que no y se entrega a otro, no se limita a dar una paliza a su rival en amores. Sí, puede que Tavis regrese vivo, pero es muy posible que a su vuelta ya no sea un hombre completo. Sir Hugh castiga a quienes poseen lo que desea despojándoles de su virilidad. Lo ha hecho en dos ocasiones, que yo sepa. Eso significa lo que dijo al marcharse. Y sabía que yo entendería su amenaza.

—Dices eso para que te deje ir —repuso Sholto, pero el relato de Storm le había afectado profundamente.

—No. Lo que dice es la pura verdad —dijo Phelan, y todos se sobresaltaron, pues ni siquiera Iain le había oído entrar—. Es un método que funciona. Los hombres miran para otro lado cuando se le antojan sus mujeres, y las mujeres dicen siempre que sí.

—Puede que ya sea demasiado tarde —dijo Sholto, casi sin voz.

—Creo que aún hay tiempo, porque lady Mary es incapaz de privarse de un hombre como Tavis. Querrá utilizarle antes de que sir Hugh le despoje de su virilidad. Quizás hasta le prometa perdonarle si su actuación la satisface.

Sholto se frotó la cara con las manos.

—¿Cómo pueden salvarle una chica y un niño?

—Escabullirnos se nos da muy bien. No has oído llegar a Phelan, ¿verdad?

—No, pero no esperaba a nadie. Los ingleses, en cambio, estarán esperando una partida de rescate.

—Sí, pero quizá no desde Hagaleah. Si usamos este túnel, los rodearemos y nos acercaremos desde el sur. Además, estarán esperando soldados, no a dos críos.

—Esto no me gusta. Mi padre ha dicho que no habría trato. No quiere que caigas en manos de ese inglés.

—Pero espera que sir Hugh cumpla las normas que rigen el rescate de rehenes, y no las cumplirá. Debo ir, Sholto. Tienes que entenderlo.

—Sí, lo entiendo, pero eso no significa que tenga que gustarme.

—No debéis perder más fuerzas, así que no podéis mandar hombres armados. Los matarían, si los atraparan. A Phelan y a mí no nos matarán. Además, nosotros no servimos de gran cosa en la defensa de Caraidland. Aunque nos atrapen, puedo intentar liberar a Tavis amenazando con quitarme la vida antes de que Hugh se case conmigo y se apodere de mi fortuna.

—¿Vais armados? —preguntó Sholto, y todos comprendieron que estaba dando la razón a Storm.

Phelan levantó dos gruesos garrotes.

—*Shillelaghs*. No pongas esa cara. Sabemos usarlos.

—Sí. Sabemos cómo y dónde golpear a un hombre para que quede inconsciente sin apenas un gruñido. —Storm sacó una daga corta y recta de doble filo—. Un *skain*. Un antiguo puñal irlandés. Era de mi madre. También sé cómo usarlo. Me enseñó mi padre. Y también sé cómo convencer a un hombre de que estoy dispuesta a utilizarlo. No te preocupes por nosotros.

—Empiezo a no preocuparme. Ve, pues, muchacha, y ten cuidado. Me aseguraré de que nuestra guardia no os corte el paso cuando regreséis. ¿Qué hacéis ahora? —preguntó al ver que empezaban a pintarse la cara con carbonilla.

—Es para asegurarnos de que nuestras cara blancas no nos delaten. —Storm abrió la trampilla del túnel.

—¿Quién te ha contado lo del túnel? —Sholto vio que Phelan encendía una linterna tapada.

—Eso da igual. Juramos no decírselo a nadie, así que no tiene importancia.

Sholto la cogió de la mano cuando Storm se disponía a seguir a Phelan al interior del túnel. Dudaba ya de que el plan fuera sensato. Pero, haciendo a un lado sus dudas, le dio un sentido beso y sonrió al ver que se sonrojaba.

—Era un beso de buena suerte, muchacha. Cerraré la trampilla, pero no la atrancaré. Adelante.

Un momento después de cerrar la trampilla, Sholto oyó que alguien se acercaba. Levantó la vista, sobresaltado, y vio a Iain. Con una sensación de congoja, comprendió que su hermano lo había presenciado todo.

—Si alguien puede conseguirlo, son el chico y ella, aunque sólo sea por pura cabezonería. ¿Por qué has desistido?

Sholto se sonrojó un poco, consciente de a qué se refería Iain.

—Por tres palabras.

—¿Cuáles?

—«Quiero a Tavis». En ese momento comprendí que estaba cometiendo un error. Ella se habría sentido avergonzada y dolida, y yo no quiero eso, aunque bien sabe Dios que la deseo.

Iain le agarró del hombro con aire comprensivo.

—Sí. A mí me ocurre lo mismo.

—En fin, volvamos a nuestros puestos. —Sholto se levantó—. No voy a pegar ojo hasta que regresen.

Storm se estremecía mientras avanzaban por el angosto y oscuro túnel. Era húmedo y mohoso, y estaba cubierto de telarañas. Se alegraba de que la escasa luz no le permitiera ver las cosas que escapaban corriendo a su paso.

Salieron por el lindero del bosque, al sur de Caraidland. La entrada del túnel estaba disimulada con astucia, pero no le preocupaba no encontrarla al volver. Phelan y ella emprendieron el camino hacia el campamento dando un rodeo.

Cuando oían ya claramente los ruidos del campamento, tuvieron el primer tropiezo. Había un hombre vigilando, y aunque parecía tomarse con tranquilidad su cometido, estaba alerta. Se hallaba, además, en un lugar en el que sería difícil golpearle. Storm hizo una seña a Phelan y, confiando en que su primo la entendiera, se puso su gorro y avanzó con descaro.

El guardia miró boquiabierto aquella aparición. Pese a que ella llevaba la cara tiznada e iba vestida de hombre, se dio cuenta enseguida de que se trataba de una joven muy bonita. Llevaba poco tiempo en Hagaleah y no reconoció a la hija de lord Eldon. Avanzó hacia ella con la espada en alto.

—¿Quién eres?

—Nadie que importe. Sólo quiero escapar de la batalla.

—Tira las armas.

—No llevo ninguna. ¿Quieres que te lo demuestre?

Con seductora lentitud comenzó a desatarse el jubón y luego las calzas, y vio con calma cómo la lujuria cegaba al guardia. Las prendas cayeron al suelo, dejando al descubierto su piel resplandeciente. Storm comprendió, sin embargo, que no bastaría con aquello. Tragándose su vergüenza, desnudo lentamente sus pechos. El guardia dejó escapar un gemido gutural, soltó la espada y se lanzó hacia ella. Storm cayó al suelo con un golpe sordo que la dejó sin aliento. Un instante después, se libró de aquel peso. Phelan, que había entendido su seña, dejó inconsciente al guardia y lo apartó de ella.

Storm volvió a remeterse el pelo bajo el gorro de lana mientras veía a su primo atar y amordazar al soldado.

—Espero que no haya más.

—Sí. —Phelan recogió su garrote—. Vamos a buscar a Tavis.

—Quiera Dios que lleguemos a tiempo.

19

Tavis rezaba fervientemente por que alguien acudiera en su auxilio. No esperaba que los de Caraidland enviaran una partida de rescate, pero deseaba que así fuera. Por un instante deseó incluso que se hubiera efectuado el canje. Pero fue sólo un instante, pues nada podía inducirle a dejar a Storm en manos del hombre que tenía delante de sí. Ni siquiera el miedo a la amenaza que acababa de hace sir Hugh.

Aturdido aún por los latigazos, con los brazos atados a sendos postes, había mirado a sir Hugh con desprecio cuando el inglés se colocó ante él. Había pensado que iba a desatarle, aunque sólo fuera para dejarle descansar antes de propinarle otra paliza. Pero todos sus músculos se habían contraído al ver el cuchillo que sir Hugh sostenía junto a su entrepierna. Un sudor frío brotaba de su piel y las heridas le escocían, pero luchó por no parecer asustado mientras seguía mirando la dulce sonrisa de sir Hugh.

—No hay duda de que es un crimen que un escocés de poca monta posea a una mujer como Storm Eldon —reflexionó sir Hugh en voz alta—. ¿Sabéis acaso qué sangre corre por las venas de esa mujer?

—No. No era eso lo que me interesaba. —Tavis hizo una mueca para sus adentros al sentir la presión del cuchillo.

—Este arrogante amiguito ha estado jugueteando con una de las reses de mejor casta de toda Inglaterra.

—Y se lo ha pasado en grande.

Esta vez, sir Hugh le hizo un corte en la pierna y Tavis se tragó su pánico.

—No es de extrañar. El linaje de los pequeños Eldon se remonta al Conquistador, a los reyes sajones y los monarcas de Irlanda. Es una mezcla demasiado rica para que la disfrute un escocés. ¿Qué demonios haces tú aquí, Mary? —gruñó cuando una mujer apareció a su lado.

Tavis observó a la célebre lady Mary Eldon y no vio en ella nada que le agradara. Era muy bella, sí, y poseía un cuerpo que cualquier hombre desearía, pero sus ojos dejaban entrever su alma inmunda. Tavis vio que le quitaba el cuchillo a sir Hugh y empezaba a cortar sus ataduras. Su proximidad le ponía enfermo, pero logró ocultarlo. Estaba seguro de que, cuando se enfurecía, era tan peligrosa o más que sir Hugh.

—Tu jueguecitos pueden esperar un rato. —Mientras dos guardias ataban rápidamente las manos de Tavis, ella ronroneó—: Te necesito. Deja que el escocés piense un rato en la suerte que va a correr.

Tavis fue conducido al límite del campamento y oyó que sir Hugh bramaba:

—A mí no me engañas. Sé por qué quieres retrasar su castigo. ¿Es que nunca te has acostado con un escocés?

Mientras le conducía hacia su tienda, Mary contestó:

—No, pero pienso hacerlo antes de que se haga de día.

Desde donde le colocaron, Tavis veía claramente el interior de la tienda. La entrada estaba apartada del resto del campamento, con la cortina subida para dejar que entrara el aire fresco. Tavis tuvo la sensación de que hacía falta. Dentro había casi una docena de personas, casi todas ellas desnudas. Los hombres doblaban en número a las mujeres. Al principio, colocado a su pesar en el papel de mirón, Tavis sintió un arrebato de deseo al ver que una mujer de piel morena se quitaba la bata, se arrodillaba ante un hermoso joven, recostado sobre unos cojines, y empezaba a darle placer con la boca. Pero su deseo se disipó cuando el dúo se convirtió en trío y luego en cuarteto, hasta formar una auténtica maraña de cuerpos desnudos.

—Sí, pierde pronto su atractivo —masculló el guardia que había a su lado, y Tavis asintió con la cabeza.

Pasado un rato, lady Mary, ataviada con una túnica casi transparente, se acercó y se arrodilló ante él con mirada ansiosa. Tavis era todo un hombre, y le enfurecía que Storm hubiera gozado de aquel amante. Pensaba probar su destreza y su virilidad antes de que sir Hugh acabara con ellas. Se pasó la lengua por los labios con avidez, mostrando sus ansias de saborear su cuerpo delgado y musculoso. Ignoraba que alguien la observaba desde las sombras del bosque y que, de no ser porque Phelan detuvo a Storm, ésta la habría matado.

Posó una mano sobre el miembro de Tavis y ronroneó:

—Veo que el caballero está descansando, de momento.

—Sólo saluda a las damas —contestó Tavis con frialdad, y dio un respingo cuando la caricia de lady Mary se convirtió en un dolor agudo.

—Deberíais tener cuidado, escocés. Puede que yo sea vuestra única oportunidad de salvar a vuestro pobre amiguito. Venid conmigo y dejad que os enseñe cómo se porta una mujer de verdad. Sólo habéis probado a una niña incapaz de apreciar el valor de un semental como vos. Venid a mi tienda para que os enseñe lo que es el verdadero placer.

—Preferiría derramar mi semilla dentro de un hombre. —Tavis no pudo ocultar su dolor cuando ella cerró el puño. Doblándose por la cintura, sofocó un gemido.

—Idiota. —Mary se levantó bruscamente, enfurecida por su rechazo verbal y físico, pues su mano experta no había conseguido hacerle reaccionar—. Tenéis hasta una hora antes del amanecer para cambiar de idea. Si seguís negándoos, afilaré encantada el cuchillo que usará sir Hugh para convertiros en un capón, y me encargaré de que el corte no sea limpio y rápido, sino lento y poco a poco, hasta que no quede nada. Pensadlo, patán escocés.

Durante un rato, Tavis sólo pudo pensar en el dolor de sus genitales. Rodó un momento por el suelo, doblado sobre sí mismo, y se recostó luego contra un árbol, con la frente pegada a la áspera corteza. Algo le hizo abrir los párpados. Por un instante, creyó vislumbrar unos ojos ambarinos. Cuando el guardia se agachó para ofrecerle un trago de cerveza, Tavis temió estar volviéndose loco. Pero las siguientes palabras del guardia disiparon ese temor.

—Muchacha, no deberíais estar tan cerca de sir Hugh. Marchaos con el chico enseguida.

Storm miró a Matthew, salió despacio de entre los matorrales y se escondió tras el árbol.

—¿Cómo te has dado cuenta, Matthew?

—El chico y tú sois los únicos seres humanos que conozco que tienen los ojos de un gato.

—¿Quién ha sido el imbécil que os ha dejado salir de Caraidland? ¿Y se puede saber qué lleváis en la cara? —siseó Tavis.

—Cuánta gratitud. Es ceniza, para ocultar nuestra piel blanca. Hemos venido a sacarte de aquí.

—Primero tendréis que golpearme con esos garrotes, muchacha. No puedo estar despierto, si él se marcha.

—Eso me temía. —Ella comenzó a cortar las cuerdas que ataban las muñecas de Tavis, oculta tras el corpachón de Matthew.

—Me apené mucho al saber la suerte que habían corrido tu familia y los Foster.

A pesar de sus esfuerzos, una lágrima se deslizó por la mejilla manchada de Storm.

—Gracias, Matthew. Ya está, Tavis.

Él se frotó las muñecas entumecidas lo más discretamente que pudo y dijo:

—Esto es una locura, pequeña. Se darán cuenta enseguida de que he huido. Márchate ahora mismo, amor.

—No confías en mi inteligencia, ¿verdad, Tavis? Lo tengo todo pensado. —Cogió el haz de juncos envueltos que Phelan le tendía—. Esto está muy oscuro. Los juncos servirán para engañarlos un rato. Usaré esta cuerda embreada para atar a Matthew al árbol. Así parecerá que está vigilando. —Puso en práctica lo que decía con la colaboración de Matthew, y Tavis la miró cada vez con mayor admiración—. Mi plan funcionará aún mejor gracias a Matthew —añadió con modestia—. Perdóname, Matthew —murmuró, y le dio un beso en la mejilla antes de golpearle, dejándole inconsciente sin hacer ningún ruido.

Cambiaron a Tavis por el haz de juncos rápida y limpiamente. Un instante después, corrían los tres por el bosque, camino de Caraidland. El recuerdo del destino que le aguardaba en manos de sir Hugh daba fuerzas a Tavis, pese a que tenía la espalda y los genitales doloridos. Lanzó una mirada al guardia atado y amordazado cuando pasaron a su lado y sacudió la cabeza. Storm y el pequeño Phelan formaban una pareja asombrosa.

La densa hojarasca que cubría el suelo del bosque hizo posible que no dejaran huella alguna, y se alegraron de ello cuando empezaron a oír ruidos de persecución. Si tenían suerte, llegarían al túnel antes de que les vieran. Tavis no preguntó por qué sabían que había un túnel cuando se lanzaron los tres hacia él y atrancaron la trampilla a su espalda. Sólo pensaba que estaba libre. Libre y entero.

Colin miraba con severidad al grupo reunido a la mesa, colocada en uno de los pocos lugares despejados que quedaban en el gran salón. No había sabido lo que ocurría hasta que estalló un tumulto en el campamento de sir Hugh. Iain y Sholto corrieron a los establos mientras los guardias de la parte sur de las murallas se aprestaban para el ataque. Aunque se alegraba, como todos los demás, de que el audaz rescate de su heredero hubiera tenido éxito, y más aún después de haber sido informado de los horrendos planes que sir Hugh tenía para Tavis, se creía en la obligación de reprocharles su desobediencia.

—Me parece que dije que no haríamos ningún intento de rescatarle —gruñó, mirándolos a todos con enojo.

—Pero, mi señor, esa orden no nos atañía a Phelan y a mí.

Colin miró aquellos dos pares de ojos grandes y desprovistos de culpa y aquellas dos caras sorprendentemente candorosas, aunque mugrientas, y rompió a reír. Los demás se unieron a él. Azorada, Storm se halló convertida en el centro de todas las miradas. Y lo que era aún peor: Phelan comenzó a relatar con todo detalle cómo habían logrado acallar a la guardia. Sholto alivió en parte su tensión proponiendo que usaran la misma estratagema con todo el ejército de sir Hugh cuando comenzara el ataque, al amanecer. Las risas que desató su propuesta hicieron que Storm olvidara muy pronto su azoramiento.

Tavis se percató de pronto de que el tiempo pasaba velozmente. Pronto tendría que volver a las murallas para luchar contra sir Hugh. Eran muy pocos. Dudaba de que pudieran resistir mucho tiempo. Y sabía cómo quería pasar el tiempo que quedaba hasta que se hiciera de día. Seguía escociéndole la espalda, pero ello no parecía sofocar el deseo que de pronto se había apoderado de él. Cogió a Storm de la mano, se excusó y la llevó a toda prisa a sus aposentos.

Sholto suspiró mientras miraba el suave contoneo de las caderas de Storm y el movimiento rítmico de su larga cabellera cuando salió del salón acompañada de Tavis. Se había refrenado para no hacerle el amor, pero no había dejado de desearlo. La mala conciencia por lo que había hecho y aún deseaba hacer le atormentaba. Iain volvió a llenarle la jarra, sonriente. Sholto se rió de mala gana y procuró vaciarla.

Tumbado de lado, vestido únicamente con sus calzas, Tavis veía lavarse a Storm. Ella lo había arriesgado todo para acudir en su auxilio. Tavis ansiaba de pronto saber por qué. Quería saber qué sentía exactamente por él. Se maldijo por necio y se recordó que no tenía gran cosa que ofrecerle a cambio, pero ninguna de las dos cosas sirvió para sofocar aquel anhelo.

—Storm... —dijo suavemente.

—¿Sí, Tavis? —Ella se acercó a la cama y le miró.

—Te has arriesgado mucho yendo a rescatarme. —Alargó el brazo y se puso a juguetear con un mechón de su pelo.

—No podía dejarte en manos de sir Hugh. Verás, entendí perfectamente la amenaza que hizo al marcharse.

—No me avergüenza reconocer que he pasado un mal rato. He podido ver cómo se comportan. Fue un milagro que escaparas intacta de todo eso.

—¿Intacta, Tavis? ¿Es así como estoy? —preguntó ella en voz baja.

—Sí, pequeña. Da igual lo que yo haya hecho, lo mucho que haya gozado de ti.

—También ha sido un placer para mí, Tavis —murmuró ella y, alargando el brazo, comenzó a acariciarle el pecho.

—Quítate la ropa, *m'eudail* —ordenó él con voz baja y densa—. No, no te sonrojes. Deja a un lado tu pudor esta noche, o lo que queda de ella. Puede que sea la última —dijo casi para sí mismo.

Storm cayó de rodillas y le tapó la boca con dedos temblorosos.

—No digas eso, Tavis.

Él vio que sus ojos se llenaban de lágrimas y enjugó una con un dedo.

—Entonces, ¿llorarías por mí, muchacha?

—Sí, Tavis. Muchísimo.

Tavis se preguntó por qué aquello hacía que afrontar el alba le pareciera más fácil, y la besó suavemente.

—Desnúdate para mí, Storm. Ponte de pie y muéstrame tu cuerpo con descaro sólo por esta vez.

Ella se levantó despacio.

—Voy a ponerme de pie, pero no creo que sea capaz de hacerlo con mucho descaro —bromeó con nerviosismo.

Tavis sonrió, consciente de cuánto tenía que luchar ella contra su pudor innato para satisfacer su petición. El hecho de que lo hiciera por él le causó un enorme placer. Pero su placer cambió de rumbo cuando Storm se despojó de la ropa. La luz del fuego y de las velas brillaba sobre su piel. Tavis pensó que era muy hermosa. Cuando al fin estuvo desnuda ante él, contempló con ansia sus pechos grandes y altos, su estrecha cintura y sus esbeltas caderas, demorándose en sus sitios predilectos. Alargó los brazos y siguió aquel mismo camino con la mano.

—Santo cielo, pequeña, qué hermosa eres. No es de extrañar que ese hombre se volviera loco cuando le enseñaste esto. —Tocó sus pechos sin apartar los ojos de los de ella—. Caben tan bien en las manos, y sus pezones se endurecen tan rápidamente, como si te suplicaran que los pruebes, que pases la lengua por ellos... Tu piel es como la seda —añadió mientras su mano seguía deslizándose hacia abajo por el cuerpo de Storm—. Es una caricia. Tus caderas son suavemente redondeadas y tus muslos delgados, pero capaces de ceñirse tan bien a uno que te vuelven loco. Y esto, estos rizos cobrizos y sedosos, son las puertas del cielo. Esconden un refugio por el que cualquier hombre mataría. Desvísteme, pequeña, y acógeme en el calor de tu cuerpo.

Sus manos, sus ojos y su voz aterciopelada excitaron a Storm hasta tal punto que se olvidó de su desnudez. Le temblaban las manos cuando desabrochó las calzas de Tavis y temió que le flaquearan las rodillas mientras la mano de él seguía deslizándose por su cuerpo. Cuando estuvo desnudo, Tavis la tumbó en la cama. Storm empezaba a preguntarse cómo iban a arreglárselas cuando él la hizo ceñirle la cintura con una pierna y la penetró, apoderándose al mismo tiempo de su boca con ansia.

Cabalgaron hacia la cúspide lenta y deliciosamente, y volvieron a cabalgar una y otra vez, hasta que el sueño les privó del deseo. Tavis se quedó dormido encima de ella, con la cabeza apoyada sobre sus pechos. Storm tenía una pierna flexionada y apoyada en su cadera, y le abrazaba con fuerza, incluso dormida, con la mejilla apoyada en su pelo. El cuerpo de Tavis era lo único que la cubría.

Iain y Sholto entraron sin hacer ruido en la habitación, al no obtener respuesta. Miraron ambos a la pareja tumbada en la cama y desearon hallarse en tan dulce refugio. Habían pasado lo que quedaba de noche envueltos en una manta. Ninguna mujer dulce y amorosa había aliviado la espera del alba.

—A Tavis se le va a helar el trasero —susurró Sholto al acercarse lentamente a la cama.

Iain se rió suavemente.

—Puede que lo tenga recalentado.

Tavis abrió un ojo y miró a sus hermanos.

—A estas horas las bromas son casi un sacrilegio. —Hizo una mueca cuando Storm murmuró su nombre en sueños y le acarició la pierna con el pie, al tiempo que su mano se posaba sobre sus riñones—. Si os dais la vuelta un momento, me levanto.

—Sospecho que ya se te ha levantado —murmuró Sholto mientras se daban la vuelta. Iain, por su parte, se echó a reír.

Tavis gruñó porque era cierto y se desprendió cuidadosamente del abrazo de Storm. Ella se volvió de lado, dormida aún pese al ruido. Ello demostraba lo cansada que estaba. Aunque hubiera tenido tiempo, Tavis no habría tenido valor para despertarla sólo para satisfacer de nuevo su deseo.

—Ya podéis daros la vuelta —les dijo a sus hermanos mientras recogía sus calzas.

—No sé para qué me he molestado, si sólo iba a verte a ti. —A Sholto le brillaron los ojos al ver la prueba evidente del deseo que Tavis sentía por su dama dormida—. Eres un avaricioso, ¿no te parece? —Se rió al ver la cara de fastidio de Tavis.

—Sí —contestó éste, y acarició con ternura el pelo enmarañado de Storm antes de dirigirse bruscamente hacia la puerta—. ¿Alguna señal de que el enemigo prepare un nuevo ataque? —preguntó mientras bajaban las escaleras.

—El ruido de sus preparativos se oye claramente en medio del silencio del amanecer —contestó Iain.

—Maldita sea. Somos tan pocos... En fin, puede que la suerte nos acompañe y que la ayuda llegue a tiempo —dijo Tavis, dando voz a las esperanzas de todos cuantos vivían aún dentro de las murallas de Caraidland.

Lord Eldon miraba ceñudo la oscuridad, en dirección al castillo asediado de Caraidland. No le había hecho gracia mandar al joven Hadden a reconocer el terreno, pero no había candidato mejor para aquella misión. Ya fuera por pericia o por pura suerte, Hadden tenía el don de acercarse a tiro de piedra del enemigo, de observar y marcharse sin ser visto. Cuando su sobrino entró por fin en el campamento, lord Eldon estaba tan ansioso por saber qué ocurría que casi le arrancó de la silla.

—¿Qué está pasando en Caraidland? —preguntó cuando se sentaron a beber sidra alrededor de una hoguera.

—Están luchando con gallardía, teniendo en cuenta que sólo cuentan con la mitad de sus tropas. Preferiría no admirar a los MacLagan, pero ahora mismo no me queda otro remedio. Hugh no parece tener prisa. No ha hecho ningún intento de asaltar el castillo. Está minando poco a poco las fuerzas de los escoceses.

—¿Y crees que su estrategia está teniendo éxito? —preguntó lord Foster.

—Sí. Anoche fueron las mujeres las que vigilaron desde las almenas.

—Lo que significa que MacLagan no tiene hombres para sustituir a los que han caído, ni para ocupar el lugar de los que estén cansados para que recuperen fuerzas. Todas sus tropas están en las murallas. —Eldon sacudió la cabeza—. Sin hombres, puede que tengan que refugiarse en la torre del homenaje y dejar las murallas en manos del enemigo.

Hadden asintió con la cabeza.

—Si no se dispersan demasiado, los hombres de Hugh podrán escalar la muralla. Puede que Hugh lo intente mañana. —Bebió un largo trago antes de añadir—: He visto a Storm.

—¿En las murallas? —preguntó Eldon, no muy sorprendido—. ¿No la han entregado a Hugh?

—No, y creo que no debe preocuparos que lo hagan. Mientras vigilaba, Hugh se acercó a parlamentar. Parece que alguien intentó salir en busca de ayuda y le atraparon. Hugh quería canjearle por Storm.

Eldon levantó las cejas.

—¿Y MacLagan rechazó el trato?

—Sí. Hugh se llevó una buena sorpresa, porque, veréis, su prisionero era el heredero de MacLagan, Tavis MacLagan en persona.

Entre quienes escuchaban a Hadden, lord Eldon fue el único que no se quedó boquiabierto, aunque le costó algún esfuerzo.

—Ese muchacho dijo que le habían tomado cariño, pero esto supera todas nuestras esperanzas. Puede que eso explique que estuviera en las murallas.

—Es posible, porque la hicieron salir para dejarle claro a Hugh que le importaba muy poco la suerte que corriera su... —Hadden se detuvo bruscamente al darse cuenta de lo que había estado a punto de decir.

—Amante —concluyó lord Eldon, siseando entre dientes—. Soy consciente del lugar que ocupa mi hija en Caraidland. ¿Cómo se tomó ese tal Tavis que se negaran a rescatarle?

—Saltaba a la vista que aprobaba completamente la decisión de su padre. Levantó las dos manos para mostrar su acuerdo. Hugh le llevaba sujeto con una cuerda. Storm le puso furioso al negarse a salir.

—Le convenció de que no le importaba lo más mínimo la suerte que corriera Tavis MacLagan, ¿verdad?

—Sí, Andrew. —Hadden sonrió—. Estaba guapísima, sentada a horcajadas en el parapeto, con el pelo suelto al viento. Tavis la regañó por no llevar medias y ella contestó que esperaba animar a la rebelión a las tropas de Hugh. —Se alegró al ver que Eldon se reía—. Hugh dijo que todavía la vería arrastrarse y ella replicó: «Sólo para alejarme de vos».

—¿Cómo convenció a Hugh de que no le importaba lo que fuera de Tavis MacLagan? —preguntó Eldon.

Hadden pareció resistirse a contarlo, pero la mirada de su tío le animó a decir:

—Le convenció de que ya tenía sustituto para él. Besó a otro de los hijos de MacLagan delante de todo el mundo mientras los escoceses la vitoreaban. Sir Hugh se volvió casi loco de rabia. Se marchó hecho una furia a su campamento, donde le esperaba lady Mary.

—¿Viste a mi querida esposa? —Eldon concentró su rabia y su frustración en la persona a la que consideraba responsable de las desgracias de su hija.

—Sí. Había montado una tienda enorme y estaba... bueno... —Hadden se encogió de hombros, muy colorado.

—Matando el tiempo refocilándose como una puta —dijo lord Eldon sucintamente—. No hace falta que te andes con rodeos, muchacho. ¿Y sus hombres?

—No pude verlos bien. Sir Hugh tenía un ejército considerable. Y parece que lady Mary también ha comprado uno a base de dinero. Reconocí a algunos de vuestros antiguos guardias. Puede que un cuarto, o quizás un tercio, se pasen a nuestro bando. Seguís siendo su señor feudal, y no creo que a todos les agrade quienes han ocupado vuestro puesto durante un tiempo.

—Confiemos en que sea un tercio, porque somos pocos. Descansa un poco, muchacho. Lo has hecho muy bien.

Cuando los hombres más jóvenes se levantaron, Andrew se detuvo para preguntar:

—¿Y Storm? ¿Has pensado en ella y en Tavis MacLagan?

—Hay poco que decir, hijo mío. Lo que ha contado Hadden demuestra que la protegen de sir Hugh, que haría mucho más que deshonrarla. ¿Qué es su virtud comparada con su vida? ¿Acaso no se quedó sin defensores? Cuando se deniega un rescate, las leyes que rigen el cautiverio quedan invalidadas. He decidido actuar conforme a lo que ella diga o haga.

Andrew frunció el ceño, algo confuso.

—¿Qué quieres decir?

—Que no haré nada a no ser que ella lo desee. Ha vivido con esa gente muchos meses y lo único que la convierte en prisionera y no en miembro del clan es el hecho de que la vigilan de cerca. Tomar las armas contra los MacLagan podría hacer sufrir a Storm mucho más que todo cuanto le han hecho los escoceses. Si clama venganza, la tendrá. Si no, empiezo a pensar que la llevaré a Hagaleah y dejaré que todo esto se olvide. Al defenderla de Hugh le han concedido la vida, a cambio de su virtud. Para mí, que soy su padre y la quiero, es un trato bastante justo.

—Yo también prefiero que esté viva a que conserve su virginidad pero esté muerta. Prefiero verla seducida y soltera a verla casada con un hombre capaz de violarla y golpearla. Buenas noches, padre.

Después de que los demás se marcharan, lord Foster observó a Eldon, que se había quedado pensativo.

—¿Habláis con el corazón o decís simplemente lo que desearíais o lo que pensáis que deberíais desear? —Lo digo de todo corazón. Valoro la vida de mi hija mucho más que su virtud, incluso que su honor o el mío propio. Me anima a ello la idea de que Storm no haya sido maltratada. Si vuelve a mí herida en cuerpo o alma, atravesaré a ese canalla con mi espada.

20

Tavis levantó la vista de la espada que estaba afilando y entornó los ojos al ver una expresión de vergüenza y mala conciencia en el hermoso rostro de su hermano Sholto. De pronto vio a Sholto y a Storm besándose en las murallas y se quedó frío. Deseaba en parte huir de la confesión que adivinaba en los labios de Sholto, escapar del dolor que le causaría, pero otra parte de su ser exigía una explicación.

—No me resulta fácil decirte esto, Tavis, pero, en vista de que uno se enfrenta a la muerte cada vez que empuña una espada, tengo que decírtelo. Quiero sacarme esa pena del corazón.

—Adelante. —Tavis cerró la mano sobre la empuñadura de la espada hasta que se le transparentaron los nudillos.

—Por las barbas de Cristo. —Sholto miró a su alrededor un momento; luego volvió a fijar los ojos en su hermano—. Intenté acostarme con tu mujer, Tavis.

—¿Lo intentaste? —El frío empezó a abandonar sus huesos.

—Sí. Lo intenté. Es una muchacha fogosa, y no peco de vanidoso si digo que sé cómo excitar a una mujer, pero ella no dejó de decir que no en ningún momento. Tenía razón al decir que me odiaría a mí mismo. Me odio, y ni siquiera conseguí lo que iba buscando. No es que fuera a buscarla en cuanto te marchaste, pero la deseaba tanto que no me importó que fuera tuya.

Tavis se levantó, envainó su espada y miró a Sholto.

—¿Le brillaron los ojos?

—Como oro líquido.

Tavis le agarró del hombro.

—Si viste esos ojos, no sé cómo pudiste refrenarte.

—No fue fácil —contestó Sholto con vehemencia.

Tavis esbozó una sonrisa y dijo:

—Pudiste poseerla y no lo hiciste. No tiene importancia.

—¿Te habría importado, si lo hubiera hecho? —preguntó Sholto por curiosidad, consciente de que había sido perdonado.

—Sí. Podrías haberte acostado con Katerine delante de mis narices y no me habría molestado, pero... —Se encogió de hombros porque no entendía sus sentimientos—. Storm es mía. Así es como lo veo.

—Tuya hasta que te canses de ella o vuelva a Hagaleah.

Tavis asintió secamente con la cabeza. No le gustaba pararse a pensar en aquello. Sholto lo notó y no hizo más preguntas.

Se disponían a subir a las almenas cuando Storm apareció corriendo hacia ellos. Tavis vio que los ojos de su hermano brillaban con un ansia apenas reprimida, y la estrechó con evidente fiereza cuando Storm se lanzó en sus brazos.

—Te marchaste de puntillas, sin decir una palabra —murmuró ella, intentando ocultar sus lágrimas.

—Ah, entonces habrías preferido que diera zapatazos —contestó él, muy serio, aunque sus ojos se reían, brillantes.

—Tu sentido del humor se me escapa —contestó Storm con sorna, pero luego dejó de bromear y le abrazó con fuerza—. Mándame con sir Hugh, Tavis, y pon fin a todo esto. Ésta es mi guerra, no la tuya.

Él apoyó la barbilla sobre su cabeza.

—No, pequeña —dijo—. Ese hombre ha tomado las armas contra Caraidland, sea cual sea el motivo. Ésta guerra también es la nuestra. Aquí todos saben que fuiste tú quien salvó la vida a mi padre, y saben también lo que piensa hacer contigo ese canalla. No tenemos costumbre de mostrar nuestra gratitud entregando a nuestros amigos a una muerte segura. No tienes familia, y lady Mary te dejó en mis manos. Lo que es mío, es mío hasta el fin. Si tengo que empuñar la espada para defenderlo, lo haré.

Ella se aferró a la espalda de su camisa y luchó por no dar voz a las palabras que se agolpaban en su boca. No estaba bien mandar a un hombre a la batalla entre lágrimas y expresiones de temor por su vida. Una mujer debía ser valiente, comportarse como si estuviera segura de que su hombre volvería con vida. Sintió que Tavis le acariciaba el pelo y se esforzó por sofocar su miedo. Cuando él no la viera podría llorar y retorcerse las manos tanto como quisiera. Le miró.

—Bueno, nadie podrá decir que no lo intenté. Eres muy terco, MacLagan.

—En efecto, inglesa mía. Y tú también. Tan terca como largos son los días de verano, así que quiero que me prometas algo ahora mismo. No saldrás a entregarte a ese hombre. Júramelo, muchacha. —Arqueó una ceja al ver que ella apretaba los labios—. Os ataré a ti y a ese primo tuyo a un barril, si es necesario. Júrame que te quedarás dentro de estas murallas y no harás ninguna tontería.

—Te lo juro —murmuró ella—. Pero eres injusto. No tiene gracia que me conozcas tan bien. Tenía planeado...

—Sí, lo sé. Atiende a los heridos, pequeña. Ellos son los que de verdad te necesitan. No hace falta que te arrojes a la refriega como en un antiguo sacrificio. Ahora, márchate. Me espera la batalla.

Acercó los labios a los de Storm y ella hundió las manos entre su pelo y se apoderó de su boca en un beso que contenía todo su amor. Por fin le soltó y pegó la mejilla a la suya. De pronto le parecía importante que él supiera lo que sentía. En momentos como aquél, el orgullo resultaba insignificante.

—Eres el sol de mi mundo, Tavis MacLagan. Sin ti, todo se volvería frío y oscuro. Te quiero.

Se desasió de sus brazos, que él, en su asombro, había aflojado. Sholto, que miraba a su hermano con visible desconcierto, se sorprendió cuando Storm le dio un breve beso en la boca. Storm desapareció entonces en el castillo a toda prisa. No quería quedarse a presenciar la discusión que podía desatar su impulsiva confesión. Eso, con suerte, vendría después.

—¿Qué te ha dicho Storm? Parece que te hubieran dado un hachazo.

—Nada, Sholto —contestó Tavis, desprendiéndose de su asombro. Y sin embargo descubrió que se resistía a creer sus propias palabras—. Sólo palabras dulces para que luche con más ímpetu y la batalla acabe cuanto antes, devolviéndome a su lado. No significaban nada más que eso.

—¿Estás seguro? —Sholto imaginaba claramente lo que le había dicho Storm.

—Sí. Dice esas cosas porque sabe a lo que debo enfrentarme. —Echó a andar hacia las almenas—. Más vale que nos demos prisa, antes de que empiecen sin nosotros.

En las murallas de Caraidland reinaba una calma tensa. Los hombres observaban cómo se agrupaban las tropas de sir Hugh, intentando adivinar su estrategia. Todos sabían que les faltaban fuerzas, que tenían las probabilidades en contra y que muy bien podían perder la batalla. Pero, pese a todo, afrontaban la jornada con valor, dispuestos a luchar hasta el último hombre. Para conquistar Caraidland, sir Hugh tendría que pagar un precio muy alto.

Tavis tenía los ojos fijos en los hombres de sir Hugh, pero pensaba en Storm. Quería que sus palabras fueran ciertas, deseaba que estuviera unida a él por aquel vínculo. No era sólo que ella pudiera encender su sangre con una simple mirada y apagar luego su fuego de la forma más satisfactoria que había conocido nunca. Nunca le habían gustado tantas cosas en una mujer, desde el color de sus ojos a la independencia de su carácter. Nunca, desde lo ocurrido con Mary, había pensado en sentar la cabeza, en casarse y tener familia. Si Storm sentía de veras lo que había dicho y no había pretendido únicamente darle ánimos para encarar la batalla, todo aquello sería posible. Estaba seguro de que no corría ningún riesgo uniéndose a ella, pues sabía que, si Storm le amaba de veras, jamás tendría que preocuparse por otro hombre.

Se obligó a concentrarse en la batalla que afrontaba. En momentos como aquél, una distracción podía resultar fatal. Deseaba menos que nunca morir. Tenía demasiadas cosas por las que vivir, demasiadas cosas que aún no había dicho. Debía quedarle tiempo para explicarse con Storm, para hablarle de algo más que de lo mucho que deseaba su cuerpo.

Sir Hugh montó en su corcel ante la mirada de lady Mary. A medida que se acercaba la hora de la batalla, ella sentía arder cada vez más su sangre. A veces deseaba ser un hombre para tomar parte en la lucha. Sin embargo, se conformaba con el placer que le producía contemplar la batalla. Podía quedarse a distancia prudencial y deleitarse viendo a los hombres librar una lucha a vida o muerte, regodearse en la violencia y la muerte que se desplegaban ante sus ojos. Sentía después un voraz apetito carnal que, en ausencia de su marido, era libre de satisfacer como se le antojara. Antaño, la necesidad de guardar las apariencias había frenado severamente su creatividad.

—Mátalos a todos, Hugh —dijo con frialdad.

Aunque eso era lo que sir Hugh planeaba con deleite, le molestó que ella se lo ordenara.

—Pensaba ofrecerles una última oportunidad de rendirse. Es costumbre hacerlo.

—Pues hazlo. Dirán que no. Lo sé. Y aunque digan que sí, ¿te detendrás? Si algo he aprendido en este maldito país es que los ingleses que viven aquí sienten que es su deber sagrado masacrar a los escoceses. Nadie te lo reprochará, si eso es lo que temes.

—No me importa lo que piensen los demás. —La miró con el ceño fruncido—. Pero en la guerra hay reglas que cumplir, Mary. Sea lo que sea en lo que me haya convertido, soy un caballero. —No se atrevía a ofrecer la rendición para luego, si los escoceses aceptaban sus condiciones, asesinarlos sin previo aviso.

—Son escoceses. No hace falta tratarlos con honor. Tengo la impresión de que sigues esas reglas o las abandonas según te conviene. Se trata de los MacLagan, de esos bandidos de la frontera. A esa escoria no se la trata con honor. Si libras al mundo de la maldición de su existencia, serás considerado un héroe. Nadie cuestionará lo que hayas hecho.

»Los quiero muertos, Hugh. Quiero ese horrendo montón de piedras asolado hasta los cimientos. No son más que una espina en mi costado. Estoy harta de intentar librarme de ellos. Me han robado y pienso recuperar todo lo que me quitaron. A mí me parece un pago justo.

»¿Acaso has olvidado cómo te trataron? ¿Has olvidado aquella ignominiosa vuelta a Hagaleah y cómo se rieron todos a tu costa? ¿Olvidas que te robaron ese hermoso y carísimo potro que acababas de comprar? Y te robaron también la yegua, y no hablo de una de cuatro patas, sino de Storm. Tavis MacLagan monta a tu yegua. Puede incluso que la haya dejado preñada. Reteniéndola a ella, retiene también tu fortuna, y las tierras que tanto ansías y que nunca han sido tuyas. Ellos también se ríen de ti. ¿Cuánto desdén has de soportar antes de vengarte, como es tu obligación?

—Ya basta —gruñó él—. Cállate de una vez, mujer. Has conseguido lo que te proponías. Aunque tenga que sacarlos de Caraidland valiéndome de una traición, los mataré a todos. Este día marcará el fin de los MacLagan, esos arrogantes que sólo nos han dado problemas. Su sangre teñirá de rojo estas tierras.

Lady Mary sonrió mientras sir Hugh se alejaba. Dentro de poco, los MacLagan no volverán a molestarla. No dudaba de quién conseguiría la victoria. Hugh era un guerrero consumado y los MacLagan carecían de fuerzas suficientes. Había visto a las mujeres en las almenas, vigilando de noche, y sabía lo que eso significaba. Los hombres que aún quedaban en Caraidland estaban agotados y no tenían esperanzas de descansar, a no ser que derrotaran a sir Hugh. Sus fuerzas, en cambio, estaban descansadas y alerta. Al sentarse en su carreta entoldada, se preguntó si la batalla inminente duraría lo suficiente como para agitar sus pasiones. Si Caraidland caía enseguida se llevaría una decepción, aunque ello fuera lo más conveniente. Contaba, sin embargo, con que la obstinación y la pericia de los MacLagan le procurara un espectáculo gratificante antes de cantar la victoria que tanto ansiaba.

Storm observaba a las mujeres y los niños reunidos en el salón. Mientras aguardaban el inicio de la batalla, la tensión era casi palpable. Todos se esforzaban por ocultar el miedo y la inquietud que sentían por sus seres queridos, enfrentados al ejército que sir Hugh había llevado hasta las puertas de Caraidland. Hasta los niños guardaban silencio. Para Storm, aquélla era una escena dolorosamente familiar. Lo mismo sucedía en Hagaleah antes de una batalla. Parecía que, a ambos lados de la frontera, a las mujeres les tocaba esperar y confiar en que sus hombres, fueran amantes o familiares, volvieran vivos.

En este caso, sabía que los temores tenían raíces más profundas que las de costumbre. Aquella batalla iba a librarse en el umbral mismo del hogar de aquellas gentes. Ponía en peligro a los niños, a los inocentes y los débiles. Ahora debían contemplar con sus propios ojos el horror de la batalla, oír cada ruido mientras los hombres luchaban por matarse los unos a los otros.

—No puedo soportarlo. Tengo que detener esto —susurró, e hizo amago de levantarse.

Maggie la agarró del brazo y la obligó a seguir sentada en el banco que compartían.

—No puedes detenerlo. Las espadas ya han sido desenvainadas. Ya se ha derramado sangre.

—No puedo quedarme aquí sentada y dejar que se vierta sangre por mi causa. No merezco que nadie muera por mí.

—Bueno, sospecho que hay quienes te llevarían la contraria en eso, pero ya no se trata sólo de ti, muchacha. Creo que en realidad nunca se ha tratado sólo de ti. Formas parte de esto, claro. No puedo decir lo contrario. Pero también luchamos por Caraidland y contra un hombre que merece morir.

—Pero Caraidland podría caer —musitó ella—. Todo esto podría ser destruido.

—Sí. Lo sabemos. Sólo disponemos de la mitad de nuestros hombres y están cansados. Nos hemos enfrentado otras veces a ese enemigo y Dios no dejó vivir. Puede que vuelva a mostrarse generoso con nosotros. Debemos rezar para que así sea.

—He estado rezando, pero no me ha servido para acallar mis miedos.

—Niña, ese hombre no piensa detenerse aunque te dejemos marchar. Tú lo sabes tan bien como nosotros. Todas hemos oído hablar a nuestros hombres. Teniendo tantas cosas en contra, te entregarían si supieran que así nos salvaríamos, que de ese modo nuestros niños y nuestras mujeres no correrían peligro. Pero saben que no sería así. Nos matarán a todos, si pueden, y a ti también, aunque más despacio.

Storm se estremeció y cerró los ojos. Sabía que lo que Maggie había dicho era cierto. Entregarse a sir Hugh no pondría fin a la guerra. Había intentando encontrar una solución fácil, un modo rápido de atajar lo que sabía iba a ocurrir, una forma de impedir el sufrimiento y la pérdida de vidas. Pero aunque seguía siendo la manzana de la discordia, ya no era la única razón de aquella batalla. Tal vez nunca lo había sido.

—Sir Hugh ofrecerá una última oportunidad de rendición —dijo, desanimada, aferrándose a una última esperanza.

—Sí, lo hará. Es la costumbre.

—Pero su oferta será rechazada. —Suspiró, porque sabía que así sería.

—Sí. No hay honor en la rendición.

—Pero hay vida.

—¿De veras lo crees?

Storm le sostuvo un momento la mirada. Luego apartó los ojos. No soportaba leer la verdad en los ojos de Maggie, ver en ellos lo que ya sabía. Ansiaba negar aquella certeza, pero no podía.

—No —musitó por fin—. No, no lo creo en realidad.

—Bien. Porque no sirve de nada intentar engañarse, niña. Ahora, no. Afrontar la verdad te dará fuerzas para seguir adelante.

—Supongo que es la verdad lo que me retuerce tanto las tripas que temo ponerme enferma.

—Conozco bien esa sensación, niña. La noto siempre que mi Angus se va a luchar, y ahora es peor aún, porque también mis hijos se enfrentan a la muerte. —Sacudió la cabeza al ver que Storm palidecía—. No, muchacha, no es culpa tuya. Quiero que sepas que no te culpo, que nunca te culparé, pase lo que pase. Es a sir Hugh Sedgeway a quien maldeciré eternamente si alguno de los míos cae bajo la espada. A él y sólo a él.

»Niña, las dos sabemos que ese hombre quiere muertos a todos los MacLagan. Sea lo que sea su ofrecimiento, no cumplirá su palabra, a menos que ofrezca la muerte. Sólo intenta que depongamos las armas para poder matarnos como a ovejas. No permitiremos que eso ocurra. Si Dios quiere vernos muertos, caeremos luchando hasta el último niño. A sir Hugh la victoria le saldrá muy cara. Ojalá esa bestia sea el primero en morir.

—Eso sería un regalo del cielo. Me siento tan dividida, Maggie... Tengo amigos a ambos lados de estas murallas. Algunos de los antiguos guardias de mi padre han seguido a Hugh a regañadientes. Son soldados y han de ir donde se les ordena, les guste o no.

—Lo sé. Nuestro señor es un buen hombre, pero podría haber sido como sir Hugh. Y mi Angus habría tenido que seguirle igualmente. Está unido a Caraidland. No conoce otra cosa. Ni yo tampoco. ¡Ah, muchacha! ¡Cuánto me gustaría que tu padre estuviera ahí fuera! Jamás pensé que diría tal cosa.

Una débil sonrisa curvó los labios de Storm.

—Creo que más de un MacLagan ha dicho lo mismo.

—Sí. Lord Eldon era un hombre en el que se podía confiar. Su palabra era sagrada y jamás mataba a un inocente, a un hombre desarmado. Pero a ese hombre sólo le importa su propio pellejo y no cumple su palabra. Pero, en fin, lo que sea, será. No debemos temer lo que es voluntad de Dios.

—Es más fácil decirlo que hacerlo.

—Pues sigue intentándolo, muchacha. Así encontrarás un poco de paz.

Storm contempló a las mujeres y los niños reunidos a su alrededor. Sentía que Maggie hablaba por todos ellos. Nadie le había dedicado una palabra o una mirada de reproche. Todos se aprestaban para la batalla en silencio. Sin decir nada, pero con firmeza, la contaban entre los suyos, como si fuera una mujer cualquiera que hacía lo que podía por ayudar a los hombres que pronto estarían luchando. Se preguntaba cuántos de ellos sabían que ella también temía perder a un ser querido, que en realidad no rezaba por ninguno de los ingleses que aguardaban más allá de las murallas de Caraidland, sino por un escocés alto y moreno que se alzaba sobre sus almenas y afrontaba con valor lo que le deparara la suerte.

Hizo una mueca para sus adentros e intentó concentrarse en el ungüento que estaba mezclando. No le habría sorprendido descubrir que todas las mujeres del castillo sabían lo que sentía por Tavis. El amor era una emoción que la mayoría de las mujeres reconocía fácilmente en las de su propio sexo. Ni siquiera le habría sorprendido descubrir que se habían dado cuenta de lo que sentía incluso antes que ella.

Se preguntó fugazmente qué pensaría Tavis de lo que le había dicho. ¿La creía? ¿Su confesión le había hecho feliz o le había abrumado? ¿Se estaría preguntando qué sentía por ella en realidad, o si había algún futuro para ellos?

Una maldición resonó suavemente en su cabeza. Se dijo que no debía ser tan idiota. Tavis estaba en las murallas de Caraidland, vigilando al ejército enemigo, el doble de grande que el suyo. No tenía tiempo para pensar en las palabras que le había susurrado. Había vidas en la balanza. Tal vez se acercaba el fin de los MacLagan y de Caraidland. No podía detenerse a pensar en lo que dijera o hiciera una mujercita. Incluso ella se daba cuenta de que, en aquel momento de sus vidas, lo que ella sintiera por él o lo que Tavis sintiera por ella carecía de importancia.

Se esforzó por no pensar en él, al menos constantemente. Sólo conseguía acrecentar su miedo. Nada podía impedir que temiera por su vida, que se preocupara por lo que Tavis debía afrontar, pero sabía que era hora de concentrarse en otras cosas. Muy pronto habría trabajo que hacer, gente a la que atender. Tenía que dejar de distraerse o les fallaría; no lograría sobrellevar su parte de carga.

Hablaremos después de la batalla, se dijo. *Tienen que ganar los MacLagan. Papá, si estás mirando, sé que comprenderás por qué deseo que venzan nuestros enemigos. Me tragué mi orgullo y le dije lo que siento, papá. No podía permitir que siguiera siendo un secreto cuando la muerte nos mira a la cara. Espero que entiendas otra cosa, papá. Le he suplicado a Dios que deje vivir a Tavis, aunque no me quiera lo más mínimo. Necesito que viva mucho más de lo que necesito que me quiera. Pero papá... Si las cosas salen mal y Hugh hace lo que todos tememos, si borra de la faz de la tierra al clan de los MacLagan, ayúdame, por favor. Hugh me querrá con vida y dentro de mí está creciendo un nuevo MacLagan, una esperanza para el porvenir del clan y una parte del hombre al que amo. Ayúdame a mantener vivo al bebé, papá. Te lo suplico.*

21

—MacLagan, ¿me oís?

Colin miró desde lo alto a sir Hugh, que, flanqueado por dos hombres de armas, se había adelantado a caballo, portando una bandera que indicaba que deseaba parlamentar.

—Sí. ¿Venís a rendiros?

Hugh farfulló algo, indignado.

—No es momento para bromas, imbécil. ¿Os rendís?

—No, perro inglés. Caraidland no se rendirá jamás.

—Entonces caerá. Mirad a vuestro alrededor. ¿Acaso podéis negar lo que ven vuestros ojos? Tengo muchos hombres, muchos más que vos. Casi el doble.

—Entonces estamos igualados.

—¡Idiota! —gritó sir Hugh—. ¿Pensáis sentenciar a todo vuestro clan por una sola muchacha? ¿Acaso merece la pena perder Caraidland y ver destruido vuestro clan por la ramera de vuestro hijo? Entregádmela y respetaré la vida de vuestra gente. No me obliguéis a derramar la sangre de los vuestros por culpa de una zorra inglesa.

—La única sangre que correrá hoy será la de los ingleses.

—Asolaré el castillo delante de vuestras narices, maldito imbécil.

—Entonces dejad de ladrar, perro, y poneos manos a la obra.

—Hoy moriréis, MacLagan. Vos y todo vuestro clan, el resto de esa panda de ladrones. —Arrojó al suelo la bandera blanca y la pisoteó antes de regresar al galope junto a su ejército.

—Ese hombre no sabe dominar su mal genio, ¿eh? —Colin sonrió a sus hijos, que estaban a su lado, mientras sir Hugh volvía con sus hombres y empezaba a gritar órdenes—. No tiene el ingenio del viejo Eldon. Ése sí que sabía cómo blandir la palabra.

Sholto se rió y sacudió la cabeza.

—Hablas como si le echaras de menos.

—Y así es. En esta vida es raro encontrarse con hombres como Roden Eldon. Uno sabía que podía fiarse de su palabra. Eldon jamás habría matado a un inocente, no como ese malnacido. Habría preferido renunciar a la victoria antes que levantar la espada contra personas desarmadas, contra mujeres y niños. Con Eldon, uno siempre sabía a qué atenerse. Si tomaba rehenes, podías confiar en que los trataría bien. Sólo tenías que preocuparte del rescate y de cómo reunirlo. Sí, voy a echarle de menos. Podía confiar en ese inglés y respetarle mucho más de lo que confiaba en algunos de mis parientes.

—Sí, era un buen enemigo —dijo Iain—. Ah, ese canalla empieza a moverse.

—Pero ¿será un ataque en toda regla? —Esta vez creo que sí, Tavis —contestó Colin mientras los ingleses entonaban sus gritos de guerra y comenzaban a moverse en masa, ganando velocidad a medida que avanzaban.

Los ingleses atacaron bajo una mortífera lluvia de flechas. El tiempo se desdibujó para los escoceses que se esforzaban por cortarles el paso e impedir que abrieran brecha en los muros de Caraidland. Apenas tenían hombres para defender las murallas y todos sabían que, si sus enemigos escalaban, perderían la batalla que seguiría. Podían refugiarse en la torre del homenaje, pero ello equivaldría a admitir su derrota, y ninguno de ellos quería hacerlo. Por otro lado, su retirada acercaría al enemigo a las mujeres y los niños.

Tavis caminaba por los parapetos, observando la batalla desde todos los ángulos posibles. No hacía falta que animara a sus hombres. Todos sabían que luchaban no sólo por su vida, sino también por el porvenir de su clan. Nadie dudaba de que sir Hugh cumpliría sus amenazas. Sabían que cualquier oferta de clemencia o rendición sería falsa; que sir Hugh sólo pretendía engañarles para que depusieran las armas. Todos sabían cómo era aquel hombre; sabían que no podían confiar en él ni aunque jurara por lo más sagrado. Mentía como un bellaco redomado.

Tavis llegó a un punto de la muralla en el que había un hombre muerto y otro malherido. No había allí nadie que empujara la escala enemiga, a pesar de que el herido se esforzaba valerosamente por levantarse y apartarla de la muralla. Tavis agarró la escala en el instante en que el primer inglés alcanzaba su cúspide e intentaba desesperadamente impedir que la empujara.

Al empezar a empujarla, Tavis miró a los ojos a aquel hombre y deseó no haberlo hecho. Leyó en ellos el miedo que abrigaban casi todos ellos: el miedo a caer. El hombre miró a la muerte cara a cara y no pudo hacer nada, salvo esperar a que su cuerpo se estrellara contra el suelo. Tavis sintió que algo en su interior se retorcía de horror al pensar en lo que estaba a punto de hacer.

—Tienes dos segundos para acercarte al suelo —gruñó al tiempo que se preguntaba qué locura se había apoderado de él, por qué daba a sus enemigos la oportunidad de sobrevivir.

El soldado parpadeó, se quedó boquiabierto de asombro y luego empezó a bajar precipitadamente por la escala. Gritó a los otros que se dieran prisa en bajar. Le obedecieron y Tavis comenzó a apartar la escalera de la muralla. Cuando le pareció que estaban a distancia prudencial del suelo, la empujó y la vio caer, junto con los pocos hombres que todavía se aferraban a ella. Notó que no hacían intento de levantarla, ni de acercar otra a la pared.

—¿Por qué has hecho eso?

Tavis miró al joven herido y frunció el ceño.

—No lo sé. He mirado a la cara a ese hombre y... —Sacudió la cabeza—. No lo sé. He visto su miedo y...

El joven asintió antes de que Tavis concluyera su explicación entrecortada.

—No hay que mirarlos. No es como empuñar una espada con el ansia de sangre de las venas. Jamás hay que mirar. Sólo empujar. —Cerró los ojos y dejó escapar un suave gemido.

Tavis llamó a voces a unos cuantos hombres para que cubrieran aquel hueco en la muralla. Cogiendo al joven herido por debajo de los brazos, lo llevó al salón. Al entrar estuvo a punto de gritar de frustración. Había demasiados heridos. Sabía que pronto habría más huecos en la muralla que hombres capaces de rellenarlos.

Storm supo que había llegado otro herido y corrió a hacerle un camastro con lo único que les quedaba: una manta. No se dio cuenta de que era Tavis quien sostenía al herido hasta que, tras tender la manta, levantó la vista para ver si podía ayudar a tumbar a aquel muchacho. Devoró un instante con la mirada su rostro manchado y su alma se regocijó al comprobar que estaba sano y salvo. Pasó un instante más antes de que se diera cuenta de que el joven herido era el prometido de Jeanne.

—¿Cómo van las cosas? —le preguntó a Tavis tras llamar a Jeanne y empezar a cortar el jubón manchado de sangre que llevaba el joven Robbie.

—Es difícil saberlo —respondió él con fatigada sinceridad—. Hay muchos heridos, y las escalas siguen chocando contra nuestras murallas.

—Pero sir Hugh no ha subido por ninguna.

—No. Ese canalla dirige a sus hombres desde lejos, a caballo. No dejo de pensar que, si pudiéramos matar a ese hijo de perra, esto se acabaría.

—Sí, lo mismo creo yo, y puede que él también lo sepa. Tal vez por eso no se acerca. —Hizo una mueca. Detestaba decir algo que pareciera, aunque fuera remotamente, un cumplido hacia sir Hugh—. Es escoria, pero nunca me ha parecido un cobarde.

—No, yo tampoco creo que lo sea. Pero le importan muy poco las vidas de sus hombres. Sigue lanzándolos contra nuestras murallas. Pero, en fin, debería dar gracias por que no tenga armamento para causarle un número mayor de bajas. —Sacudió la cabeza cuando llegó Jeanne y Storm dejó que fuera ella quien se ocupara de Robbie—. Resistimos, pero nada más.

—Con eso basta, ¿no? —Storm se colocó frente a él. Estaba tan preocupada como Tavis por su posible derrota.

—Sí, si podemos seguir resistiendo, pero... —Miró de nuevo a los muchos heridos, pocos de los cuales podrían volver rápidamente a la batalla—. Me temo que pronto habrá más lugares vulnerables en la muralla que hombres para guarnecerlos.

—Si me entrego... —comenzó a decir ella, confiando todavía en que hubiera un modo de poner fin a aquello.

—No. —Tavis la agarró suavemente los hombros—. No, pequeña. Ya no se trata de ti y todos lo sabemos. Incluso tú. Sir Hugh quiere acabar con el clan. Cuando gritó que asolaría Caraidland ante los ojos de mi padre, que nos mataría a todos, no era una bravuconada. No, no era una amenaza vana. Decía la verdad, una verdad que todos sabemos que cumplirá. Porque, tal vez por primera vez en su vida, sir Hugh hablaba sinceramente. Aunque hubiéramos cometido la estupidez de aceptar sus condiciones, nos habría asesinado a todos. Tú eres la única a la que quiere mantener con vida. Luchamos por nuestra vida, por la supervivencia del clan.

»¿Sabes una cosa? Durante un tiempo me culpé por todo esto. Si te hubiera dejado en paz, tal vez nada de esto habría ocurrido. Pero no, sé que no habría sido así. Habríamos vuelto a saquear Hagaleah y sir Hugh se habría presentado ante nuestras puertas. Es mejor que haya venido por una linda muchacha que por un puñado de vacas o unas cuantas yeguas.

—Creo que está loco.

—Puede que lo esté, o casi. Puede que lo estén los dos, él y lady Mary. Ella también es de las que exigen una venganza de ese tipo. Debo volver a las murallas. —La abrazó sin importarle que les vieran, aunque de todos modos la gente que ocupaba el salón estaba tan ocupada que no les prestaba atención—. Dilo otra vez, Storm. —La besó y susurró—: Dilo otra vez. Me he dado cuenta de que anhelaba oír esas palabras.

Ella se puso muy colorada, pero fue incapaz de negarse.

—Te quiero —dijo en voz baja—. Te querré hasta que el sol deje de salir por las mañanas, y más allá aún.

Tavis no dijo nada. Se limitó a besarla con vehemencia y se marchó. Storm se quedó mirándole. Se preguntaba si aquello significaba simplemente que le gustaba oírla hablar de amor. Sacudiendo la cabeza, volvió a la triste tarea de atender a los heridos que seguían llegando al salón. De momento tendría que conformarse con saber que su confesión no le había alejado de ella, como temía. Más tarde (y se negaba a pensar que tal vez nunca llegara ese momento), averiguaría qué significaba para ella el hecho de que le hubieran gustado sus palabras de amor.

El sol estaba casi en su cénit cuando sir Hugh gritó a sus tropas que se retiraran. Los de Caraidland tuvieron el tiempo justo para descansar. Tavis se dejó caer al suelo, donde estaba. El aire olía a sangre y a muerte. Notó que él olía igual. Cuando Phelan se detuvo a su lado para ofrecerle agua, se echó un cacillo por la cabeza antes de beber un largo trago.

—Va a haber muchas viudas y muchos huérfanos en Hagaleah —dijo Phelan en voz baja cuando, al mirar por encima del parapeto, vio el campo lleno de muertos y agonizantes.

—Sí. Éste es un modo muy costoso de hacer la guerra, un sangriento derroche de buenos soldados. Los asaltantes han de sacrificar muchas vidas para conseguir que uno solo suba a las murallas. Por eso Eldon siempre prefirió luchar en campo abierto. No veía a sus hombres como simples dianas para las flechas y las espadas de los escoceses. Él jamás habría desperdiciado tantas vidas.

—No. Se preocupaba incluso por el bienestar de los campesinos más pobres. —Phelan sonrió con tristeza—. A pesar de lo mucho que gritaba y que maldecía, me apena no haber podido conocerle mejor.

—Sí. Era el mejor de los enemigos.

—Y sir Hugh es el peor.

—Sí, muchacho. El peor. Su palabra no es digna ni de escupirle encima. Sería capaz de matar a los niños en el pecho de sus madres sin darle mayor importancia. Me pregunto quién fue el necio que le armó caballero.

—Le salvó la vida a un hombre importante. Creo que no hubo alternativa. Había que recompensarle de algún modo.

—Cierto. Esas cosas no pueden pasarse por alto. Estaría mal, mucho peor que armar caballero a un hombre como sir Hugh.

—¿Puede vencernos sir Hugh? —preguntó Phelan en voz baja.

—Me temo que sí, muchacho. Nos preparamos para buscar refugio en la torre, para rendir la muralla exterior y la explanada. Algunos de los pequeños han salido por el túnel, pero no nos hemos atrevido a sacarlos a todos, o les habrían visto y les habríamos perdido. No podemos resistir muchos más ataques. Hay muchos heridos, pero gracias a Dios aún hay pocos muertos. —Hizo una mueca—. Tal vez fuera preferible que murieran en las murallas. Si Caraidland cae, creo que sir Hugh nos matará a todos sin piedad.

—Sí —musitó Phelan—. A sir Hugh le gusta torturar. A los hombres de lord Eldon les repugna, pero no pueden hacer gran cosa, porque sir Hugh y lady Mary son quienes mandan. Además, cada uno de ellos tiene su propia guardia, que les ayuda a mantener el poder y cumple sus órdenes. ¿No hay noticias del resto de vuestras tropas?

—No, ninguna. Adelante, muchacho. Lleva agua a los hombres. Ahora todo está en manos de Dios.

Sir Hugh bebió un largo trago del vino que le sirvió lady Mary. Tenía calor y estaba cansado. No quería otra cosa que quitarse la ropa y la pesada armadura y darse un baño. Hacía demasiado calor para librar una batalla; especialmente, una tan larga. Los MacLagan habían aguantado mucho más de lo que creía. Y él había perdido más hombres de los previstos. Cada vez le costaba más lanzar a su ejército contra las murallas de Caraidland. Los vivos vacilaban cada vez más, a medida que se amontonaban los muertos. Se resistían a afrontar lo que parecía una muerte segura, sobre todo teniendo en cuenta que de momento no parecían estar consiguiendo nada.

Ni siquiera el miedo al castigo que sufriría quien desobedeciera sus órdenes bastaba para que las cumplieran. Consciente de que el espíritu de la rebelión cundía entre sus tropas, se había rodeado de su guardia personal. Habría deseado poder echar un vistazo dentro de las murallas, para ver cómo iban las cosas en Caraidland. De momento, sólo podía conjeturar dónde flaqueaban las defensas y confiar en abrir brecha en las murallas antes de que sus hombres se amotinaran.

—Estás tardando mucho en derrotar a los MacLagan.

Él miró con enfado a lady Mary.

—¿Quieres intentarlo tú, mi señora? —No creo que lo hiciera peor.

—No se puede seducir a los escoceses desde las murallas.

—Hugh, eres muy aburrido.

—Tú cíñete a lo que conoces, ¿me oyes? El asesinato y las artes de alcoba —siseó—. No sabes nada de la guerra, nunca lo has sabido. Lo único que sabes es que hace que te derritas de deseo. Pero ese inmenso montón de piedras no es sólo un lugar para comer y dormir. Fue construido con arte y habilidad para resistir un ataque como éste.

—Pues prueba otro tipo de ataque.

—Sólo hay dos: éste o un asedio. ¿Quieres pasar meses enteros aquí?

—No harían falta meses para doblegarlos. —Miró a su alrededor con evidente repugnancia.

—Sí, mi señora, harían falta. Sufriríamos nosotros más que ellos, porque estaríamos aquí fuera en pleno invierno. Te aseguro que tienen comida y agua de sobra dentro de esos malditos muros. No sé cuánta, ni sé cuánto podrían aguantar. Pero cuanto más tiempo pasemos aquí, más probabilidades hay de que aparezca el resto de sus tropas. Y eso hay que evitarlo.

Lady Mary tuvo que admitir, muy a su pesar, que sir Hugh tenía razón. Había olvidado que los MacLagan sólo contaban con la mitad de sus huestes, que la otra mitad estaba en Athdara y podía regresar en cualquier momento. Era cierto que sabía poco de la guerra y de los diversos modos de luchar, pero decidió aprender lo antes posible. Nunca más volvería a despreciarla un hombre como acababa de hacer sir Hugh. No lo permitiría. Aquello la despojaba de parte de su poder.

—Intenta que no mueran todas nuestras tropas en el asalto a las murallas —dijo con aspereza antes de regresar a su carreta entoldada.

Sir Hugh maldijo ferozmente mientras la veía alejarse. Era consciente de que había puesto de manifiesto una debilidad de lady Mary, y sabía muy bien lo que ella sentiría al respecto. Hasta que pudiera aplacarla, tendría que vigilarla de cerca y comer con sumo cuidado. Lady Mary podía decidir librarse de él, aunque sólo fuera por despecho.

Sir Hugh miró con rabia hacia Caraidland. El castillo y sus defensores estaban demostrando ser mucho más fuertes de lo que creía. Había perdido muchos hombres y la victoria aún quedaba lejos. Si seguía perdiendo tropas al mismo ritmo, pronto perdería su ventaja inicial. Esperaría un tiempo y volvería a intentarlo. Que los de Caraidland cobraran conciencia de su propio agotamiento. Sin el efecto estimulante de la batalla, pronto se darían cuenta de lo cansados que estaban; y sir Hugh no tenía ninguna duda de que lo estaban. Luego, volvería a atacar. Si tenía suerte y elegía bien el momento, Caraidland caería rápidamente, porque sus defensores no tendrían fuerzas para rechazarle.

Tras sopesar un rato su estrategia, ordenó que algunos hombres fueran a vigilar el camino de Athdara. Había sido un error dispensar a la guardia de aquella labor. No podía permitirse verse atrapado entre dos fuerzas. Lo último que necesitaba era que el enemigo le atacara desde el flanco.

—¿Qué hace ahora ese hijo de mala madre? —preguntó Colin al reunirse con Tavis en las murallas.

—Esperar.

—¿A qué? —A que nos venza el cansancio, creo.

—Sí, creo que tienes razón. Ya nos está pesando.

—Es mala suerte, pero creo que ese hombre tiene cierta habilidad. Parece saber qué hacer y cuándo hacerlo. —Tavis miró a los hombres recostados en la muralla—. Pronto no podrán levantar la espada.

—Y ese canalla se presentará aquí y se encargará de que no vuelvan a levantarla. Hacía mucho tiempo que no me enfrentaba a algo así. Me habría ido feliz a la tumba si no hubiera tenido que hacerlo.

Sir Hugh lo intentó de nuevo poco después. Los Mac-Lagan rechazaron valerosamente la primera acometida de los ingleses que intentaban escalar las murallas de Caraidland. Pero a muy alto precio. Cada vez que moría un escocés, pese a que arrastrara a muchos ingleses consigo, Caraidland se acercaba más y más a su destrucción. Ya no tenían nada que arrojar desde los muros, sólo podían seguir empujando las escalas, pero cada vez había menos manos para hacerlo.

Cuando sir Hugh volvió a atacar tras otra breve pausa, Tavis sintió el sabor amargo de la derrota. Los ingleses llevaron un ariete. La máquina estaba bien cubierta. Tavis casi deseó que hubieran elegido cualquiera otra de las muchas armas de asedio, pese a ser más mortíferas. Las flechas de los escoceses no traspasaban el grueso recubrimiento de piel de la máquina. Por encima de los gritos de los hombres y del estruendo constante del acero al chocar contra el acero, se oía el lúgubre retumbar del ariete. Pronto reventaría las puertas, si no lograban detenerlo.

Tavis comprendió con gélida certidumbre que no podían atajar su avance. Empezó a ordenar a sus hombres que se retiraran mientras oía el chirrido espeluznante de la gruesa madera al rajarse, acompañado por los vítores de las fuerzas atacantes. Los ingleses sabían que la victoria estaba al alcance de su mano.

Storm gritó, sobresaltada, cuando Tavis y dos hombres entraron de pronto en la habitación de la torre. Sintió el corazón en la garganta al comprender lo que significaba aquello. Sir Hugh había logrado entrar en el castillo. Sus hombres habían tomado o estaban tomando la muralla interior. Los MacLagan sólo tenían ya un lugar donde refugiarse. Aquella gente, a la que había llegado a apreciar e incluso a amar (miró a Tavis), estaba a un paso de la muerte. Luchó desesperadamente por no llorar. Lo último que necesitaban los hombres agotados era tener que vérselas con una mujer histérica.

—Baja con las demás mujeres, pequeña —ordenó Tavis, y sintió que una punzada de dolor le atravesaba al preguntarse si volvería a verla alguna vez.

—Dios mío —gimió uno de los hombres, en pie junto a la ventana—. Ese perro inglés tiene tropas de refresco.

—No, no puede ser —exclamó Tavis, corriendo a la ventana. Se negaba a creer que el destino pudiera ser tan cruel—. ¿No serán nuestros hombres, que vuelven de Athdara?

—¿Por el sur? No, son más ingleses. Sí, frescos y listos para la batalla. Escúchalos.

Storm, que se resistía a obedecer las órdenes de Tavis, se acercó a la ventana.

—Dejad que eche un vistazo. Puede que sepa quiénes son.

Tavis dejó que mirara por la ventana protegiéndola cuidadosamente con su cuerpo y dijo:

—No creo que los conozcas, si no los conozco yo.

—No. Sospecho que conoces a todas las familias de las Marcas, pero siempre cabe esa posibilidad. Sea quien sea, ha creado gran confusión entre las tropas de Hugh. No se me ocurre nadie que lleve una banda azul en el brazo como si fuera la enseña de una dama. —De pronto palideció y agarró el brazo de Tavis—. El hombre de delante. Dios mío, lady Mary mintió. Mira, Tavis. Es mi padre.

—Santo Dios, es Eldon. Pero ¿significa eso que estamos salvados?

22

—¿Tenemos que llevar estas cosas? —gruñó Andrew al atarse la banda de tela azul en el brazo—. Me siento como un caballero enamorado desfilando por el favor de mi dama. Es absurdo.

—Más absurdo sería que nos metiéramos ahí sin llevar nada que nos distinga de los hombres de Hugh. —Eldon miró la banda de tela azul claro que llevaba en el brazo y clavó luego la mirada en lord Foster—. ¿Por qué habéis elegido esta tela para pelear? ¿Tan rica queréis que sea vuestra mortaja?

—No tuve tiempo de deshacer el carro de las provisiones y tenía la tela a mano. Era para la pequeña Matilda, para un vestido.

Eldon miró a todos los hombres que lucían bandas azules y dijo con sorna:

—¿Para un vestido? Aquí hay tela suficiente para veinte.

—Bueno, a Matilda le encantan los vestidos, y el color azul es su preferido. Aquí llega Hadden. —Frunció el ceño—. No viene solo, pero quienes le acompañan no parecen prisioneros.

—Hola, tío. He traído algunas tropas más. —Hadden sonrió, señalando a los doce hombres que iban con él.

—¡Matthew, viejo amigo! —Eldon dio una palmada en la espalda a su antiguo soldado——. ¿Una herida de guerra?

—No. —Matthew tocó el vendaje que le rodeaba la cabeza y explicó cómo se había hecho la herida—. No es nada. Me puse la venda para que pareciera peor de lo que es.

—¿Ella rescató al heredero?

—Sí, mi señor. Me pareció bien ayudarla. Ese hombre no merecía el destino que le tenía reservado sir Hugh. Ha cuidado bien de la señorita Eldon —añadió en voz baja—. Hugh pensaba castrar al muchacho. Yo también soy hombre y la idea me repugnaba. Además, sabía que la chica estaría más segura con los escoceses.

Eldon asintió con la cabeza.

—Me duele reconocerlo, pero así es. Estoy en deuda con ellos, a pesar de lo que haya ocurrido. Mi hija está viva gracias a ellos. ¿Cómo va la batalla?

—Bueno —contestó Hadden—, si esperáis mucho más, sir Hugh os librará de los MacLagan. Está a punto de reventar las puertas de la muralla. Creo que los MacLagan se han refugiado en la torre del homenaje.

—Eso nos facilitará las cosas. Con los MacLagan en la torre, no tendremos que preocuparnos de que nos ataquen por error o por costumbre.

—Si esperamos, no podrán hacer ni una cosa ni otra.

—¿Qué quieres decir, Matthew?

—Sir Hugh está dispuesto a masacrarlos, mi señor. No habrá clemencia. Ni siquiera con los niños. Piensa matar a todos los hombres, mujeres y niños de Caraidland, saquear por completo el castillo y asolarlo hasta los cimientos. Si sus hombres consiguen entrar en la torre, habrá un baño de sangre. Sir Hugh quiere que la única que salga viva de allí sea la señorita Storm. Tengo la sensación de que los MacLagan lo saben.

—¿No les ha dado oportunidad de rendirse?

—Sí, pero sólo para matarlos más fácilmente, y creo que ellos lo sabían.

—Átate un trozo de tela azul en el brazo —ordenó Eldon—. No queremos que nos confundan con los de sir Hugh.

Y lleva unas cuantas tiras más para quienes quieran ponerse de nuestro lado. Haig, llévate a algunos hombres y asegúrate de que no escape ni un solo guardia de sir Hugh o de lady Mary. Empujadlos hacia el castillo de los MacLagan. Tienen mucho de que responder. No debemos permitir que escapen.

—Entonces es cierto que vamos a salvar a los MacLagan —dijo Andrew mientras Haig se alejaba a caballo acompañado de diez hombres, camino del campamento de sir Hugh y lady Mary.

—Sí. No permitiré que se asesine a nadie en nombre de los Eldon o de Hagaleah. Nunca he consentido que se asesine o se maltrate a inocentes. Ese canalla planea una masacre y yo voy a impedir que la perpetre, sean o no MacLagan. —Miró a su alrededor y vio que todos los hombres estaban preparados—. ¡A Caraidland, muchachos! Y recordad que hoy luchamos contra sir Hugh y mi maldita esposa, no contra los escoceses. No debéis atacar a los MacLagan, a no ser que intenten mataros. Por una vez, son nuestros aliados. Ahora, ¡al ataque!

Cuando llegaron a Caraidland, sir Hugh y sus hombres estaban ya dentro de la muralla. La llegada de Eldon y sus tropas suspendió por un instante la batalla. Un momento después, los hombres de sir Hugh comprendieron que aquellos ingleses no habían ido a ayudarles. Para su desaliento, casi un tercio de sus tropas cambió de bando y, luciendo bandas azules, se volvió contra sir Hugh, su antiguo señor. Los pocos escoceses que quedaban en la muralla vieron enseguida que, por una vez, los ingleses habían acudido en su socorro, y un débil grito de júbilo se elevó entre sus tropas diezmadas al comprender que la marea de la batalla se volvía de pronto en contra de sir Hugh.

Tavis contemplaba la escena desde lo alto. Poco a poco, el regusto amargo de la derrota se disipó en su estómago. Sir

Hugh era un buen soldado, pero lord Eldon era aún mejor. Llevaba muchos años combatiendo. Gran parte de las tropas de sir Hugh corrió a unirse a lord Eldon. Aquello fue el golpe de gracia. Desde el momento en que Eldon entró en la muralla, sir Hugh estuvo vencido. La deserción de sus hombres aseguró, sencillamente, que su derrota fuera más rápida.

Tavis y los dos hombres que le acompañaban salieron apresuradamente de la alcoba, ansiosos por unirse a la batalla. A Tavis no le sorprendió descubrir que entre los hombres que habían logrado refugiarse en la torre reinaba la confusión. Se suponía que lord Eldon estaba muerto, pero además les costaba comprender que hubiera acudido en su auxilio.

—No veo con claridad —dijo Colin cuando Tavis llegó a su lado—. ¿De veras es Eldon?

—Sí, es él. No sólo ha resucitado, sino que ha venido en nuestra ayuda. —Tavis se rió, alborozado—. Di a los hombres que no ataquen a nadie que lleve una banda azul atada al brazo.

Cuando llegó a la muralla, sonrió con gran placer. Algunos de los hombres de sir Hugh se habían rendido ya. Divisó a sir Hugh y corrió hacia él. Aunque se dio cuenta de que lord Eldon luchaba por alcanzar a su enemigo, no vaciló. Lo más cortés habría sido dejar que fuera lord Eldon quien tuviera el placer de matar a sir Hugh, pero Tavis tenía tal ansia de venganza que no reparó en cortesías.

Sir Hugh adivinó su muerte en los ojos de Tavis Mac-Lagan. La certeza de que había perdido estando tan cerca de la victoria le puso furioso. Con un grito de rabia, se lanzó hacia Tavis.

La pelea fue feroz, pero breve. La fría furia de Tavis le permitía pensar con claridad y actuar con precisión. La rabia ciega de sir Hugh entorpecía su pericia con la espada. Para quienes los observaban con lúgubre semblante, sir Hugh dio demasiado pronto a Tavis una oportunidad de atacar. En un abrir y cerrar de ojos, Tavis sopesó la idea de jugar un poco con aquel hombre sudoroso y jadeante, y enseguida la descartó. Atacó y, atravesando limpiamente su corazón con la espada, le mató en el acto.

Tavis se quedó mirando un momento el cadáver del hombre que había estado a punto de destruir a su clan. Se sintió casi decepcionado porque hubiera sido tan fácil matarle. Notó entonces que había alguien a su lado y al volverse se encontró cara a cara con lord Eldon. Una sola mirada le convenció de que el inglés lo sabía todo. Vio que lord Eldon se tensaba y que se aprestaba para otra batalla, una batalla que no sentía deseos de librar y que nunca se produjo.

—¡Papá! ¡Papá! —Storm cruzó el patio, en el que de pronto se había hecho el silencio, y se lanzó en brazos de su padre—. ¡Papá, dijeron que estabais todos muertos! ¡Todos! Pensé que mi pobre corazón se hacía añicos.

Eldon apretó a su hija contra su pecho y dijo:

—Atrapé a los asesinos antes de que hicieran lo que mi esposa les pagó por hacer. Quedó uno vivo y por él nos enteramos de lo que estaba pasando.

Haig empujó a lady Mary, furiosa, hacia su marido, pero se distrajo un momento para observar el reencuentro entre Storm y lord Eldon. Lady Mary miró el cuerpo de sir Hugh y a continuación clavó la mirada en su marido y en su hijastra. Sabía que tendría suerte si Eldon se limitaba a desterrarla a algún convento remoto. La conciencia de hasta qué punto habían fracasado sus planes la hizo sisear de rabia. Sacó su daga y la levantó, y una fría sonrisa curvó su boca carnosa al pensar en cómo la hundiría en la ancha espalda de su esposo. La muerte de Eldon empañaría sin duda la alegría que sentían todos ellos.

Sholto vio el brillo del acero en la mano de lady Mary y adivinó lo que ésta se proponía. No hubo tiempo de gritar una advertencia. Sholto se movió para afinar su puntería, sacó su daga y la arrojó al aire. Al ver cómo se hundía el puñal en el pecho de lady Mary, sintió cierta congoja: a fin de cuentas, era una mujer. Tuvo que hacer un esfuerzo por recordar todo lo que había hecho ella y todo lo que se proponía hacer.

Lady Mary sintió un dolor ardiente. La daga resbaló de sus dedos inertes. Miró con asombro la empuñadura del puñal que salía de su pecho. Mientras caía al suelo, no pudo creer que fuera a morir. Una maldición contra lord Eldon se formó en su lengua, pero la vida se le escapó antes de que pudiera pronunciarla.

Eldon, cuyo brazo seguía aún rodeando los hombros de su hija, miró a Mary y luego a Sholto, que se había acercado a recoger su puñal.

—Por los clavos de Cristo, me estoy cansando de deberles la vida a los MacLagan.

—Tranquilizaos, Eldon —dijo Colin al acercarse—. Nosotros os debemos la nuestra.

—Sí, así es. ¿Dónde se han metido todos vuestros hombres? ¿A tantos ha matado sir Hugh? ¿O es cierto que atacó cuando contabais sólo con la mitad de vuestras fuerzas?

—Al menos la mitad de nuestras tropas se marchó a Athdara. Ahora, respecto a ese rescate... —contestó Colin con sorna.

Mientras le miraba, Eldon se preguntó cómo era posible que un escocés de tez oscura y lleno de cicatrices tuviera cara de travieso. Una risa profunda resonó dentro de su pecho y creció rápidamente hasta convertirse en una estruendosa carcajada a la que Colin se unió. Pronto cundió la risa a su alrededor. Los únicos que no se reían eran los prisioneros, a los que tanto regocijo ante su aplastante derrota les parecía algo cruel. Quienes tampoco se reían eran los hombres que acababan de regresar de Athdara y que, al ver señales inequívocas de que se había librado una batalla feroz, habían corrido a Caraidland temiendo lo que encontrarían allí. El aviso de Athdara había sido una falsa alarma, y ahora sabían que formaba parte de la trampa que sir Hugh había tendido sobre Caraidland. Aquellos hombres dudaron de la cordura de su señor al verlo junto a su antiguo enemigo, riendo y dándose mutuamente palmadas en la espalda como si fueran amigos entrañables.

Tavis tampoco se reía. La batalla había acabado. Eldon había salvado Caraidland y, por tanto, no habría rescate. Storm se marcharía con su padre, sencillamente. Tavis intentó sofocar el impulso de apoderarse de ella y huir a las colinas. De raptarla una vez más.

Mientras empezaban a retirar los cuerpos, las mujeres sirvieron cerveza. Eldon tuvo que sonreír al ver que los ingleses y los escoceses permanecían más o menos separados y se miraban con recelo. Fijó entonces toda su atención en Storm. Su hija seguía a su lado, junto al resto de su familia. Tavis, por su parte, se mantenía a distancia, sin moverse ni hablar. Eldon se preguntaba si iban a resolver sus problemas dándose sencillamente la espalda el uno al otro.

Storm miró a Tavis. Le extrañaba que estuviera tan apartado. Sintió que se le helaba la sangre al darse cuenta de que no parecía verla. Se dijo que no debía temer lo peor, que debía esperar y darle la oportunidad de hablar, pero se descubrió preparándose para encajar el golpe.

—Vamos a llevarnos a algunos de nuestros muertos a casa, MacLagan —dijo Eldon—. Con los que dejemos, podéis hacer lo que se os antoje. Reconozco a algunos hombres. Hugh y mi esposa reunieron un buen montón de escoria. Un ejército de traidores, ladrones y asesinos. Hagaleah rebosa inmundicias.

—Bien, os doy las gracias por habernos salvado de ellas. Estábamos acorralados, lo admito.

—Ya que estamos siendo tan asquerosamente sinceros, reconozco que se me pasó por la cabeza esperar.

—Lo entiendo. El mejor modo de debilitar al enemigo es sentarse y dejar que otros le venzan. ¿Por qué cambiasteis de idea? ¿Por vuestra hija?

—No. Mi sobrino me informó de que no pensabais entregarla, y yo sabía que sir Hugh no la mataría hasta haberse casado con ella. Cambié de idea porque me dijeron que sir Hugh tenía planeada una matanza. Y aparte de que eso habría sido intolerable, no quería que el asesinato de mujeres y niños manchara el buen nombre de Hagaleah y de los Eldon. —Miró a Colin con curiosidad—. ¿Por qué no canjeasteis a Storm por vuestro hijo?

—¿Sabéis que ese hijo de perra ya la apresó una vez? —Eldon asintió con la cabeza—. Entonces ya sabéis la respuesta. No podía entregarla a ese destino. Y menos aún teniendo en cuenta que le debo la vida. Mi esposa me estaba envenenando. Vuestra hija se dio cuenta y me salvó cuando estaba al borde de la muerte. Por lo visto los dos tenemos muy mal gusto en cuestión de mujeres, Eldon.

—Hablad por vos, MacLagan. Yo me he buscado una estupenda y ahora puedo casarme con ella. Sí, y más vale que vaya a verla. Porque si se entera de que he vuelto... —Hizo una mueca.

—No está en casa, papá. Tienes tiempo. Elaine sabía lo que estaba pasando, porque a ella también intentaron matarla. Pero los niños y ella están bien —se apresuró a añadir Storm—. Están en casa de su hermana.

—Creo que tienes muchas cosas que contarme, pero eso puede esperar. Hay otras cosas de las que tenemos que hablar antes de irnos. —La observó atentamente, sin dejar de vigilar a Colin, que parecía mirarlos con leve curiosidad y que sin embargo se mantenía alerta, esperando una confrontación—. ¿Tienes algo que decirme?

Haciendo un esfuerzo, Storm logró reprimir el impulso de mirar a Tavis y se fingió desconcertada.

—¿Cómo qué?

—Muy bien hecho, hija mía, pero no intentes jugar conmigo. Sé por más de una persona lo que estaba pasando aquí, todo lo que ha sucedido. Lo que te estoy preguntando es qué va a pasar ahora.

Storm miró a Tavis. Le tocaba hablar a él. Ella sintió que su corazón se encogía y se hacía pedazos mientras Tavis guardaba silencio. No hacía falta hablar de lo que su declaración de amor había significado para él. Su silencio era respuesta suficiente. Como Storm siempre había temido, sólo la había utilizado.

Se obligó a hacer a un lado su dolor para contestar a su padre con calma.

—Vámonos a casa, papá —dijo quedamente. De pronto necesitaba alejarse de Caraidland.

—¿Estás segura, cariño? —Eldon frunció el ceño al ver que se había puesto algo pálida.

—Sí, papá, estoy segura. ¿Cuándo nos vamos?

—En cuanto hayan bebido los caballos.

—Estaré lista. Voy a asegurarme de que no me dejo nada.

Marchó apresuradamente a la habitación de la torre, deteniéndose sólo un momento para despedirse entre lágrimas de los buenos amigos que había hecho en Caraidland. Mientras abrazaba a Maggie pensó que seguramente no volvería a verlos, y estuvo a punto de echarse a llorar como un bebé hambriento. Comprendió también que, incluso antes de recibir la noticia de la muerte de su padre, había tenido esperanzas de que sus nuevos amigos estuvieran siempre a mano. Pero lo cierto era que, aunque sólo les separaran unas pocas millas, sería como si una enorme distancia mediara entre ellos.

Cuando llegó a la habitación de la torre, comprendió que había sido un error volver allí. Recogió precipitadamente las pocas cosas que consideraba suyas, ansiosa por abandonar aquel lugar plagado de recuerdos. Sentía el impulso casi insoportable de echarse en la cama y llorar, pero sabía que no debía hacerlo. Si su padre se daba cuenta de que había llorado le preguntará el motivo y, si contestaba con sinceridad, se armaría un buen lío.

Al agacharse para recoger una horquilla sintió que su amuleto se movía bajo el vestido. Se irguió lentamente, sacó el colgante y lo miró. Se suponía que debía dárselo al hombre al que amaba. Nunca volvería a querer a un hombre como quería a Tavis. Se quitó con cuidado el amuleto y lo dejó sobre la almohada. Tal vez, cuando lo viera, Tavis entendería por fin. Pero Storm no se atrevía a hacerse ilusiones. Lo único que importaba era que le quería, que seguramente siempre le querría, y que por tanto el amuleto era suyo, si quería llevarlo.

—Que se lo quede. De todos modos, ya tiene todo lo que me importa, salvo mi familia —murmuró con amargura, y sacudió la cabeza—. ¡Ah, mamá! ¿Por qué ha tenido que ser él? —Esbozó una sonrisa—. Supongo que tú y casi toda tu familia os preguntasteis lo mismo. He intentado que me quisiera, mamá. Nadie podrá decir que no lo he intentado. Pero no ha sido suficiente. Sólo espero que esta herida sane alguna vez.

Salió de la habitación prácticamente corriendo. Sólo aflojó el paso cuando le pareció que alguien podía verla. Quería marcharse con dignidad. Nadie sabría lo profundo que era su dolor, ni adivinaría que había cometido la estupidez de enamorarse de su carcelero.

Andrew la ayudó a atar sus escasas posesiones a su montura. Storm se alegró de que su hermano hablara por los codos y bromeara, porque así le fue más fácil dominarse. Andrew solía ser muy intuitivo, pero era joven y tenía mil cosas que contar sobre las aventuras que había corrido en Francia. Storm se puso tensa cuando llegaron Iain y Sholto, pues temió que hablaran del asunto que deseaba ignorar.

—No sé qué pasa —comenzó a decir Sholto, pero Iain le hizo callar dándole un codazo.

—Cuídate, muchacha. —Iain la abrazó y le dio un rápido beso, y se echó a reír al ver que Sholto se apresuraba a imitarle—. No ha sido muy difícil soportarte, teniendo en cuenta que eres inglesa.

Storm logró esbozar una sonrisa en respuesta a su broma. También pudo sonreír a Colin cuando éste se despidió de ella a regañadientes, y comprendió por su mirada que el anciano veía más cosas de las que ella hubiera preferido. Pero Colin no hizo nada por cambiar las cosas y un momento después ella se alejó a caballo de Caraidland con su familia. No miró atrás. Procuró sofocar el deseo de hacerlo y convencerse de que era lo mejor, de que su unión con Tavis era imposible.

Eldon observaba a su hija con el ceño fruncido. Estaba pálida y muy callada. A veces, cuando su aplomo flaqueaba, distinguía en sus ojos un brillo de dolor. Ella no decía nada; no hablaba de Tavis MacLagan. Eldon comenzó a preguntarse si de veras habían sido amantes. Luego, sin embargo, sacudió la cabeza. Mucha gente le había dicho que lo eran. Tal vez hubieran decidido tomar el camino más sensato, el menos difícil para las familias de ambos. Era lo mejor para todos, pero Eldon decidió reservarse su juicio por el momento. Quizá su hija aún quisiera contarle algo o hacerle alguna petición.

Colin vio alejarse a los Eldon. Fueran cuales fuesen sus motivos, debía a Roden Eldon la supervivencia de todo su clan. Tenía la sensación de que lo mejor sería enterrar de una vez por todas su antagonismo ancestral. Era una cuestión a considerar. Se volvió para mirar a Tavis, que no se había movido.

—Tavis... —comenzó a decir al acercarse a su hijo, que estaba muy pálido y parecía impresionado.

—No —contestó él con voz ronca, moviéndose de pronto—. No digas ni una palabra. No quiero hablar de ello, padre.

Se alejó antes de que Colin pudiera insistir y pedirle explicaciones. Fue ganando velocidad con cada paso que daba, hasta que echó a correr por los salones de Caraidland. Al descubrirse en la habitación de la torre no se sorprendió, pero maldijo violentamente porque aquél era el último lugar donde deseaba estar. Se acercó rápidamente a la ventana y miró hacia el sur, pero del paso de los Eldon no quedaba ni el polvo que levantaban sus monturas. Habían desaparecido ya, camino de Inglaterra y de Hagaleah, cada vez más lejos de su alcance, adentrándose en territorio hostil.

Tavis gruñó, desesperado, y apoyó la frente contra la fría piedra. La llegada de Eldon había sido un don del cielo y una maldición. Aquel hombre había asegurado la supervivencia de los MacLagan, pero se había llevado a Storm.

—Pero ¿qué podía hacer yo? —preguntó a la habitación vacía—. Ella es inglesa. Es una Eldon. Dos enemigos unidos por una muchacha. Éste no es su sitio. Su padre no la habría dejado quedarse. Y menos aún para calentar la cama de un escocés. No podía decir nada —gimió mientras luchaba por disipar el recuerdo del rostro dolido de Storm al volverse hacia él esperando a que hablara. Él, sin embargo, había guardado silencio.

Sintió dolor y tuvo la gélida sensación de que ahora, cuando era ya demasiado tarde, lo entendía por fin. Se sentía como si le hubieran arrancado una parte vital de su ser. Era una herida profunda, y empezó a temer que no curara nunca del todo, que la cicatriz se abriera y sangrara de nuevo al menor rasguño. Pero lo peor de todo era que estaba seguro de que era él mismo quien se había infligido aquella herida.

Posó la mirada en la cama y contuvo el aliento. Se acercó lentamente a ella y, con mano temblorosa, recogió el amuleto. Un sollozo convulsionó su cuerpo al cogerlo. Storm había hablado en serio. Incapaz de refrenarse, comenzó a llorar: de pronto comprendía con dolorosa claridad lo que había dejado escapar.

23

Storm miraba fijamente su reflejo. El espejo le decía con exactitud lo que prefería ignorar. Posó la mano sobre su vientre hinchado y cerró el puño. No podía seguir ocultando la verdad. El embarazo que había luchado por ocultar había ganado la batalla. Su vientre se redondeaba cada día más, a velocidad casi alarmante, o eso le parecía.

De pronto se apoderó de ella una oleada de desesperación. Se sentó al borde de la cama y se tapó la cara con las manos mientras se esforzaba por no llorar. El hombre que había plantado la semilla, el hombre al que amaba, debería estar allí. Ella no debería haberse visto obligada a ocultarle que iba a tener un hijo, no debería tener miedo a decírselo a su padre. Aquél debía ser un momento de alegría y de expectación. Le resultaba fácil maldecir a Tavis por haberle robado también aquello.

Haciendo un esfuerzo, logró dejar a un lado la compasión que sentía hacia sí misma y que le parecía destructiva. Había muchas cosas que hacer y necesitaba fuerzas para afrontarlas. Al menos, su padre comprendería por fin por qué había rechazado dos atractivas propuestas matrimoniales, por qué le había rogado que no hiciera ningún preparativo, por qué se empeñaba en desanimar a los jóvenes que se interesaban por ella. Era afortunada por tener un padre que le permitiera tan escandalosa libertad a la hora de escoger marido.

Hizo una mueca al pensar en aquellos jóvenes. Unos cuantos la habían considerado deshonrada, pero en general parecía que su estancia con los MacLagan y la pérdida de su virginidad, de la que nadie dudaba, se aceptaban como un percance inevitable de la guerra. Sospechaba que la riqueza y el poder de su familia tenían mucho que ver con aquella inusitada tolerancia. Y también el hecho de que su padre dejara que la cortejara cualquier caballero, siempre y cuando ella no pusiera objeciones y a condición de que eligiera a un buen hombre para casarse. Más de un noble sin tierras veía en ello una rara oportunidad, y eso era, en efecto. Aquella tolerancia era de agradecer, en cualquier caso, fueran cuales fuesen sus motivos.

Ella, sin embargo, ni siquiera intentaba simpatizar con sus pretendientes. Aunque cualquiera de ellos podía aceptar que hubiera perdido su castidad, estaba segura de que ninguno aceptaría a un bastardo de los MacLagan. Y ella no podía tomar esposo cuando su corazón y sus pasiones seguían cautivos en Caraidland.

Irguió los hombros y se dijo con firmeza que debía dejar de perder el tiempo y decírselo a su padre. Decidió hablar primero con Elaine. No le vendría mal tener una aliada.

Una leve sonrisa asomó a sus labios cuando encontró a Elaine con sus dos pequeños hermanastros. Elaine pasaba con ellos todo el tiempo que podía. Los dos hijos de lady Mary la habían aceptado como madre y absorbían de ella el amor que su verdadera madre nunca les había dado.

Menos de una semana después de su regreso de Caraidland, su padre se había casado con Elaine, haciendo caso omiso de las súplicas de ésta, que le pidió que guardaran luto durante un tiempo prudencial. A pesar de que era la amante de Eldon desde hacía años, Elaine era una mujer muy pudorosa y formal. Lo que había hecho lo había hecho por amor, ayudada por la certeza de que el matrimonio de Eldon no era en realidad tal matrimonio. A fin de cuentas, no le estaba robando su hombre a una mujer que quería o deseaba a su marido. En Hagaleah se la aceptó de inmediato, y ella dejó de quejarse por lo precipitado de su matrimonio.

Tras jugar un rato con sus hermanos, Storm les hizo salir suavemente de la habitación. Miró un momento a Elaine mientras buscaba las palabras adecuadas. Anunciar que llevaba en sus entrañas un bastardo de los MacLagan no era cosa fácil. Dudaba de que hubiera un modo sutil de dar aquella noticia.

—Estoy esperando un hijo.

Elaine miró fijamente a la hija mayor de su esposo. Mientras asimilaba lentamente el significado de lo que Storm acababa de decirle, sus suaves ojos grises comenzaron a agrandarse. Palideció un poco: oía ya el entrechocar de las espadas de los Eldon y los MacLagan.

—¿Estás segura, niña?

—Sí, estoy segura, Elaine. —Cogió su mano y se la puso sobre el vientre, y sonrió un poco cuando el bebé, cada vez más inquieto, comenzó a moverse. Elaine sofocó un gemido de sorpresa.

—Dios mío, no puede ser.

—Eso me he dicho una y otra vez, pero mi vientre sigue creciendo. Tengo que decírselo a papá.

—Sí, pero ¿cómo? Ni siquiera habla de lo que te pasó. Creo que intenta ignorarlo. Pero estando así las cosas eso es imposible. No puede ser.

—Se pondrá furioso, de eso no hay duda. Yo confiaba en que me ayudaras a calmarle.

—¿Crees que será posible? Esto no es una cosa sin importancia, hija mía. Tu padre querrá vengar esta deshonra con sangre.

—Por favor, no hables de deshonra. —Storm se tapó el vientre con las manos, como si quisiera evitar que su hijo oyera aquellas palabras—. Mi bebé...

Elaine puso sus manos sobre las de Storm y dijo con calma:

—No hablo del bebé. El bebé no tiene la culpa de nada, aunque muchos crean que sí. Hablo de los abusos que sufriste siendo una rehén inocente.

—Nadie abusó de mí, Elaine.

Elaine se quedó mirándola un momento. Luego preguntó quedamente:

—¿Te acostaste con ese hombre voluntariamente?

—No, en realidad, no. Le pedí que me dejara en paz. Pero sólo se lo pedí porque sabía que no tenía voluntad para rechazarle, Elaine. Le pedí que tuviera las fuerzas que a mí me faltaban, eso es todo.

—¿Le quieres?

—Sí, pero él no siente lo mismo. Es un mujeriego. Le miré cuando papá fue a buscarme, pero no dijo una palabra. Me dejó marchar. ¿Me acompañarás a hablar con mi padre?

—La verdad es que ese lugar no me corresponde —murmuró Elaine. Ansiaba ayudar a la muchacha, pero no deseaba extralimitarse en sus derechos como tercera esposa de Roden.

—Eso es una tontería. Tú eres de la familia. No te pido que hables por mí, ni que te pongas de mi parte, sólo que vengas conmigo para que los ánimos no se encrespen y no hagamos de esto una tragedia.

Elaine hizo una mueca para sus adentros, pensando en el enfrentamiento que se avecinaba. Habría voces e improperios quizás hirientes. Sabía desde siempre que Roden era un hombre de fuertes emociones, pero en el corto tiempo que llevaba en Hagaleah se había dado cuenta de hasta qué punto lo era.

El amor, sin embargo, templaba hasta los peores estallidos, y ella iba acostumbrándose poco a poco a la vida exuberante de Hagaleah y a aquellas emociones irrefrenables. Ignoraba si estaba lista para una confrontación como la que cabía esperar, pero asintió con la cabeza, dispuesta a afrontarla por el bien de Storm.

Su hijastra sonrió aliviada y dijo suavemente, en broma:

—Cualquiera pensaría que tienes miedo, Elaine.

—Un poco, sí. No de ti, ni de Roden, pero aún no estoy hecha a vuestras costumbres.

—Te refieres a nuestros gritos y nuestras broncas.

Elaine se rió suavemente.

—Puede que sí. Aún no me he acostumbrado a esos despliegues de emociones.

—A veces cuesta acostumbrarse. ¿Vamos? ¿Dejamos atrás cuanto antes esta confrontación?

Fueron de mala gana a hablar con lord Eldon. Ninguna de las dos dudaba de cuál sería su reacción al conocer la noticia. Dudaban, en cambio, de si serían capaces de impedir que corriera a Caraidland con la espada en alto y los ojos inyectados en sangre, dispuesto a ensartar a cualquier MacLagan que se cruzara en su camino.

Un millar de palabras se agolpaban en la cabeza de Storm cuando se halló delante de su padre, pero todas ellas se negaban a adoptar forma inteligible. Su padre nunca le había hablado de su estancia en Caraidland, salvo para pedirle que le asegurara que no sentía necesidad de vengarse, que no la habían tratado con crueldad en ningún sentido. Lord Eldon parecía querer olvidar que había sido la amante de Tavis MacLagan, aunque sin duda alguien tenía que habérselo dicho. Ahora, ella tendría que arrancarle la venda de los ojos, decirle que había pruebas de su deshonor que ni siquiera un ciego podía ignorar. Le dolía pensar cuánto iba sufrir su padre por ello.

Pensó un instante en Tavis y enseguida maldijo para sus adentros. Él había dejado muy claro que había acabado con ella. Era hora de que ella hiciera lo mismo. Aquel hombre sólo le había traído problemas y desgracias que ahora se extenderían al resto de su familia. Un bastardo era algo difícil de esconder.

Pero no tenía por qué ser un bastardo, se dijo de pronto. Estaba segura de que Colin MacLagan la apoyaría si exigía que el bebé llevara el nombre de los MacLagan. Tal vez no estuviera todo perdido. Le costaría ser la esposa de Tavis sólo de nombre, pero estaba dispuesta a serlo por el bien de su bebé. Y aunque éste sería el hijo de un escocés viviendo entre ingleses, ello era preferible a ser el bastardo de un escocés y vivir en el mismo sitio. El hecho de que su abuelo fuera lord Roden Eldon sería de gran ayuda.

—¿Habéis venido a decirme algo o sólo a mirarme? —preguntó lord Eldon con sorna, sonriendo un poco a su hija y a su esposa, que habían entrado en la pequeña habitación que solía usar para hablar con su mayordomo, sirviente éste del que carecía por el momento—. Imagino que hay un motivo para esta visita.

—Sí, papá —dijo Storm en voz baja—. Me temo que así es, y que no va a gustarte.

Eldon se puso tenso. Al mirar más atentamente a las dos mujeres, su crispación aumentó. Sólo había una cosa más que pudiera pasarle a Storm. No había olvidado cómo había pasado su hija su estancia en Caraidland, y de pronto estaba seguro de que Storm iba a decirle que no habían dejado atrás aquella desgracia al abandonar el castillo de los MacLagan.

Storm vio que el rostro de su padre se endurecía.

—Estoy esperando un hijo, papá.

—Voy a matar a ese bastardo. Lentamente.

Elaine y Storm se colocaron ante la puerta al ver que hacía amago de marcharse. Storm pensó que allí de pie, delante de ellas, parecía un toro enfurecido. Estaba segura de que no les haría daño, pero resultaba inquietante plantar cara a tanta furia. La ira de su padre le hizo temer que nada de lo que dijeran pudiera tranquilizarle.

—¿Y qué conseguirás con eso, papá? —preguntó quedamente.

—Vengar esta deshonra.

—¿Cómo? No dudo de que de ese modo te sentirías mejor, pero a mí no me serviría de nada.

—Esta afrenta no puede quedar impune —gruñó su padre mientras empezaba a pasearse furiosamente por la habitación.

—Derramar sangre no me devolverá la doncellez, ni hará desaparecer al hijo que llevo en mi vientre. Sólo servirá para que mueran hombres, tal vez tú, o Drew, o alguno otro de mis seres queridos.

—Es costumbre vengar una ofensa con sangre —bramó su padre.

—Me importa un bledo lo que sea costumbre —replicó ella alzando la voz.

—Maldita sea, hija, ese hombre abusó de ti...

—Me sedujo.

—¿Y eso qué importa? Te...

—Y no le costó mucho hacerlo —concluyó ella suavemente—. No le costó casi nada.

Lord Eldon se volvió bruscamente y la miró con fijeza.

—¿Qué has dicho? ¿Acaso te acostaste con él voluntariamente?

—Fue él quien me llevó a la cama. Mi resistencia consistió en pedirle que no lo hiciera. Eso es todo. Apenas intenté impedir lo que no podía impedirse. Si hubiera esperado a cortejarme, el resultado habría sido el mismo. Tavis sólo precipitó las cosas.

—¿Fue sólo él? —preguntó lord Eldon, crispado.

—Sí, papá. El hijo que espero es de Tavis MacLagan. No puede ser de otro. Él fue el único que me tocó durante el tiempo que pasé en Caraidland. —Pensó fugazmente en cómo había intentado seducirla Sholto y decidió que no estaba mintiendo, en realidad.

—Dios mío, debería haberle hecho pedazos cuando estuve allí.

—¿Por qué? —Storm se sonrojó ligeramente, pero sabía que había llegado la hora de sincerarse por completo—. ¿Por tomar lo que más o menos se le ofrecía? No podía resistirme a él, papá. Lo sabía ya antes de que me tocara. Por eso le pedí que no lo hiciera, no porque no lo deseara, sino por todo lo contrario. ¿De veras crees que puede matarse a un hombre por eso? Tavis esperó a que llegara el rescate.

—Lo sé —replicó Eldon, y la cólera que sentía hacia su difunta esposa resurgió por un instante—. ¿Me estás diciendo toda la verdad, Storm, o sólo hablas así porque esperas evitar una batalla?

—Te estoy diciendo toda la verdad, papá. Pero tampoco deseo que haya una batalla, porque tengo amigos en Caraidland, buenos amigos que me ayudaron, y aunque puede que nunca vuelva a verlos, temo por ellos.

—Y yo les debo tu vida. —Su voz revelaba cuánto deseaba verse libre de aquella deuda, porque le ataba de manos y hacía posible que Storm intentara disuadirle de que se cobrara venganza.

—Bueno, ellos me deben la vida de Colin, y su brazo. Creo que esas deudas están saldadas por ambas partes. A decir verdad, son ellos quienes están en deuda con nosotros, porque Hugh estuvo a punto de masacrarlos a todos.

—Entonces puedo matar a ese canalla sin sentir remordimientos —dijo lord Eldon, y al mirarla atentamente vio que palidecía y que sus ojos tenían una mirada angustiada—. Estás enamorada de él.

—Sí —contestó ella con serenidad—. Me temo que sí. Fue una necedad por mi parte, porque él nunca me correspondió. Las mujeres sólo le sirven para una cosa. Eligió mal la primera vez que entregó su corazón, y creo que decidió cerrarlo para siempre. Pero fue muy bueno conmigo, papá. Sencillamente, yo quería más de lo que él podía darme. Tampoco puedes matar a un hombre por eso.

—Así pues, él seguirá viviendo y tú te quedarás con un bastardo que nacerá muy pronto.

—Podemos hacernos cargo del bebé, Roden —dijo Elaine, aliviada al ver que no iba a haber un alboroto tan grande como temía—. Tal vez, si lo planeamos con cuidado, podríamos ocultarlo de algún modo, disimularlo.

—No. Eso rara vez funciona. Aunque no se descubran, esos secretos siempre acaban perjudicando a los niños.

—Papá, tengo una idea —se aventuró a decir Storm con cierto recelo.

—¿Por qué tengo la sensación de que no va a gustarme?

—Podría casarme con Tavis MacLagan.

Eldon soltó una sarta de maldiciones mientras seguía paseándose por la habitación. Elaine se sonrojó y Storm esbozó una sonrisa divertida. Su padre tenía talento para los exabruptos.

Después frunció el ceño y su alborozo fue disipándose mientras veía a lord Eldon ir de un lado a otro, desahogando su ira y su frustración. Aquello no auguraba nada bueno. Su padre parecía menos cordial con cada paso que daba. No parecía dispuesto a transigir en modo alguno. Storm empezó a temer no haberse equivocado y que la tolerancia de su padre se agotara bruscamente ante la sola idea de que su hija se casara con un MacLagan. Dudaba que sirviera de algo proponer un matrimonio sólo de nombre. Seguramente, la posibilidad de que ella y su primer nieto llevaran aquel apellido le parecía una bofetada cuyo escozor sentiría cada vez que los mirara.

—Papá, si me escuchas un momento... —comenzó a decir con falso ímpetu.

—¿Escucharte? —La miró con enojo, aunque en realidad no estaba enfadado con ella. Sólo necesitaba un blanco tangible sobre el que descargar su ira—. Cada vez que hablas me dan más ganas de atravesar a ese canalla con mi espada. Pero tú no me dejas ni hablar de ello y te empeñas en decirme que no.

—Porque no servirá de nada. No ganaríamos nada, sólo saldríamos perdiendo. Morirían amigos queridos y familiares, y yo seguiría aquí, soltera y embarazada. Pero si me caso con Tavis...

—Ninguna hija mía se casará con un MacLagan.

—Pero, papá, de ese modo mi hijo tendría un apellido, no llevaría el estigma de los bastardos.

—Mejor ser un bastardo que un MacLagan.

—Pero, papá, el niño sufrirá más por ser un bastardo que yo por darlo a luz. Sí, puede que sufra por llevar el nombre de los MacLagan, pero al menos tendrá un apellido y se peleará por su nombre y no por no tener ninguno. Lo único que te pido es que le des un apellido.

—Está bien. Dale uno, pero que no sea el de esos malditos MacLagan.

Antes de que Storm pudiera contestar, su padre las apartó suavemente pero con determinación y se marchó. A Storm le costaba creer que fuera a negarle la posibilidad de dar un apellido legítimo a su hijo. Intentando reponerse de la impresión, corrió tras él. Elaine la siguió, muy preocupada. Tenía que intentar que su padre cambiara de idea.

Sus voces resonaron por los salones. Pronto todo Hagaleah supo por qué discutían Storm y su padre. Elaine intentó un par de veces atajar la discusión, viendo que se les escapaba la oportunidad de mantenerlo en secreto, pero al fin tuvo que darse por vencida. Pronto comprendió que nada podía resolver su disputa, que tanto Storm como su padre estaban empeñados en enfrentarse frontalmente y en no transigir. Era duro ver cómo podía acabar aquel enfrentamiento. Cada uno exigía del otro que se rindiera o diera su brazo a torcer, y ninguno de los dos estaba dispuesto a hacerlo.

El cansancio y un intenso dolor de cabeza impulsaron a Storm a zanjar la discusión. Acusó a su padre de no tener corazón, de desentenderse de su hijo, de su primer nieto, y buscó luego refugio en sus aposentos. En cuanto remitiera su dolor de cabeza volvería a intentarlo, idearía otro modo de plantearle la cuestión a su padre y salir victoriosa. Estaba claro que discutir y enfadarse no serviría de nada.

—Roden... —dijo Elaine suavemente cuando alcanzó a su marido en la torre oeste.

—No empieces tú donde lo ha dejado ella, Elaine. Estoy harto de este asunto. Déjalo estar.

—No quiero tomar partido. Entiendo cómo os sentís ambos. Pero ahí está el problema. Creo que ninguno de los dos intenta ponerse en el lugar del otro.

—¿Crees que no entiendo lo que pretende mi hija, Elaine? —preguntó él en voz baja, con la mirada fija en la muralla—. Lucha por su hijo, como cualquier madre. Creo que, si hubiera estado libre de las cadenas del matrimonio con esa bruja de Sussex, tú me habrías presionado hace mucho tiempo para que diera mi nombre a los hijos que tenemos en común.

—Y tú se lo habrías dado. ¿No crees que quizá MacLagan también esté dispuesto a hacerlo?

—¿Qué les importa a ellos la deshonra de una muchacha inglesa? ¿O un niño medio inglés y medio Eldon?

—¿No podrías proponérselo? —preguntó ella suavemente.

—¿Para que se nieguen?

—Puede que no lo hagan.

—Y puede que sí. ¿Y qué haría, entonces? ¿Preguntárselo otra vez? ¿Presentarme ante las puertas de ese maldito montón de piedra escocesa y pedírselo otra vez? No, Elaine. Ningún Eldon se arrastrará delante de un MacLagan, ni siquiera por el bien de mi hija única y de mi primer nieto. Dejémoslo de una vez. El niño será un Eldon y, aunque sea un bastardo, podrá enorgullecerse de su apellido.

Elaine asumió que aquélla era su última palabra y pronto deseó que los demás lo asumieran también. Pero Hagaleah se dividió al instante en dos bandos entre los que se repartieron sirvientes y familiares por igual. Algunos apoyaron con firmeza a lord Eldon en su convicción de que era mejor no tener apellido que llevar el de los MacLagan, y otros tantos dieron la razón a Storm, convencidos de que, si había alguna posibilidad de que el niño llevara el apellido de su padre, aunque éste fuera un MacLagan, había que permitirle que lo intentara. La línea de confrontación dividió principalmente a hombres y mujeres: los hombres se pusieron del lado de Eldon; las mujeres, del de Storm. Elaine empezó a sentirse atrapada en medio de una inmensa trifulca doméstica.

Cuando más engordaba Storm, más se esforzaban ella y sus aliadas por convencer a Eldon de que debían probar suerte con el matrimonio. Pero, al hacerse visible el embarazo y acercarse el parto, la ya larga disputa se tornó más sutil. Hasta Eldon se mostró más cauto: nadie quería que el niño por el que con tanta vehemencia discutían sufriera daño alguno, o que Storm se angustiara en exceso. Daba la impresión de que seguirían debatiendo la cuestión hasta que el niño fuera bautizado.

Storm estaba a punto de dar a luz, o eso calculaban, cuando Elaine, acosada por uno y otro lado, pudo disfrutar de un breve respiro. Roden debía ausentarse un tiempo para ayudar a uno de sus vasallos a sofocar una rebelión en sus dominios. Elaine rezó por que aquella tregua bastara para zanjar la trifulca de una vez por todas.

24

Storm subía por las recias murallas de Hagaleah con una lentitud que se le antojaba penosa. Tenía la impresión de llevar demasiado equipaje y dudaba de su propia cordura. El peso del embarazo la hacía sentirse insegura. Temía caerse, pero siguió adelante. Quería ver salir de Hagaleah a su padre y a la comitiva de éste. Por una vez no la animaba sólo el deseo de despedirse de ellos, aunque también pensaba hacerlo, si llegaba a las murallas a tiempo. Quería estar segura de que su padre se marchaba.

Una débil sonrisa asomó a su cara cuando por fin alcanzó su meta. Los dos hombres que montaban guardia se quedaron boquiabiertos al verla aparecer a su lado. La miraron con desconfianza, como si esperaran que, a causa del esfuerzo, fuera a dar a luz allí mismo. Uno de ellos se repuso por fin de la impresión y, mascullando una respetuosa disculpa, se alejó a toda prisa. Storm estaba segura de que había ido a buscar a uno de sus familiares para que se la llevara de las murallas o estuviera allí en caso de que tuviera la desfachatez de ponerse de parto. Storm sonrió y se acercó a la muralla para mirar hacia abajo.

Lord Eldon y su comitiva comenzaron a salir un momento después. Storm sintió una punzada de orgullo al ver a su padre, a cuyo lado iba Foster, como siempre. Cada vez que veía así a lord Eldon comprendía por qué su madre había arriesgado su vida por estar con él. Aunque para muchos un hombre de cuarenta años era casi un viejo (especialmente porque muy pocas personas parecían alcanzar esa edad), Eldon seguía siendo alto, erguido, delgado y musculoso. Todavía parecía joven.

Storm se descubrió pensando en Tavis. Éste nunca se alejaba mucho de sus pensamientos, pero Storm tenía que librar una batalla constante para que al menos no ocupara un lugar prominente en ellos. Mientras miraba a su padre, se dijo que en eso Tavis se parecía a lord Eldon. Seguramente mantendría sus fuerzas hasta el final. Seguiría atrayendo a las mujeres hasta muy mayor.

Saludó a su padre con la mano cuando él levantó la vista. Aunque lord Eldon le devolvió el saludo, Storm notó que maldecía quejándose de su necedad, y esbozó una sonrisa. Lord Foster sonrió dulcemente y la saludó con la mano, aparentemente ajeno al enfado de su amigo. Llevada por un impulso, ella le lanzó un beso y le vio reír.

Storm siguió mirando a su padre hasta que se perdió de vista. Como siempre, se preocuparía por él hasta que volviera sano y salvo a Hagaleah. El problema que iba a resolver su padre tenía poca importancia, pero el peligro, ya fuera en forma de accidente o de asesinato, acechaba a cada paso. Pero aun así Storm se alegraba de que lord Eldon se ausentara un tiempo. Dándose la vuelta, respondió a la mirada enojada de su hermano Andrew con una tierna sonrisa y le pidió recatadamente que la ayudara a bajar. Había cosas que hacer y gente a la que convencer antes de poner en marcha su plan.

—Esa muchacha acabará por matarme —refunfuñó lord Eldon mientras cabalgaba.

—A veces creo que es lo que te da la vida, Roden.

—No te pongas críptico conmigo, Hastings. —Miró ceñudo a lord Foster—. ¿Acaso no tengo ya bastantes cosas de las que preocuparme?

—Sabes muy bien lo que quiero decir. Hijos como los nuestros, aunque los míos sean más tranquilos, te mantienen alerta, te obligan a afilar el ingenio y hacen que la sangre siga fluyendo. Y pocos lo consiguen tan bien como la pequeña Storm Pipere.

—Estas últimas semanas se ha vuelto casi tediosa. No deja de darme la lata día y noche.

—¿Y por qué no das tu brazo a torcer?

—Hastings, quiere casarse con un MacLagan.

—Quiere casarse con el padre de su hijo.

—Debí matarle. Maldita tolerancia. Malditas deudas. Ese hombre la deshonró.

—La sedujo, y tu propia hija te dijo que no se resistió. No te pongas tan colérico, amigo mío. Al menos Storm te dice la verdad. Creo que, en el fondo, te alegras de que así sea, de que no haya permitido que manches tu espada con la sangre de un hombre inocente. Inocente, sí. No finjas que ninguno de nosotros habría hecho lo que hizo MacLagan. Tú sedujiste a la madre de Storm y la abandonaste, aunque sé que habrías vuelto a buscarla. Sencillamente, ella se te adelantó.

—¿A qué viene ahora sacar a relucir cosas del pasado?

—Dado que Tavis MacLagan es inocente y teniendo en cuenta todo lo que pasó, las deudas contraídas por ambas partes y la generosidad que mostrasteis ambos, ¿por qué te obstinas en no pedir a Tavis MacLagan que se case con ella?

—Porque creo que se verá forzado a hacerlo y que eso hará sufrir a mi hija —reconoció Eldon de mala gana—. Les di la oportunidad de hablar conmigo, de que el chico se me acercara, y no hicieron nada. Me mostré comprensivo, incluso estaba dispuesto a pasar por alto que era escocés y un Mac-

Lagan, pero se quedó allí parado, como un maldito poste, sin decir nada. Dejó que me llevara a Storm, que la arrancara de su cama sin una sola palabra. Puede que él, a diferencia de mí, no estuviera dispuesto a pasar por alto que ella era inglesa y una Eldon. O tal vez su familia o su clan no podían pasarlo por alto. O puede —añadió en tono cortante—, que sólo se divirtiera con una muchacha bonita y que mi hija no le importara un comino. No pienso atar a Storm de ese modo. Vale más que afronte las penalidades de dar a luz a un hijo bastardo que sufrir a un marido que no la ame.

—Pero Storm preferiría casarse con él, cree que es más importante darle un apellido a su hijo. ¿Acaso no es ella quien debe decidir? Ya no es una niña, es una mujer hecha y derecha. Pronto será madre.

Aguijoneado por aquel argumento, Roden contestó a regañadientes:

—Déjalo, Hastings. Quiero olvidarme de este asunto.

—Como quieras, Roden, pero no te olvides demasiado. Storm no va a dejarlo correr.

Andrew miró a su hermana con el ceño fruncido y comenzó a pasearse por sus aposentos, aunque estando allí los gemelos Verner, Phelan y los Foster, había poco espacio por el que moverse. Debería haber adivinado por qué les había mandado llamar Storm, sobre todo al insistir ella en que no se enterara Elaine. Había sido una estupidez pensar que la disputa desaparecería al ausentarse su padre de Hagaleah. Andrew deseó de pronto haber acompañado a lord Eldon, pero enseguida se reprochó su cobardía. Iba a costarle disuadir a Storm de sus planes, especialmente teniendo en cuenta que se compadecía de ella y que entendía su deseo de dar un apellido a su hijo, aunque había respaldado tercamente a su padre en su oposición a la boda.

Hizo una mueca para sus adentros. Haría falta mucha astucia para distraer a Storm de su propósito hasta que volviera lord Eldon. Andrew sabía que no carecía de ingenio y de labia, aunque de pronto parecieran haberle fallado. No se le ocurría ningún argumento inteligente, ningún razonamiento capaz de persuadir a su hermana. De repente le resultaba muy fácil entender por qué su padre se ponía hecho una furia y empezaba a despotricar. Una buena sarta de maldiciones y exabruptos, un arrebato de furia sin objeto aparente, podía despejar su cabeza y permitirle pensar con afilada precisión.

—Nuestro padre ha dejado muy claro lo mucho que le desagrada este asunto —se aventuró a decir.

—Sí, muy claro. —Storm pensó que Andrew se parecía mucho a su padre en ese momento—. No creas que pienso que está en un error o que no le entiendo. Le entiendo, y creo que en muchos sentidos tiene razón. Pero yo también la tengo. Es imposible llegar a un compromiso en este asunto, Andrew. No puede haberlo. Las dos partes aciertan y se equivocan por igual. Me temo que mi única alternativa es desobedecerle.

—Si crees tener razón, ¿por qué se lo ocultas a Elaine?

—Ya sabes por qué. Es la esposa de nuestro padre. Vale más que no se entere. Creo que piensa que no ha estado lo bastante atenta, que se siente atrapada entre papá y yo y que teme verse obligada a ponerse de parte de uno y enfrentarse al otro. En cierto modo le estoy haciendo un favor, porque acabaré de una vez por todas con esta disputa que la tiene dividida.

—Ella jamás se opondría a nuestro padre.

—Cabe la posibilidad de que sí, pero le dolería profundamente. Es su esposa, pero también es mujer y madre. Sus hijos son bastardos, todavía afrontan los problemas que ese estigma puede causarles, a pesar de que papá los reconoció ante los ojos de Dios y de la ley. Elaine entiende muy bien mis temores.

Apoyó la mano sobre su vientre, en cuyo interior descansaba su hijo.

—Deseo un nombre para mi hijo. Cada vez que se mueve dentro de mí, oigo los murmullos desdeñosos que la gente lanza a los bastardos. Me horroriza pensar que puedo causarle esa desgracia a mi hijo. No pido nada más. Sólo el nombre. ¿Tan terrible es?

—No —dijo Hadden, y se sentó junto a ella sobre la cama, rodeándola con el brazo—. Haig y yo estamos contigo, Storm. Está mal que un niño pague por cosas que no tienen que ver con él, pero así es. Todos lo hemos visto. No soporto pensar en cuánto sufrirías, porque sé que sentirías como un aguijonazo cada palabra cruel que lanzaran contra tu hijo, tal vez incluso más que él.

—¿De veras habla en tu nombre, Haig? —preguntó Andrew.

—Sí. No quisiera faltar al respeto a tu padre, ni me agrada la idea de desobedecerle. A decir verdad, me duele hacerlo, porque ha sido muy bueno con nosotros. Pero iré con Storm. ¿Qué importa cuál sea el apellido del padre mientras su hijo pueda llevarlo con la bendición de la Iglesia?

—Pero será un matrimonio vacío. ¿No es así, Storm?

—Sí, me temo que sí, Andrew.

—¿Hablas desde el dolor, prima? —preguntó Phelan en voz baja.

—Puede que en parte sí. No niego que Tavis me partió el corazón aquel día, cuando guardó silencio. Pero nunca me habló de amor, ni del porvenir. Fui tonta al hacerme ilusiones, aunque intenté no dejarme llevar por ellas. Aun así, si miro más allá de mi dolor, más allá de las absurdas esperanzas que tan cruelmente echó por tierra, me doy cuenta de que Tavis no desea casarse, ni desea cuanto conlleva el matrimonio. Hay muchos hombres así.

—En ese caso, ¿no temes que se niegue a darte el nombre que tanto ansías?

—No, Andrew. Es un hombre honorable, y no creo que quiera que un hijo suyo sufra el estigma de los bastardos. A decir verdad, pienso ofrecerle un acuerdo que le satisfará enormemente. Tendrá una esposa y un heredero, pero no tendrá que hacer de marido y conservará todas las libertades de un hombre soltero.

—¿Y si no le das un hijo, sino una hija?

—El hijo que espero es un varón, estoy segura de ello. —Sonrió débilmente—. Pero he elegido también un nombre de niña, a pesar de lo que me dice mi intuición. Me preocupa confiar tanto en un presentimiento. No, Tavis MacLagan tendrá su heredero. Sólo confío en que no intente retener al niño en Caraidland.

—Derribaríamos el castillo piedra a piedra para recuperarle.

—Lo sé, Haig. Por eso espero que no lo intente. No quisiera que llegáramos a eso. En realidad, confío en que los Eldon y los MacLagan no vuelvan a combatir entre sí. Hay demasiadas cosas que valoro a uno y otro lado de la frontera. Y me refiero también a Tavis, a pesar de que a veces le maldiga con todas mis fuerzas. —Suspiró, sacudió la cabeza y miró a Andrew—. Si decides que no puedes acompañarme, lo entenderé, pero recuerda que has jurado guardar el secreto.

—Sí —gruñó él, sintiendo que su hermana le había engañado en cierto modo—. ¿Tú qué dices, Matilda? —Yo voy con Storm.

—¿Y tú, Phelan?

—Con Storm.

—Me lo imaginaba. No sé por qué pregunto. —Suspiró y rezó por que su padre lo entendiera. Luego añadió—: Estoy contigo, Storm, aunque te maldiga y me maldiga a mí mismo por ser tan necio. ¿Cuándo nos vamos?

—Me siento ridículo —siseó Andrew la madrugada siguiente, cuando entraron sigilosamente en los establos, casi al alba.

Storm miró a su hermano y tuvo que contener la risa. Le había costado conseguir los hábitos, y había un muchacho muy nervioso que rezaba fervientemente por que volvieran antes de que los monjes los echaran de menos. Estaban todos un poco ridículos, pero convenía que Andrew, que estaba de muy mal humor, no se enterara.

—Calla, Drew. No quiero que nos descubran ahora que estamos tan cerca de conseguirlo.

Les fue relativamente fácil salir de Hagaleah con caballos y todo. La guardia vigilaba la posible entrada de enemigos, no las salidas de las gentes del castillo. Conocían, además, su hogar como muy pocas personas y podían encontrar el mejor modo de pasar sin ser vistos ni oídos. Si hacía falta, podían volver a entrar sin que nadie reparara en ellos.

Avanzaron lentamente hasta que la luz del amanecer les permitió cabalgar sin tropiezos. Al mirar al pequeño grupo, Storm tuvo que sonreír. No sería Tavis el único sorprendido.

Pensar en Tavis hizo que se le encogiera el corazón. Ignoraba qué ocurriría cuando estuvieran cara a cara. Casi temía verle. Él podía haberse casado. Sin duda no se habría mantenido casto. ¿Tendría que ver a su nueva amante o a su esposa? ¿Sería Katerine MacBroth (Dios no lo quisiera)? ¿Negaría él que el niño era suyo? ¿Se negaría a casarse con ella y habría que llevarle al altar a punta de espada, si su clan lo permitía? ¿Cuánto dolor estaba dispuesta a soportar ella?

Andrew notó su expresión de desconcierto y preguntó:

—¿Has cambiado de idea, Storm?

—No —respondió en voz baja—. Pero de pronto me ha dado miedo el precio que va a costarme conseguir lo que quiero.

—Prima —dijo Phelan—, ¿y si no sólo acepta que os caséis, sino que te pide que el matrimonio sea auténtico?

—He intentado no pensar en eso. Ya me he llevado suficientes desilusiones.

—¿Ni siquiera te lo pensarías?

—Sí. Pero no quiero pensar en ello ahora, cuando no es más que una posibilidad remota.

Phelan no dijo nada más. No entendía por qué Tavis y su prima vivían separados. Los de Caraidland habían aceptado a Storm. Nadie del clan protestaría si el futuro heredero la tomaba por esposa. Phelan estaba seguro de que muchos de ellos deseaban que Tavis se casara con ella. Y estaba convencido de que lo que Tavis sentía por Storm no era el simple deseo de un hombre por una muchacha bonita. Se encogió de hombros para sus adentros. Todo aquello era un misterio para él, pero los adultos siempre estaban rodeados de misterio. Parecían complicar las cosas más sencillas.

El viaje a Caraidland fue lento. Tuvieron que parar varias veces para que Storm estirara las piernas o se aliviara. Su cuerpo parecía haber perdido la capacidad de retener agua. Le desagradaba montar a caballo en aquel estado, pues el peso de la preñez hacía que fuera difícil e incómodo. Sus compañeros empezaron a mirar con visible recelo su vientre hinchado, que el hábito de monje no lograba ocultar por entero. Storm apenas intentaba tranquilizarles: ella misma estaba preocupada.

Se sabía de bebés que llegaban al mundo antes de tiempo, y sus cálculos podían estar equivocados. Necesitaba los argumentos y las palabras tranquilizadoras que se le ocurrían para calmar sus propios temores. Empezaba a sentir la urgencia de llegar a Caraidland, y no únicamente por darle un nombre a su hijo. Al menos allí habría una cama mullida y una partera, si hacían falta.

—Allí está nuestro destino —dijo Andrew en voz baja.

Al divisar Caraidland, Storm asintió con la cabeza. Experimentó una especie de nostalgia y tuvo que sofocar el súbito impulso de volver a Hagaleah. A pesar de todo lo que le había ocurrido estando allí, aquel castillo guardaba un montón de dulces recuerdos. Por un instante aquellos recuerdos la embargaron, y luchó desesperadamente por no llorar. Caraidland y Tavis le habían dado momentos dulces y momentos amargos. No debía olvidarlo.

Avanzaron hacia las puertas de Caraidland intentando disipar su tensión creciente y aparentar despreocupación. Storm sabía que no corrían peligro, pero sabía también que nada de cuanto dijera impediría que su hermano, sus primos y Robin se pusieran alerta y acercaran la mano a las espadas, ocultas bajo los hábitos. Habían sido entrenados para combatir a los escoceses, no para entrar en sus castillos como si fueran amigos de confianza.

Storm se desanimó cuando Sholto y Angus aparecieron mientras desmontaban al otro lado de la muralla. Aunque intentó disfrazar su voz, vio por el brillo de sus ojos que la reconocían. No le sorprendió que Sholto se inclinara por fin ligeramente para mirar de cerca su cara oculta bajo la capucha, y esbozó una sonrisa al ver que sus ojos se agrandaban.

—Por los clavos de Cristo, eres tú de verdad, Storm.

—Sí, soy yo.

—¿Qué te trae por aquí, muchacha?

—Pienso darle una sorpresa a Tavis —contestó ella con una sonrisa oblicua.

—¿Vais armados? —preguntó Sholto, mirando a los otros con desconfianza.

—Claro que sí. Sólo un idiota viajaría desarmado entre Hagaleah y Caraidland. Abundan los ladrones y los pícaros. Pero venimos en son de paz.

—¿Lo juras, muchacha?

—Sí, Sholto, lo juro, y ellos también lo jurarán, si se lo pides.

—No, acepto tu palabra, pequeña. A mí me basta.

—Gracias. ¿Está Tavis aquí? —Sí, muchacha —contestó Angus, y se preguntó si debía decirle quién más estaba en el castillo, pero decidió que no quería ser el portador de aquella noticia—. ¿Quieres que te lleve con él?

—Sí. Mi sorpresa será breve y directa. Quiero pasar el menor tiempo posible aquí. Debo regresar a Hagaleah antes de que vuelva mi padre. —*O antes de que Elaine descubra lo que he hecho*, añadió para sus adentros, y luego cuadró los hombros, se aprestó para la batalla y echó a andar hacia la torre del homenaje.

Elaine miraba fijamente a la joven y nerviosa criada que tenía delante. Sabía que tenía la boca abierta, pero no parecía capaz de cerrarla. La noticia que le había dado la muchacha la había pillado completamente por sorpresa. Para colmo de males, su paje había llegado un momento antes para anunciarle que su esposo tardaría apenas unas horas en regresar. Unas pocas palabras habían convertido en desaliento su alegría inicial.

—¿Estás segura?

—Sí, mi señora. La banda de los siete se ha ido.

—¿La banda de los siete?

—Sí. Les llaman así porque siempre, o casi siempre, actúan juntos. Antes les llamaban la banda de los seis, pero luego llegó ese muchacho irlandés.

—Claro, claro. ¿Y se han ido?

—Sí, mi señora. Creemos que se fueron justo antes del amanecer. El viejo Matthew no les siguió, pero dice que se dirigían hacia el norte, mi señora.

—Hacia Caraidland —gimió ella.

La cabeza le daba vueltas mientras intentaba decidir qué hacer. Durante un rato, sólo pudo pensar que Eldon se pondría furioso. Entonces decidió tomar el camino de los cobardes: escribió apresuradamente una nota a su marido y mandó a su paje a entregársela. Eldon iría directamente al castillo de los MacLagan y ella quedaría fuera de lo que había dado en llamar «la gran batalla». Confiaba en parte en que las cosas se resolvieran a satisfacción de su esposo, pero otra parte de su ser esperaba que Storm se saliera con la suya. Confiaba, además, en que, pasara lo que pasase, la gran batalla acabara de una vez por todas.

Cuando el paje de Hagaleah llegó al campamento y entregó a lord Eldon el mensaje de lady Elaine, los hombres reaccionaron con preocupación. Un momento después, Foster puso unos ojos como platos al escuchar los improperios de lord Eldon. Su amigo tenía una lengua temible. El instinto le decía que la nota de Elaine tenía que ver con Storm. Se moría de curiosidad, pero esperó pacientemente a que Eldon le informara de lo que ocurría. Tal vez, se dijo, la chica ya se había casado. Pero se sacudió sus cavilaciones pensando que quizá le impidieran analizar con acierto los datos que pronto conocería. Estaba claro por la actitud de Eldon que no se trataba de una noticia trágica, y con eso le bastaba por el momento.

Con la carta aún en la mano, Eldon clavó sus ojos llameantes en lord Foster.

—No podemos volver a casa aún.

—Ah. ¿Y adónde vamos?

—A Caraidland.

—Por los clavos de Cristo, no me digas que ese muchacho ha vuelto a raptar a Storm.

—No. Ha sido ella quien se ha presentado allí en busca de un apellido para su hijo.

—Tal vez convenga que no me meta en esto. Es un asunto privado.

—No tan privado. Ha sido la banda de los siete. Tus dos hijos mayores. Supongo que debería dar gracias por que no se haya llevado también a los pequeños.

Lord Foster suspiró, preparándose para la larga, dura y sin duda veloz cabalgada que les esperaba.

25

El gran salón de Caraidland no estaba ganando del todo su batalla contra la humedad sofocante del invierno. Pero el hombre sentado a la mesa con una jarra que se llevaba constantemente a los labios apenas reparaba en ello. De hecho, aquel tiempo gris y mortecino armonizaba a la perfección con el estado de ánimo que Tavis mostraba desde hacía tiempo. El hecho de que estuviera algo más que medio borracho se había convertido también en rutina.

Sentada a su lado, Katerine intentaba disimular su enojo. Desde hacía dos largas semanas se esforzaba por ser la acompañante perfecta. Pero aunque al llegar tenía la impresión de que había pasado el tiempo suficiente para que Tavis olvidara sus diferencias y ansiara estar con una mujer, aún no había logrado abrirse paso hasta su cama. Decidió que había llegado el momento de actuar con más audacia.

Desde la marcha de Storm, Tavis oscilaba entre el amor, que le hacía desear que volviera, y el odio, que le impulsaba a pensar que había hecho bien librándose de ella. Ninguna de ambas actitudes contribuía a aliviar el dolor y el vacío que parecían haberse instalado dentro de él. Incluso cuando la odiaba la echaba de menos.

Sin darse cuenta tocó el amuleto que llevaba constantemente bajo el jubón. En cuanto lo sintió, recordó con toda claridad la expresión de Storm cuando la dejó marcharse con su padre sin decir una palabra. Con aquel único instante de silencio, había degradado todo lo sucedido entre ellos. El daño que le había hecho se había reflejado claramente en el rostro de Storm, a pesar de que ella se apresuró a ocultarlo.

Aquella idea le hizo enfadarse de nuevo. Si estaba dolida, si le amaba, como sugería el hecho de que hubiera dejado su amuleto y como ella misma le había dicho, ¿dónde estaba? Debería darse cuenta de que un hombre tenía que pensar en su orgullo, de que no podía ir corriendo tras ella. No era mucho pedir que entendiera que era un momento poco oportuno para que pensara en su futuro juntos. Acababan de librar una batalla, su padre había salvado Caraidland, aunque sólo fuera porque Storm estaba dentro de sus muros, y eran viejos enemigos. Difícilmente podía decirle al viejo que se había estado acostando con su hija y que le repugnaba la idea de verla marchar. Ella debería haberle explicado las cosas a su padre y haber vuelto después.

Una parte más cuerda de su ser le decía que aquello era ridículo, pero Tavis no estaba de humor para atender a razones. Ello supondría tener que reconocer que había cometido un error, que había sido lo bastante necio como para desprenderse de algo que no podía reemplazar. Ningún hombre podía reconocer de buen grado cosas tan ingratas. Era más sencillo culpar a Storm de su dolor, de aquel dolor infinito, de la sensación de hallarse a la deriva y de sus largas noches vacías.

Era hora de que empezara a hacer algo al respecto. El celibato no era saludable para un hombre, se dijo cuando Katerine se apretó contra él y empezó a acariciarle el cuello. Saltaba a la vista que estaba deseosa de complacerle, y podía aliviar en parte su tormento.

—Pareces preocupado, Tavis —ronroneó ella, reconociendo la luz meditabunda de sus ojos.

—Sí, y creo que tú tienes la cura —murmuró él, y deslizó un brazo alrededor de sus hombros.

Katerine sonrió. Veía el éxito cada vez más cerca.

—Sí, una cura que ha funcionado muchas veces en el pasado.

Tavis esperó a que sus sentidos se agitaran cuando la hábil mano de Katerine se deslizó sobre su muslo. Llegó a la conclusión de que la cerveza había embotado sus pasiones. Katerine tendría que esforzarse más. Arrellanándose en el asiento, la atrajo hacia sí y la besó. Ahuyentó con decisión la imagen que asaltó su mente y obligó a su boca a aceptar el sabor de Katerine, en lugar del que ansiaba. Cuando por fin se apartó para respirar, empezaba a intuir el éxito. Pero su expectación se cortó en seco cuando un cuchillo se clavó en la silla, entre sus caras. Katerine gritó, se desmayó y cayó pesadamente al suelo.

—Creo que va siendo hora de que te busques otra amante, Tavis MacLagan. Ésa es un poco cobarde.

Aquella voz le resultaba dolorosamente familiar. Miró confuso al pequeño grupo de monjes parado junto a la puerta el salón y pensó que su mente empapada en alcohol le estaba jugando una mala pasada.

—¿Storm? —susurró.

—Qué escándalo, portarse así delante de hombres de Iglesia —dijo con sorna uno de los monjes más altos mientras el grupo se acercaba a la mesa, seguido por los hombres de Tavis, que casi les doblaban en número.

—¿Es que nadie va a recoger a la dama? —preguntó una voz aguda y femenina.

—¿Qué dama? —preguntó el monje al que Tavis creía Storm—. Yo no veo ninguna.

Justo cuando Tavis decidió preguntar sucintamente quiénes eran sus visitantes, ellos se quitaron las capuchas. No había forma de confundir a Storm y Phelan. Pero Tavis comprendió que la cerveza le había nublado la mente al darse cuenta de que no había reparado en lo bajitos que eran varios de los monjes.

—¿Qué ocurre? ¿No nos saludas? Estás borracho como una cuba, ¿no? —Storm cedió a su impulso y dio una patada a Katerine, que seguía inconsciente.

Estaba furiosa. No esperaba, en realidad, que Tavis permaneciera célibe, pero no era ésta una teoría que quisiera ver demostrada ante sus ojos. Alargó el brazo y extrajo su cuchillo de la silla. Su mirada y su forma de sostener el cuchillo convencieron a Tavis de que sentía tentaciones de clavárselo.

—Creo que ya conoces a mis compañeros, aunque puede que hayan cambiado un poco con los años. Además, no te fijaste mucho en ellos el día que ayudaron a derrotar a sir Hugh.

Sin olvidarse del cuchillo que ella sostenía con falso aire de despreocupación, Tavis miró a los demás. Tardó un momento en reconocer a los niños por los que siete años antes habían pedido rescate. Los muchachos se habían convertido en apuestos jóvenes, fuertes, altos y guapos. La pequeña Matilda sólo tenía once años, pero prometía ser una mujer muy atractiva. Era evidente que Storm seguía llevando la voz cantante en aquel grupo de amigos y parientes.

Entró Colin, pero su hijo menor le detuvo.

—¿Qué demonios está pasando aquí?

—Es un asunto privado entre Storm y Tavis. No te preocupes, no va a matarle.

—¿Cómo puedes estar tan seguro, Iain? A mí no me parece que tenga buenas intenciones —dijo con sorna—. ¿Ésos son sus parientes? —Sí —respondió Sholto—. No sé por qué se ha arriesgado a volver. Sólo nos ha dicho, cuando Angus y yo la hemos reconocido, que venía en son de paz y que quería darle una sorpresa a Tavis.

—Bien, vigiladla de cerca. No es una asesina, pero con una muchacha herida y abandonada, nunca se sabe. —Señaló con la cabeza a Katerine, que empezaba a recuperarse lentamente—. Sospecho que Tavis estaba haciendo de las suyas.

Sholto se rió por lo bajo.

—Sí, y Storm clavó el cuchillo entre ellos dos. Limpiamente.

—Conque volvemos a encontrarnos, ¿eh? —preguntó Tavis suavemente, intentando distraer a Storm. Ella sujetaba el cuchillo con demasiada vehemencia y él veía con enojo que su familia no iba a ayudarle.

—Podría decirse así. —Storm se regodeaba perversamente en su evidente malestar.

Katerine se sentó a duras penas. Al ver quién sostenía el cuchillo, temió por su vida. Sus ojos se agrandaron cuando vio que la familia de Tavis y algunos hombres importantes de Caraidland se mantenían al margen. Saltaba a la vista que no pensaban hacer nada por ayudarle. Por un momento contempló la posibilidad de huir, pero luego decidió que corría menos peligro quedándose quieta.

Storm sabía que Katerine estaba despierta, pero seguía mirando a Tavis. La presencia de Katerine le recordó claramente que los había visto besarse y manosearse. En aquel momento odió a Tavis; le odió por mostrarle el paraíso para arrojarla luego al infierno. Ella le había dado sus dones más preciados, su amor y su virtud, y él los había despreciado. A veces le asustaba que el recuerdo de aquella herida no acabara nunca de disiparse. Con frecuencia le dolía tanto que temía que fuera mortal.

—Han pasado meses, Storm —dijo Tavis suavemente mientras intentaba dar con un modo de borrar viejos resquemores y malentendidos. Pero los ojos fríos y enojados de Storm no le animaban a hacerlo.

—Sí, y ya veo que me has echado mucho de menos —bufó ella, y hundió el cuchillo en la silla, entre las fornidas piernas de Tavis, muy cerca de su miembro viril, que tanto odiaba y deseaba a un tiempo.

Tavis se movió más rápidamente que nunca. Se levantó casi volando y colocó la silla entre él y su antigua amante. El gesto de Storm había hecho que le brotara de la piel un sudor frío. La vio sacar el cuchillo y acercarse lentamente a él. A diferencia de su familia, no estaba seguro de que Storm no fuera a hacerle daño.

—Deberías tener más cuidado con ese cuchillo, Storm —dijo débilmente.

—Sí. Debería afinar mi puntería —ronroneó ella sin dejar de seguirle—. Me dan ganas de cortar esa parte tuya que repartes con tanta liberalidad. Así dejarías de beber y de andar con mujeres.

—¿Es que nadie va a hacer nada? —preguntó Katerine, incapaz de seguir callada.

—Si esa zorra dice una palabra más, clávala a la silla, primo Hadden.

—Será un placer —contestó el joven, y, desenvainando su espada, se colocó junto a Katerine.

—No tienes derecho a hacer eso, Storm. Kate es inocente.

—Kate nunca ha sido inocente. Nació en una cama y decidió pasar el resto de sus días en ella. Les haría un favor a las mujeres de Caraidland si la matara aquí mismo.

Tavis maldijo al tropezar ligeramente mientras se apartaba de Storm caminando marcha atrás. Estaba todavía demasiado aturdido por la bebida para quitarle la daga limpiamente. Veía, casi sentía, su dolor, mezclado a partes iguales con rabia. Pero aun así no podía dejar de pensar en cómo esquivar su cuchillo y discurrir un modo de aplacarla. Había soñado muchas veces con su regreso, pero nunca había imaginado que fuera así. Ansiaba tomarla en sus brazos, pero no dudaba de que, estando de aquel humor, ella le clavaría el cuchillo entre las costillas.

—¿No crees que deberíamos poner fin a esto? —preguntó Sholto suavemente.

—No —dijo Colin. Había observado atentamente a Storm y había reparado en algo que los demás aún no habían notado, así que añadió—: No ha venido a matarle. Deja que se desahogue. Le debemos al menos eso.

—¿A qué has venido, Storm? Está claro que no quieres nada de mí —dijo Tavis en voz baja.

—No, no quiero nada de ti —mintió ella—, pero no son mis deseos los que me traen aquí, maldito granuja. Si tuviera elección, me habría quedado en Hagaleah y me habría ocupado de que todas nuestras espadas llevaran grabado tu nombre. Es la necesidad lo que me trae a Caraidland.

De espaldas contra la pared, Tavis deseó fervientemente que su cabeza se despejara cuanto antes.

—¿La necesidad? —Sí, hay una cosa que tienes y que me hace falta, Tavis MacLagan.

—¿Y qué es? —Le dolía ver tanta frialdad en ella.

—Tu nombre. —Storm se resistía a ver la tristeza de sus ojos hechiceros.

Los vapores del alcohol se habían disipado un poco, pero Tavis seguía estando confuso.

—¿Qué?

—Vamos a casarnos hoy mismo. Si no tenéis ningún sacerdote, más vale que mandéis a buscar uno. No voy a conformarme con un simple compromiso. Quiero una unión santificada por la Iglesia.

—Pero ¿por qué? Me odias. Lo veo en tus ojos.

La nota desolada de su voz conmovió a Storm, que procuró endurecerse para que no le afectara.

—¿Acaso no soy una mujer de alcurnia? ¿No era virgen cuando te acostaste conmigo? Sí, no me resistí, pero tampoco te invité. Las normas de la caballería dictan que te cases conmigo, que me devuelvas la honra que me robaste.

—Ya hemos hablado de esto, Storm. Eres bonita, joven y rica. Habrá muchos hombres que se interesen por ti, a los que no les importe que ya no seas virgen. Sí, y habrá muchos que lo entenderán.

—Lo sé, MacLagan. He tenido pruebas de ello estos últimos meses. —Se preguntó con qué derecho parecía celoso—. Sí. Y ha habido muchos dispuestos a enseñarme que los escoceses sólo servís para bramar como jabalís en celo, que son los ingleses quienes de verdad conocen el refinado arte del amor. —Sostuvo su mirada airada con fría calma, dejando que se preguntara si había puesto a prueba la veracidad de esas afirmaciones.

—Entonces no me necesitas. Búscate a un inglés para casarte —replicó él con un bufido.

—Sabe cómo aguijonearle —dijo Colin con una sonrisa en la voz, una sonrisa que se reflejó en los ojos de los hombres que le rodeaban.

—Pero Tavis tiene razón, así que ¿por qué quiere casarse con él?

—Pronto lo verás, Malcolm —contestó Colin suavemente. Lamentaba que la Fortuna se empeñara en mantener separados a Tavis y Storm, pero disfrutaba de la confrontación porque estaban igualados.

—Bien, parece que su paciencia tiene un límite —dijo ella, señalando a Robin y Andrew, que, junto con Haig, se acercaron apuntando a Tavis con sus espadas—. Entendieron que me robaras mi inocencia y que yo no me resistiera mucho, pero... —Comenzó a quitarse el hábito de monje—... hay algo que no pueden pasar por algo. Y no quieren tener nada que ver con ello. —Dejó que el hábito cayera al suelo.

Los escoceses contuvieron el aliento. Katerine maldijo violentamente, en voz baja. Tavis palideció por completo, con los ojos fijos en su silueta deformada. La hinchazón que se veía bajo su ropa no dejaba lugar a dudas. Colin fue el único que no se sorprendió: había adivinado ya lo que escondía el hábito de monje. Estaba claro que la semilla de Tavis había echado raíces al iniciarse su idilio y que su fruto estaba al caer.

Tavis no entendía cómo era posible que no lo hubiera notado. Storm tenía que estar embarazada de varios meses al marcharse de Caraidland. Durante el tiempo que habían pasado juntos, ella no le había negado sus favores ni una sola vez por la llegada de su menstruo. A pesar de su mucha experiencia, Tavis no había reparado en ello. Si ella había sufrido los mareos propios de las mujeres encinta, lo había disimulado bien. Al darse cuenta de que su simiente crecía ya dentro de ella cuando sir Hugh estuvo a punto de matarla de una paliza, y quizás incluso cuando Janet intentó poner fin a su vida, se estremeció y al mismo tiempo sintió una oleada de asombro y de orgullo por la fortaleza de su simiente y por la del recipiente que la albergaba.

—¿Un niño? —dijo estúpidamente, y tocó su vientre hinchado con mano temblorosa.

—Obviamente —contestó ella con sorna—. No deberías sorprenderte tanto. Trabajaste duro para conseguirlo.

Katerine se olvidó de la espada que seguía apuntándola. Sólo veía que Storm había conseguido lo que ella no había podido conseguir; que sus planes para convertirse en la esposa de Tavis estaban condenados al fracaso. La rabia y los celos hervían dentro de ella. Se levantó de un salto, sobresaltando a Hadden, y corrió hacia Tavis, cuya mano seguía posada sobre el vientre de Storm mientras las espadas le apuntaban. Katerine se quedó fuera del círculo que formaban.

—Pretende engañarte, Tavis. Quiere que des tu nombre al bastardo de otro hombre. ¿Es que no ves lo que se propone? —gimió, consciente de que sus acusaciones eran falsas—. No es más que una ramera inglesa.

Una fuerte bofetada dio con ella en el suelo. Andrew sólo tenía catorce años, pero era un chico alto y fornido, y golpeaba tan fuerte como un hombre hecho y derecho. Su cara lampiña reflejaba la furia fría y la dureza de un adulto cuando miró a la mujer que sollozaba en el suelo.

—Sugiero que os marchéis, señora, antes de que digáis otra cosa y olvide que sois una mujer —dijo con frialdad, y vio que Katerine se retiraba apresuradamente, temiendo por su vida.

—¿Dudas de que sea tuyo? —le preguntó Storm a Tavis en voz baja. Deseaba apartarle la mano, pero temía lo que pensaría él si lo hacía.

Tavis sintió cómo se movía el bebé dentro de su vientre y la emoción le hizo difícil articular palabra.

—No, muchacha. No sé qué has hecho desde que te fuiste de aquí, pero la semilla de otro hombre no podría hacer crecido tanto en tan poco tiempo. Yo fui el único que te tocó mientras estuviste en Caraidland y antes no te había tocado nadie. No, el niño es mío y le daré mi nombre, si eso es lo que quieres.

—Sí. No permitiré que nadie llame bastardo a mi hijo y buscona a su madre.

—Nunca lo has sido, pequeña —dijo él suavemente, y suspiró cuando ella se apartó—. Si es un varón, gozará de todo aquello a lo que le da derecho su ascendencia. Jamás negaré que sea hijo mío.

—¿Y si es una niña?

—Me encargaré de que nunca le falta nada y le daré un buena dote.

Storm asintió con la cabeza. Tenía todo lo que había ido a buscar, y sin embargo sentía ganas de llorar.

—¿Hay algún sacerdote?

Colin se acercó.

—Sholto irá a buscar uno, muchacha. Malcolm os llevará a vuestras habitaciones para que todos podáis asearos y descansar, si lo deseáis. No deberías haber montado a caballo —la reprendió suavemente.

—Mi hijo no será un bastardo —repitió ella en voz baja.

—Lo entiendo, niña. —Colin tocó su cabello trenzado antes de indicarle que acompañara a Malcolm.

—Pero tengo que hablar con ella —protestó Tavis.

Vio marchar a Storm y a los demás mientras su padre le sujetaba con firmeza del brazo.

—La hora de hablar pasó hace tiempo —dijo Colin, no sin ternura—. Debes proceder con sumo cuidado. Yo iré a hablar con la muchacha. Ahora mismo, sólo quiere que le des tu nombre al niño. —Sacudió la cabeza con tristeza al ver el dolor reflejado en los ojos de su hijo—. Ve a lavarte y a despejarte. Puede que todavía consigas arreglar las cosas.

Varias horas después, al despertar de su siesta, Storm encontró a Colin sentado junto a su cama.

—¿Y el sacerdote, mi señor?

—Acaba de llegar, niña. ¿Cómo te encuentras?

—Bien, pero ¿podríais echarme una mano? Últimamente me cuesta mucho levantarme.

Colin se rió suavemente y la ayudó a sentarse.

—¿Qué piensas hacer después de casarte con mi hijo?

—Volver a Hagaleah. Sólo he venido a pedirle que dé su nombre al niño. Aquí no hay nada más para mí.

—¿Cómo lo sabes? —preguntó él—. No le has dado oportunidad de hablar.

—La tuvo cuando me marché. Ahora no quiero oír nada de lo que tenga que decirme. —Se miró al espejo—. A decir verdad, ni siquiera quiero hablar de él.

Colin suspiró.

—Entonces vuestro matrimonio no será gran cosa, muchacha. —Vio que ella cerraba la mano sobre el mango del cepillo con tanta fuerza que se le transparentaron los nudillos—. No serás ni esposa, ni viuda, ni doncella.

—Mejor eso que quedarme aquí y ver cómo se acuesta con unas y con otras —replicó ella al abrir la puerta—. ¿Nos vamos? No puedo perder más tiempo o mi padre volverá a casa y adivinará adónde he ido.

Colin sacudió la cabeza, masculló algo acerca de lo difícil que era ser padre y la siguió, tomándola del brazo.

—¿Tanta prisa tienes? ¿No puedes darle una oportunidad?

—No —contestó ella en voz baja—. Acabo de superar su último rechazo. No me pidáis que corra otra vez ese riesgo.

Colin le apretó ligeramente el brazo en señal de comprensión y no dijo nada más. Storm le había dicho lo que quería saber. Una mujer no temía que le hicieran daño si no sentía nada. Si Tavis la quería, tenía una oportunidad, pero tendría que luchar por ella. Cuando entraron en el salón, a Colin le bastó mirar a Tavis para comprender que su hijo lucharía. El problema era el inmenso orgullo de ambos.

Tavis intentó hablar con Storm, pero no era el momento de intentar traspasar el gélido escudo que ella había levantado a su alrededor. Había demasiada gente pululando a su alrededor y dirigiéndose a ellos. Incluso el sacerdote le estorbaba, ansioso por acabar de una vez con la boda. Sholto le había sacado a rastras de un asunto importante, sin permitirle una negativa.

Las cosas no parecieron mejorar después de pronunciar los votos nupciales. De pronto, se oyó un tumulto en la puerta. Un grupo numeroso de hombros armados irrumpió en el salón. La gente de Caraidland estaba tan concentrada en aquella precipitada boda que no habían hecho falta más que un par de empujones para entrar en el castillo. El grito de sorpresa de Storm apenas se oyó, ahogado por el estrépito de las espadas que los escoceses reunidos en el salón se apresuraron a desenvainar. Bastó, sin embargo, para hacerles vacilar.

26

—¡Papá! ¡Has vuelto pronto!

—Sí, pero no lo bastante —gruñó lord Eldon al acercarse a su hija.

—Tienes razón —contestó ella con calma, aunque por dentro temblaba—. Ya nos ha casado un sacerdote.

—Aun así debería rebanarle el pescuezo a este canalla. Sí, y una o dos cosas más. —Los ojos marrones de lord Eldon brillaron con furia helada cuando Tavis y él se miraron cara a cara por encima de sus espadas.

Storm levantó los ojos al cielo con fastidio, harta de su actitud. Cogió el primer objeto que encontró, y que resultó ser un candelabro de varios brazos, y golpeó con él las espadas. Vio con calma que ambos las dejaban caer, sorprendidos por el golpe, y que empezaban a soltar maldiciones. La miraron ambos, enfadados por que mostrara tan poco respeto hacia asuntos propios de hombres, pero ella no hizo caso.

—No puedes matarle, aunque reconozco que hay alguna que otra parte de su cuerpo que no me importaría que le cortaras.

Tavis se preguntó, algo aturdido, si en Hagaleah todo el mundo iba por ahí amenazando con cortar las partes pudendas a los demás.

Lord Eldon tensó los labios, pero dijo con frialdad:

—Te dije que no lo hicieras. —Miró a los compinches de Storm—. Y vosotros, corriendo tras ella como siempre. ¡Vaya pinta!

Al oír esto, lord Foster salió en defensa del grupo.

—Es un buen disfraz, Roden. Funcionó bastante bien.

—Sí —dijo lord Eldon, más calmado—. Ha servido para que Storm llegara hasta aquí y se casara con este sinvergüenza. —Asió su espada, que lord Foster había recogido del suelo, y apuntó con ella a Tavis—. Sigo queriendo matar a este malnacido.

—No puedes, papá. Ahora forma parte de la familia. Es tu yerno. —Casi se rió al ver la expresión de su padre.

—¡Santo Dios! —bramó Eldon, blandiendo la espada peligrosamente—. Los Eldon y los MacLagan han guerreado desde la primera vez que se vieron. Llevamos generaciones derramando mutuamente nuestra sangre.

—Entonces va siendo hora de dejar de hacerlo —dijo Storm con firmeza, intentando hacerse oír por encima del murmullo repentino—. Estoy segura de que ambas familias podrán encontrar otros con los que cruzar sus espadas —dijo cuando de pronto se hizo el silencio.

—Eres una jovencita impertinente. Debería haberte dado más azotes —dijo Eldon, pero Storm no le prestó atención.

Al mirar a su alrededor, advirtió sentimientos encontrados. Estaba claro que el hombre era un animal de costumbres. Les costaba asumir que tendrían que dejar de hacer lo que llevaban haciendo desde hacía generaciones. Algunos parecían confusos, otros beligerantes y a varios parecía darles igual que fuera de un modo u otro. Todos parecían, eso sí, sumamente interesados en la discusión. Entre sus familias no había ninguna disputa concreta, aparte de la propia de las nacionalidades. Storm llegó a la conclusión de que ninguno de los dos linajes perdería nada si dejaban de hacerse la guerra.

—Pensad una cosa —dijo, mirando a su padre pero hablando para todos—. Si tengo un hijo varón, tu nieto será el heredero de Caraidland, un futuro MacLagan. —Otra vez estuvo a punto de echarse a reír, porque la expresión de algunas caras dejaba claro que a muchos no se les había ocurrido aquella idea—. Y, si tus hijos no tienen descendientes varones, mi hijo podría heredar tanto Caraidland como Hagaleah. Pensadlo. —Miró un momento a su alrededor al oír risas, y vio que procedían de Colin e Iain.

—Ya basta —refunfuñó Eldon.

—Eran simples conjeturas —murmuró Storm—. Pero hay que pensar en esas cosas.

—Sí, y hablando de cosas que hay que pensar, no deberías haber montado a caballo.

—No ha pasado nada, papá. Vinimos despacio.

—Debiste esperar a que naciera el niño, en vez de arriesgar tu impúdico cuello.

—Quería un apellido para mi hijo. Nadie le llamará bastardo —replicó ella.

—Eres igual que tu madre. Vino de Irlanda en pleno invierno por el mismo motivo. Y, cómo no, su hija tenía que galopar por el campo cuando sólo quedan unas pocas semanas para que dé a luz.

Storm tenía poco que alegar en su defensa, excepto lo que había dicho ya, así que puso a prueba otra táctica con la esperanza de aplacar la ira de su padre.

—No deberías gritar a una mujer en mi estado —dijo débilmente, llevándose una mano a la tripa y otra a la frente.

—No conseguirás nada con ese truco —replicó Eldon, y detuvo a Tavis, que hizo ademán de acercarse a ella, preocupado—. Eres fuerte como una yegua. He tenido tres esposas y siete hijos, así que no intentes engañarme.

Storm se recuperó inmediatamente.

—Típico de un hombre: fanfarronear sobre sus hazañas

en medio de cualquier discusión. —Clavó un dedo en Tavis—. Deberías compararte con tu yerno. Puede que te supere.

—Vamos, Storm —protestó Tavis—. Yo no tengo hijos. Éste es el primero.

—¡Ja! Teniendo en cuenta que vas de cama en cama, seguramente tienes docenas.

—No. No tengo ninguno. Siempre he tenido mucho cuidado. —Enseguida deseó haberse mordido la lengua. Storm y su padre le lanzaron una mirada fulminante.

—¡Fiu! —silbó Sholto—. Me parece que Tavis sigue un poco aturdido por la cerveza. No piensa con claridad.

—No —dijo Colin con voz ahogada por la risa—. Ese muchacho se está cavando su propia tumba.

—Supongo que debería sentirme halagada —siseó Storm, pensando en todas las mujeres con las que Tavis había tenido cuidado—. Si puedes reservar el resto de tu enfado para dentro de un rato, me gustaría irme a casa, papá.

—Storm... —Tavis la cogió del brazo cuando ella empezó a alejarse—. Quédate un rato. Deberíamos hablar.

—Deberíais haber hablado más y haberos dedicado menos a otras cosas —masculló Eldon, pero observaba a Tavis con atención y enseguida advirtió un par de cosas que le hicieron ver la situación desde otra perspectiva.

Storm se desasió bruscamente, furiosa por que su contacto aún la afectara tanto.

—No tenemos nada de que hablar, MacLagan —le espetó.

Se dirigió a la puerta con toda la prisa que pudo sin perder su aplomo, rodeada por sus primos y amigos. Quería marcharse cuanto antes. El solo hecho de ver a Tavis había hecho aflorar todos los sentimientos que creía enterrados bajo el dolor. Cada vez que su bebé se movía, recordaba cómo había sido engendrado. Y cuando eso sucedía estando junto a Tavis, el doloroso vacío que sentía dentro de sí se agrandaba. Ya había tenido suficiente.

Tavis echó a andar tras ella y volvió a agarrarla del brazo.

—Unos minutos. Es lo único que te pido.

Ella se volvió bruscamente para mirarle, pero la réplica que tenía preparada se cortó en seco al ver lo que colgaba de su cuello.

—Mi amuleto.

—¿Quieres que te lo devuelva? —Se llevó la mano al colgante como si quisiera impedir que se lo quitara.

—No —musitó ella, y le miró a los ojos—. No. Ya no lo quiero. Tíralo, Tavis MacLagan. Tíralo, como tiraste lo que significaba. —Volvió a desasirse y se alejó.

Lord Eldon se detuvo ante Tavis y con una sola mirada a la cara pálida y desolada del joven vio confirmadas sus sospechas. No se trataba de que hubiera utilizado a una doncella a su antojo y hubiera prescindido luego de ella cruelmente. Ignoraba por qué había dejado marchar a Storm, más allá de las razones obvias (quiénes eran, por ejemplo), pero estaba claro que la quería. Lo sucedido ese día no pondría fin a su relación. Lord Eldon tocó un momento el amuleto, consciente de lo que revelaba respecto a los sentimientos de su hija hacia Tavis MacLagan, y por un momento recordó dónde y cómo lo había visto por primera vez. Ahuyentando un fugaz sentimiento de melancolía por cosas pasadas, miró fijamente a Tavis y vio con claridad la mirada atormentada del joven.

—Debería matarte. Lo último que me hace falta es otro idiota en la familia. —Miró a su hijo Andrew, que seguía vestido de monje y esperaba junto a la puerta—. Quítate el dichoso hábito. Estás ridículo y es casi un sacrilegio que lo lleve un pecador como tú. —Salió del salón.

Andrew se apresuró a seguir a su padre mientras luchaba por quitarse el hábito.

—Es injusto que me digas eso.

—¡Ja! —respondió lord Eldon—. Desde lo de esa francesa, te pasas la vida con el culo al aire y mirando al cielo y apenas piensas en trabajar. Se te va a desgastar el trasero, muchacho.

Lord Foster se acercó a Tavis, el único que no se reía, aunque una sonrisa asomaba a sus labios. Foster sabía que no era tan temperamental ni tan listo como su viejo amigo Eldon, pero él también advirtió la mirada de Tavis. Como sabía que una mujer podía apoderarse por completo del alma de un hombre, intentó dar alguna esperanza al muchacho.

—Los Eldon son de emociones fuertes. Puede que sea por el pelo. Pero saben perdonar.

A su lado, la pequeña Matilda miraba a su padre con los ojos como platos.

—Papá, Storm se enfadaría su supiera que le has dicho eso. Dice que es un granuja que se baja las calzas nada más ver a una moza.

Entre risas, lord Foster cogió a su hija de la mano y salió del salón diciendo:

—Creo que vas a darme muchos quebraderos de cabeza. —Se detuvo junto a Colin—. No echaré de menos guerrear con vos.

—¿Vais donde van los Eldon? —preguntó Colin, saliendo al patio con los Foster.

—Sí. Así ha sido siempre. —Lord Foster condujo a su hija hasta su caballo.

Eldon se acercó a Colin. Mirando a Tavis, que estaba a corta distancia de allí, con los ojos fijos en Storm, dijo:

—Creo que esto no es el final, que aún pasarán muchas cosas antes de que esto se aclare.

Colin asintió con la cabeza.

—Sí. La impresión, la cerveza y los remordimientos por el daño que ha causado han nublado la mente de mi hijo, pero Tavis es un hombre de acción. Puede que el orgullo ponga algún que otro obstáculo en su camino, pero pronto estará dispuesto a luchar por ella. Y yo le animaré a hacerlo. Ninguna otra muchacha haría que me sintiera tan orgulloso de tener un nieto.

Lord Eldon inclinó la cabeza, agradecido por el elogio.

—Esperad hasta que nazca la criatura. No conviene que mi hija se disguste. La muy necia no debería haberse escapado de casa.

Tavis, que se había acercado con la esperanza de hablar con lord Eldon sin una espada ante la cara, tembló al oírle. Las palabras de Eldon avivaron la preocupación que sentía por la mujer que amaba.

—¿Ocurre algo malo?

—No, aunque mi hija es menuda y el bebé muy grande. No conviene disgustar a una mujer encinta. Pero no le pasará nada. Storm es muy fuerte, y es una Eldon —añadió.

—Y una O'Conner —dijo Phelan, que había ido a despedirse de Colin y los demás.

Lord Eldon levantó los ojos al cielo y replicó con sorna:

—Cosa que tú nunca me dejas olvidar. —Después de que Phelan se despidiera y se marchara, lord Eldon añadió pensativamente—: Tendré que intentar encontrarle un hogar al chico cuando Storm dé a luz.

—¿Os está costando encontrar quien se haga cargo de él? —preguntó Colin, sinceramente interesado.

—Sí. Es irlandés, y la gente no le quiere por eso. —Lord Eldon sacudió la cabeza al pensarlo.

—Es un muchacho sano y muy listo. Sí, y tiene carácter. Un poco de entrenamiento y será un soldado excelente. Dicen que los irlandeses y los escoceses somos de la misma casta —dijo Colin, levantando ligeramente una ceja.

—Ahora sí —murmuró Eldon, cuyos ojos mostraban que entendía muy bien a Colin.

—Sí. Tal vez podamos volver a hablar de ello cuando nazca el niño. Sospecho que será pelirrojo.

Lord Eldon sonrió.

—A vuestro clan no le vendrá mal un poco de color. El cielo amenaza lluvia. Más vale que nos pongamos en camino. —Miró a Tavis—. Os mandaré recado cuando nazca el bebé. —Se acercó a los caballos, montó detrás de Storm y ordenó a uno de sus hombres que cogiera las riendas de su montura.

—Puedo montar perfectamente sola —protestó su hija, indignada—. No hace falta que me lleves como si fuera una niña.

—A veces eres tan insensata como una niña —dijo lord Eldon cansinamente mientras emprendían el camino, y notó que Storm se esforzaba por no mirar al hombre que ahora era su esposo—. No deberías haberte casado con ese bandido, pero lo has hecho, y ahora huyes de él. ¿No vas a darle una oportunidad?

—No. No serviría de nada —contestó ella en voz baja, obligándose a creer sus propias palabras—. Se alegrará de que le deje libre. Sólo estorbaría sus devaneos, y no pienso quedarme para verlos.

—¿Sus devaneos? No es propio de ti acusar a un hombre sin tener pruebas.

—Tengo pruebas. No le estoy acusando en falso. Katerine estaba allí. Fue su amante durante dos años y me entregó a sir Hugh para sacarme de la cama de Tavis. Desde entonces está empeñada en recuperar su lugar.

—Muchacha, llevas mucho tiempo fuera de aquí y no pensabas volver. La castidad no es buena para un hombre.

—Lo sé. No nos dijimos nada al separarnos, así que no esperaba que me fuera fiel. Los hombres necesitan algo más que un recuerdo. Creo que, cuando volví a entrar en Caraidland, esperaba que habláramos, que mi hijo cerrara el abismo que nos separa, el abismo del pasado y de nuestros orígenes. Pero es distinto verle con las manos en la masa. —No vio que su padre hacía una mueca—. Aun así, tonta de mí, creo que podría haberlo pasado por alto si no hubiera sido por esa arpía de Katerine. ¿Por qué gruñes, papá?

—Porque te entiendo. ¿Recuerdas la vez en que el padre de Elaine la llamó a su lado?

—Sí. Ah —exclamó Storm—. Nueve meses después, lady Mary tuvo a mi hermano Tristram.

—Estuve a punto de perder a Elaine por eso, y no lo entendía. Pensaba como un hombre, y no creía haberle sido infiel por haberme servido de mi esposa. Elaine se avino a escucharme por fin y me explicó cómo lo veía ella. Una furcia del pueblo no es más que un objeto, una vasija desconocida en la que aliviarse, como un orinal, pero Elaine conocía a mi esposa, y lady Mary se encargó de que no olvidara nunca que me había acostado con ella. —Se rió por lo bajo—. Y no es que a Elaine le haga gracia que me sirva de una ramera de tres al cuarto. Si no aguanto ni un día más, voy a buscar a Elaine esté donde esté. Al final me ahorro un montón de problemas.

Storm se rió suavemente.

—Noto por tu tono que en realidad no lo entiendes. Sí, entiendes lo que puede significar con una mujer, pero no con la otra. No le das importancia, porque no entregas el corazón, el alma ni la mente, sólo tu cuerpo. Es sólo una forma de aliviar una necesidad. Pero ¿te gustaría que Elaine hiciera lo mismo, que aliviara esa necesidad con otros?

—Por los clavos de Cristo, con las mujeres es distinto —gruñó él—. Elaine es mi mujer. Nadie más debe poseerla.

—Entonces es extraño que no puedas entender que ella sienta lo mismo, que le duela pensar que estás en brazos de otra, aunque sólo sea un rato y no pongas el corazón en ello. Para ella no es algo sin sentido, porque no lo siente así. Elaine sólo ve el placer que le das y no soporta pensar que se lo das a otra mientras ella duerme sola. Cuando vuelves a sus brazos, debe de preguntarse qué pechos han tocado tus labios, qué curvas han acariciado tus manos y si encontraste más satisfacción en ellas que en las suyas. Igual que te lo preguntarías tú si ella se acostara con otro. Te preguntarías cuándo intentaría ese otro hacerla suya de nuevo, porque sin duda ella le daría el placer que consideras sólo tuyo, y si ella querría marcharse por haber encontrado más placer en otros brazos. Tal vez incluso os compararía a ambos mientras hiciera el amor contigo.

Lord Eldon frunció el ceño tras la cabeza de su hija.

—Las mujeres no tienen las mismas necesidades que los hombres.

—Eso es una tontería, papá. Si disfruta en la cama, ¿por qué no va a echarlo de menos? ¿Crees acaso que las pasiones de una mujer se disipan a voluntad? Ojalá fuera así. ¿Crees que las mujeres no tenemos memoria, que no recordamos cuando yacemos solas en la cama, que no sentimos hervir de nuevo nuestra sangre, que no sufrimos cuando no hay nadie que sofoque nuestro ardor? ¿Crees que, después de pasar muchas noches sintiendo esa ansia insatisfecha, una mujer no puede fijarse en otro y desear servirse de él para llenar ese vacío sin que su corazón y su cabeza cuestionen lo que está bien o mal? Queréis que ardamos de deseo cuando estáis cerca y que seamos de hielo cuando no lo estáis. Esperáis que suframos como sufrís vosotros, pero que no nos quejemos cuando buscáis el alivio que nosotras tenemos vedado.

—¿Es eso lo que sientes, princesa? —preguntó él suavemente.

Storm tardó un rato en contestar. Luego dijo en voz baja:

—Sí, y podría matarle por eso. —Exhaló un suspiro profundo y trémulo—. Dime una cosa, papá, ¿este dolor acaba por disiparse?

—Sí, se disipará, aunque puede que alguna vez sientes su alfilerazo al pensar en lo que pudo ser y no fue.

Storm pensó que un simple alfilerazo sería el paraíso comparado con la congoja que sentía en ese momento. Apoyándose contra su padre, cerró los ojos. Estaba muy cansada y se sentía desgarrada por dentro. El filo de sus recuerdos, que había empezado a embotarse, volvía a cortar como una cuchilla. No quería sentir el sabor de la sangre que haría brotar.

Más tarde, cuando estaba acostado con Elaine acurrucada en sus brazos, lord Eldon sintió resonar de nuevo las palabras de Storm en su cabeza. Sentía curiosidad por saber hasta qué punto eran ciertas.

—Elaine...

—¿Mmmm? —Levantó la cabeza de su pecho para mirarle—. Creía que estabas dormido.

—No. —Le apartó el pelo de la cara—. Dime la verdad, Elaine. Y no temas que te juzgue. Cuando volvíamos de Caraidland, Storm ha dicho algo que me atormenta. Necesito saber si es cierto.

—Pues pregunta lo que sea, Roden. De mí no obtendrás más que la verdad.

—Cuando no estoy contigo, ¿me deseas por las noches? ¿Sientes la necesidad de que te ame y sufres porque no estoy aquí? ¿Sientes esa ansia, hasta el punto de que podrías acostarte con otro hombre, con cualquiera, sólo para aliviar tu deseo, si te lo permitieran tu corazón y tu cabeza? ¿Piensas en el amor y lo ansías?

—Sí —contestó ella quedamente—. ¿Creías que dejaba de desearte sólo porque no estás conmigo? Sí, Roden, siento deseos, ardo y me estremezco de pasión hasta que temo volverme loca. —Sonrió un poco cuando él la estrechó en sus brazos, apretándola con fuerza—. Sé lo necesitada que estoy por dónde se posan mis ojos cada vez que veo un hombre. —Se rió con él, aliviada al ver que se tomaba su comentario con humor.

Eldon volvió a ponerse serio.

—Cuando vuelvo, ¿te preguntas a quién han saboreado mis labios o tocado mis manos? ¿Piensas que tal vez haya gozado más con otra mujer? Aunque no sea más que una ramera y sólo me sirva de ella, ¿te duele pensar que otra me ha abrazado, aunque sólo sea un rato? ¿Crees que estoy aliviando mis bajos instintos, pero al mismo tiempo piensas que estoy dando placer a otra, el placer que tú ansías y que no puedes tener porque estás sola en la cama?

—Sí, y a veces me dan ganas de matarme —contestó ella en voz baja—. Luego, cuando vuelves, temo mostrarte hasta qué punto te deseo porque pienso que tal vez te repugne, y al mismo tiempo temo que no puedas satisfacerme por haber saciado tus ansias con otra mientras estabas fuera. —Acarició su ancho pecho mientras hablaba.

—Desde que estuve a punto de perderte no ha habido otras mujeres, ni una sola, ni siquiera cuando hemos estado un tiempo separados. Temía que mi ardor te asustara, por eso me he refrenado —dijo él con sereno asombro, y la tumbó de espaldas—. ¿Cuánto me deseas? Ésta es la primera noche que paso en casa desde hace días y antes estuviste indispuesta.

—Bueno, si quieres que lo comparemos con una comida, yo diría que apenas he acabado el primer plato. —Se rió cuando él la besó con un gruñido, y lo último que pudo pensar con claridad fue, *Qué Dios te bendiga, Storm. Espero que Tavis MacLagan sea lo bastante listo como para saber que contigo tendría un tesoro.*

Tavis MacLagan bebía y maldecía a Storm Eldon de todas las formas que su mente empapada en cerveza era capaz de discurrir. Tenía tendencia a maldecir también a muchas otras personas, incluyendo a sus familiares sentados a la mesa, que se preguntaban si tendrían que llevarle a la cama. Su ira escondía, sin embargo, un dolor insidioso y una profunda preocupación por la mujercita que pronto daría a luz a su hijo. A decir verdad, sentía miedo por ella.

—Por las barbas de Cristo —masculló, mirando fijamente su cerveza—. La primera vez no hablé y la segunda no me dejaron. Parece que estoy condenado a verla marcharse con ese maldito lord Eldon.

Colin contuvo la risa.

—Se diría que Eldon está en todas partes. Claro que, si yo tuviera una hija como Storm, también estaría siempre alerta. Ese muchacha parece tener un don para meterse en líos.

—Las cosas habrían ido mucho mejor si no hubieras estado manoseando a esa zorra de Katerine.

Tavis dejó bruscamente su jarra sobre la mesa y bufó:

—¿Querías que me convirtiera en un monje, Sholto? No había motivos para creer que Storm volvería. Ni siquiera teníamos noticias suyas. ¿Qué iba a hacer, quedarme sentado pensando en ella como un crío? —Se arrellanó en la silla. Parecía un niño enfurruñado—. Ella no lo ha hecho por mí.

—No tengo muy buena opinión de los caballeros ingleses, he de reconocerlo, pero no me los imagino revoloteando alrededor de una mujer embarazada de otro —dijo Iain con ironía, y se rió al ver las expresiones que desfilaban por el rostro de su hermano—. Y de un escocés, además.

La confusión dio paso a la lucidez y luego a la rabia en el interior de Tavis.

—Rayos y truenos, ha vuelto a engañarme.

—No, te has engañado tú solo, muchacho —dijo Colin—. Está claro que la chica no es ninguna libertina, que sería incapaz de saltar de cama en cama. Pero tú siempre piensas lo peor. Storm sólo se aprovecha de ello. Si quieres recuperarla, tendrás que refrenar tu mal genio y no dejarte aguijonear de esa manera.

Tavis apuró su bebida y se levantó.

—Tienes razón. Si no pierdo los nervios, al final tendrá que escucharme y se dará cuenta de que su sitio está aquí. —Salió del salón con paso sorprendentemente firme para lo mucho que había bebido, y al llegar a la puerta añadió—: Si eso no funciona, la agarraré por el pelo y la traeré a rastras hasta aquí.

27

Pasaron tres semanas y el invierno se instaló con violencia intermitente. Una mañana tormentosa, al despertar, Storm supo intuitivamente que iba a seguir los pasos de su madre. Hacía muchos días que se sentía incómoda, pero esa mañana su malestar parecía distinto. Se levantó, pese a todo, y con ayuda de su doncella se vistió y bajó al salón. Había presenciado suficientes alumbramientos, e incluso ayudado en ellos, como para saber que podían pasar muchas horas antes de que empezara de verdad el parto.

Cuando se sirvió la cena, comprendió que no podía seguir ocultando que estaba de parto. Elaine y unas cuantas mujeres que servían en el castillo la habían estado observando con tanta atención que Storm estaba segura de que no se sorprenderían. Le hacía cierta gracia que, debido a la celebración del cumpleaños de Andrew, la tormenta hubiera sorprendido a los Foster en Hagaleah. Parecía que, cuando algo trascendental ocurría en alguna de las dos familias, los Foster y los Eldon siempre estaban juntos.

No era únicamente su orgullo de madre lo que la hacía pensar en el nacimiento de su hijo como en un hecho trascendental. Al cabo de unas horas, la sangre de dos facciones enfrentadas quedaría unida en una única criatura. El futuro heredero del castillo de los MacLagan llamaría abuelo (o tío, en un futuro más lejano) al señor de Hagaleah. Storm se dio cuenta de que seguía pensando que su hijo iba a ser un varón, y sonrió de soslayo. No era de extrañar, teniendo Colin tres hijos varones y su padre seis. Las hijas eran una rareza en ambas familias.

—Papá... —dijo, y tuvo que apretar los dientes al sentir una fuerte contracción. Al parecer, a su hijo se le había agotado por fin la paciencia.

Se hizo el silencio y todos los ojos se fijaron en ella. Roden Eldon no necesitó más que una mirada para comprender que el niño estaba en camino. Un momento después puso a trabajar a sus sirvientes con la precisión de un ejército. Mientras Storm intentaba sostenerse en pie con ayuda de Elaine, él se acercó y la levantó en brazos.

—He engordado un poco últimamente, papá —protestó ella cuando su padre echó a andar.

—Has tardado un poco en avisarnos de que había llegado el momento —gruñó él, y empezó a subir las escaleras hacia los aposentos de Storm.

Ella jadeó un poco al sentir otra contracción y dijo:

—Creía que aún quedaban horas.

—También lo creyó tu madre y, si no hubiera subido los peldaños de dos en dos con ella en brazos, habrías nacido en la misma mesa a la que estábamos sentados hace un rato.

En cuanto lord Eldon depositó a Storm en la cama, Elaine intentó que se marchara diciendo:

—Aquí no puedes hacer nada, Roden. Esto es cosa de mujeres.

Lord Eldon miró desdeñosamente a las jóvenes que merodeaban por allí, atareadas.

—¡Bah! He traído a más niños al mundo con estas dos manos que todas ellas juntas. ¡Fuera todas! No quiero a nadie aquí dentro. Nos quedaremos sólo lady Elaine, Hilda y yo. —Sonrió divertido al ver que las doncellas huían de la habitación.

Aunque le resultaba difícil hablar mientras Hilda le quitaba enérgicamente la ropa y sus contracciones cobraban fuerza, Storm dijo:

—Algún día se darán cuenta de que ladras mucho, pero no muerdes, papá.

—Si lo descubren, las pondré de patitas en la calle —contestó él al sentarse en la cama, a su lado.

Cuando llegó la siguiente contracción, Storm se alegró de que las grandes manos de su padre la sujetaran, y se aferró a su fuerza. Por un momento deseó que lord Eldon fuera Tavis, pero se obligó a ahuyentar aquella idea. No era momento para la tristeza o el anhelo, que sólo podía debilitarla. Traer al mundo a su hijo sano y salvo iba a requerir todas sus fuerzas y su concentración. No podía perderlas pensando en un hombre que no estaba allí, ni quería estar.

Eldon empezó a contarle anécdotas del tiempo que había pasado en Francia, con idea de mantenerla alerta y hacerle olvidar el dolor, con un poco de suerte. Algunas de ellas no eran muy adecuadas para los oídos de una dama de elevada cuna, pero hasta Hilda se abstuvo de protestar al ver que conseguían que Storm no fuera presa del dolor. Eldon sabía que no era sólo de los dolores del parto de lo que tenía que distraer a su hija: no podía permitir que el recuerdo de Tavis MacLagan atormentara a Storm, lo cual no era fácil, puesto que en realidad estaba en la mente de todos.

—Dar a luz es un poco indigno —dijo Storm cuando Hilda y Elaine volvieron a mirar entre sus piernas.

Roden se echó a reír.

—Sí, desde luego. Pero ya no falta mucho, Storm. Sigue el dolor, cariño. No te resistas a él, porque eso sólo lo hace más insoportable. —Refrescó tiernamente su cara con un paño húmedo.

—Me duele muchísimo la espalda —gruñó ella—. ¿Tengo que quedarme tumbada? ¿No puede ser de otro modo?

—Bueno, las yeguas paren de pie, pero el bebé podría resbalar y matarse. —Lord Roden sonrió al ver que Storm soltaba una débil risilla—. Tal vez te duela menos la espalda si te pones de rodillas.

Hilda y Elaine protestaron, pero nadie les hizo caso. Storm se puso de rodillas con torpeza y su padre se sentó delante de ella para animarla y servirle de apoyo. Elaine se quejó de que así no era fácil ver lo que ocurría, pero reconoció que podían apañárselas. Storm se alegró tanto de que dejara de dolerle la espalda que no le importó si incomodaba a los demás.

—Papá, si algo sale mal... —dijo con voz débil cuando los dolores comenzaron a mezclarse.

—No digas eso, hija —la regañó Roden suavemente, disimulando su preocupación, porque Storm era muy menuda y el parto se estaba alargando—. Trae mala suerte, estoy seguro.

—No, tengo que decirlo. Así me quedaré más tranquila. Tienes que llevarle el niño a Tavis. Puede que sea un granuja y que levante todas las faldas que ve, pero será un padre excelente. Hasta para una niña. ¿Me lo prometes?

—Sí, cariño, aunque no hace falta. Es sólo que estás cansada. —Sintió el ruido del viento golpeando las murallas y esbozó una sonrisa—. Será como con tu madre. También había tormenta cuando viniste a este mundo. Hilda y yo te oímos llorar por primera vez. Está bien que vayamos a oír también el primer llanto de tu hijo. Un nieto. Empiezo a sentirme viejo.

—Eso no, papá. Tú siempre serás joven. Estarás aún vivito y coleando cuando tus hijos sean abuelos.

—Dios no lo quiera. Empuja ahora, Storm —la animó él, y sintió que el cuerpo de Storm reaccionaba.

Storm comprendió vagamente que ya no tenía control sobre su cuerpo. La naturaleza y el instinto llevaban las riendas. El dolor estaba ahí, pero ya no era del todo consciente de él. Lo único que sabía era que necesitaba empujar, empujar con todas sus fuerzas. Cada palmo de su cuerpo se concentró en dar a luz al bebé. Fue consciente del instante en que el bebé salía de su cuerpo y contuvo el aliento, como todos los demás, hasta que un llanto agudo llenó la habitación.

—Un niño hermosísimo, Storm —anunció Eldon con voz ligeramente temblorosa.

Demasiado cansada para hablar, Storm asintió con la cabeza y sonrió, pero un instante después comprendió que algo iba mal. Las contracciones deberían haber cesado, y sin embargo eran más fuertes que nunca. Su vientre se contraía como si quisiera aún expulsar al bebé. Desconcertada, miró la cara fatigada de su padre.

—Algo va mal —jadeó, y vio que su padre palidecía—. Creo que no he acabado.

Eldon tocó su vientre y descubrió que seguía estando tenso e hinchado y que aún se contraía. Se quedó mudo de asombro un momento. Elaine y Hilda se pusieron en marcha con un respingo, y él soltó una risa temblorosa.

—No has acabado. Aún queda otro por nacer. Debería haberme dado cuenta, estando tan gorda... Aguanta, pequeña, seguro que éste es el último. Luego podrás descansar y disfrutar de tu hazaña.

Después del nacimiento de su hija, Storm tuvo la sensación de que, en lugar de descansar, se desplomaba. Se quedó inerme, con la mirada fija en sus bebés, mientras la lavaban, cambiaban las sábanas de su cama y le ponían un camisón limpio. Cuando acercaron a los bebés a su pecho por turnos, los ojos se le llenaron de lágrimas. Su corazón se llenó de amor y de asombro, pese a estar desgarrado por el dolor que le había causado amar al padre de los niños.

El niño tenía una densa mata de pelo rojo, y Storm comprendió que no descansaría hasta ver de qué color tendría los ojos. Su hija tenía, en cambio, el cabello negro, y Storm sintió de nuevo el deseo de ver de qué color serían sus ojos. Aunque más pequeña que su hermano, parecía igual de sana.

—Son como Tavis y yo, pero al revés —dijo en voz baja cuando los gemelos fueron depositados en la cuna. Luego se encontró con la mirada preocupada de su padre—. No temas. Lo superaré. —Cerró los ojos con un suspiro y sintió que el sueño se apoderaba de ella como una marea imparable—. Dios mío, podría haberle querido tanto...

Lord Eldon apartó el pelo de la cara de su hija dormida.

—Y le querrás, cariño. Y le querrás.

—¿De veras lo crees, Roden? —preguntó Elaine en voz baja, a su lado.

—Sí, y si no se hubiera dejado cegar por el dolor, ella también lo creería. —Sacudió la cabeza—. Tavis no podría haberla aplacado el día que se casaron, porque Storm le sorprendió en brazos de otra mujer que había compartido su cama antes que ella. —Rodeó los hombros de Elaine con el brazo.

Los ojos de Elaine se llenaron de lágrimas de compasión.

—Pobrecilla, sufrir ese golpe siendo tan joven.

—Me dieron ganas de matarle. Que le robara su inocencia era motivo suficiente, pero yo sabía que Storm no mentía cuando dijo que podía habérsela arrebatado en cualquier momento, que con paciencia podría haberla seducido sin una sola queja por su parte. ¿Y quién soy yo para juzgar a un hombre por poseer a una mujer a la que desea y que no le rechaza? No, quise matarle por hacerla sufrir, por la pena que la atormentaba día y noche. Y sin embargo no me di cuenta de lo mucho que sufría hasta que volvimos a casa el día de la boda.

—Los hijos han de crecer, han de sufrir. Así debe ser. Los padres no podemos protegerlos de todas las heridas que inflige la vida —dijo ella con serenidad, intentando aliviar su pena—. ¿Por qué ya no deseas matarle, Roden? ¿Qué te hizo cambiar de idea?

—Él también estaba sufriendo, parecía torturarse tanto como ella, hasta tal punto que no podía ocultarlo. Saltaba a la vista. Se daba cuenta de lo que había perdido, de lo que tal vez no podría recuperar. No podía matarle por no conocer su propio corazón. Bastante daño se había hecho ya a sí mismo.

Cuando se volvieron para salir de la habitación, Elaine preguntó:

—¿Qué va a pasar ahora?

—Con este tiempo, MacLagan tendrá que quedarse en Caraidland hasta que Storm se haya recuperado por completo, pero luego no me cabe duda de que llamará a nuestra puerta. Ahora tiene que pensar en su hijo.

—Pareces creer que es importante que Storm esté recuperada del todo.

—Sí. No sería bueno para ninguno de los dos que MacLagan consiguiera lo que quiere con excesiva facilidad. Deben airear sus sentimientos y aclarar malentendidos. —Sonrió—. Storm no se dejará aplacar fácilmente.

—Vaya, Roden, creo que estás deseando que se enfrenten.

Roden se rió suavemente.

—Es cierto. Storm está magnífica en plena batalla. Bueno —dijo cuando entraron en el salón—, ¿dónde se ha metido ese maldito escocés que lleva casi dos semanas merodeando por aquí?

Angus había disfrutado bastante de su estancia en Hagaleah. Después de dejar a unos cuantos hombres magullados, la guardia de lord Eldon le trató como a un igual. Aunque seguramente jamás lucharían codo con codo, se alegraba de que nunca volvieran a enfrentarse a punta de espada.

Cuando Roden logró desprenderse de sus familiares, amigos y hombres de armas, Angus seguía perplejo y divertido por la noticia. Un hijo de Tavis habría colmado todas sus esperanzas, pero que hubieran nacido dos de golpe parecía casi un milagro. Pidió que le repitieran dos veces la noticia, y luego se limitó a sacudir la cabeza.

—¿Ha decidido la muchacha cómo van a llamarse? —preguntó por fin.

—Imagino que sí, pero aún no me lo ha dicho. —Eldon contempló la tormenta—. Lo sabréis antes de que podáis partir hacia Caraidland. Escribiré una carta para MacLagan para que se la entreguéis.

—Estará aquí en cuanto sea posible viajar.

—Sí, querrá venir enseguida, pero tendrá que esperar a que mi hija se recupere por completo.

—¿Queréis que la muchacha esté bien pertrechada para la batalla, ¿eh?

Roden sonrió.

—Sí. No quiero que empiecen su matrimonio con tantas cosas que aclarar.

—Sí. Hay que limpiar la pizarra, no cabe duda. En fin, partiré en cuanto mejore el tiempo. El chico estará loco de impaciencia, sin saber qué pasa con la muchacha.

Decir que Tavis estaba «loco de impaciencia» cuando Angus llegó a Caraidland más de una semana después, tras un arduo viaje, habría sido quedarse muy corto. Desde hacía un mes estaba ansioso por tener noticias de Storm, fueran cuales fuesen, pero cuando vio a Angus no quiso oír nada.

Se agarró a los brazos de la silla en la que estaba sentado y esperó angustiado a que Angus entrara en el salón. Aunque los hombres no participaban en los partos, sabían cómo se desarrollaban y cuáles eran sus riesgos. A menudo, los gritos de las mujeres se oían hasta muy lejos. Con demasiada frecuencia la madre moría, ya fuera porque nadie podía detener la hemorragia, o a causa de la fiebre que solía sobrevenir tras el alumbramiento. A veces su sacrificio no servía de nada, pues el bebé nacía muerto o enfermo y no sobrevivía a su madre.

Todas aquellas desgracias atormentaban a Tavis. No recordaba lo fuerte y lo sana que era Storm, sino únicamente lo menuda que era. La idea de que los dolores del parto sacudieran su cuerpo le torturaba en sueños. A veces se alegraba de no estar allí para verlo, pero con más frecuencia deseaba estar a su lado, como si su presencia y su fortaleza pudieran aliviarla y mantener a raya las tinieblas que pesaban, amenazadoras, sobre el lecho de una parturienta.

Cuando Angus entró por fin seguido de mucha gente, su tensión se disipó en parte. No era posible que sonrieran así, si algo había salido mal. Angus se había encariñado con Storm: no estaría tan contento, si le hubiera pasado algo. Debido a eso y al hecho de que Angus no habría vuelto a Caraidland si el niño no hubiera nacido aún, Tavis sintió que la euforia se agitaba dentro de él.

—¿Y Storm? —preguntó con voz ahogada cuando Angus se detuvo frente a su silla.

—La chica está bien, aunque un poco malhumorada por que la atosiguen y la traten como a una inválida. Antes de que me fuera, echó a su hermano Andrew de la habitación tirándole un orinal a la cabeza.

—Angus —gruñó Tavis—, ¿ha nacido ya el niño?

—Sí. ¿Por qué, si no, iba a estar aquí? —Juzgó por la cara cada vez más sombría de Tavis que ya le había tomado bastante el pelo—. Sí, tienes un hijo. —Esperó a que dejaran de oírse los gritos de júbilo—. Y parece que va a ser un muchacho grande y fuerte. Tiene el pelo rojo y parece que ha sacado tus ojos. Storm le ha llamado Taran, que significa trueno en galés. —Sonrió—. La madre de lord Eldon era de Gales. Era el nombre del abuelo de Storm, ¿o era de su bisabuelo? Da igual. Creo que le sienta como un guante. Llora a pleno pulmón. La verdad es que tiene una sarta de nombres: Taran Roden Colin MacLagan. La chica dice que así se ahorraría discusiones.

Tavis aceptó a ciegas una jarra de cerveza y aguantó unas cuantas palmadas en la espalda.

—Dios mío, un hijo...

—Aún no he acabado —exclamó Angus, y el ruido cesó de golpe.

—Pero has dicho que Storm estaba bien —dijo Sholto, dando voz a la confusión que sentía Tavis.

—Sí, está bien. Parece pequeña, pero es fuerte como un toro.

—Entonces, ¿qué más hay que decir, cabeza de alcornoque? —bramó Colin, perdiendo la paciencia.

—Tavis tiene una hija.

—Maldita sea, Angus, acabas de decirme que era un niño.

—Sí, así es, pero también tienes una hija. Toma, muchacho, bebe un buen trago. Pareces un poco mareado.

Tavis, en efecto, se sentía mareado.

—Tengo un hijo y una hija. —Bebió un largo trago—. ¿Gemelos?

Angus asintió con la cabeza.

—Sí, gemelos. La niña tiene el pelo negro y los ojos parecen los de su madre. Es un poco pequeña, pero está bien. Le han puesto Aingeal, por la madre de Storm. Aingeal Vanora O'Conner MacLagan. También le han puesto el nombre de tu madre. Es un poco más tranquila que el niño, pero no es nada dócil.

—Teniendo los padres que tiene, no se atrevería a serlo —murmuró Colin—. Storm es tan pequeña... Cuesta creer que haya tenido gemelos. Gemelos vivos y sanos. ¿Estás seguro, Angus?

—Los he visto con mis propios ojos. Sí, y Storm también está perfectamente —repitió, adelantándose a la pregunta de Tavis—. Lord Eldon te manda unas letras.

Tavis se quedó mirando el paquete y casi se echó a reír.

—Conque unas letras, ¿eh? Parece un libro.

Con un suspiro, comenzó a leer la larga carta de su suegro. Los demás celebraron alegremente el nacimiento de sus hijos sin la participación del flamante padre. Si alguno de ellos había recelado de aquella boda, sus dudas se habían despejado. El origen de Storm no era nada comparado con el hecho de que hubiera dado a luz al heredero de Tavis. Había, de hecho, traído al mundo dos niños sanos en su primer parto. Aquella asombrosa hazaña se atribuyó a su herencia irlandesa y al hecho de que su amante fuera escocés.

Tavis sintió al mismo tiempo enfado y regocijo al leer la carta de lord Eldon. Aquel hombre se estaba convirtiendo rápidamente en un personaje contra el que Tavis lamentaba haber levantado alguna vez una espada. Sus palabras seguían teniendo una nota de reproche, pero Tavis lo entendía. Eldon se había visto forzado a aceptar en su familia a un hombre al que, por derecho, debería haber atravesado con su espada.

La carta relataba con detalle el alumbramiento de los gemelos, cosa que Tavis le agradeció sinceramente. Era casi como haber estado allí. Se sentía a un tiempo agradecido y enfadado con Eldon. Reconocía que estaba celoso por que Eldon hubiera estado presente en el parto, pero no podía evitar estarle agradecido por haber estado allí para apoyar a Storm. Sentía, además, celos por el afecto evidente que unía a padre e hija.

Aquellos sentimientos palidecieron, sin embargo, cuando siguió leyendo la carta. Eldon quería que esperara un poco antes de ir a ver a Storm y a sus hijos. Casi un mes entero más. A continuación, como si quisiera echar sal en la herida, le daba un par de consejos sobre cómo tratar a Storm cuando por fin se vieran.

—Ese diablo de hombre me dice cómo tengo que tratar a Storm —gruñó, arrojándole la carta a Colin.

—Bueno —dijo Sholto con sorna—, tienes que reconocer que hasta ahora no se te ha dado muy bien. —Esquivó el puñetazo de Tavis.

—Vamos, vamos, Tavis —dijo Colin entre las risas de los demás—. Lord Eldon tiene razón.

—Sí, ya. También dice que no podré verla hasta dentro de un mes, o casi. Todavía debo esperar.

—Da una razón muy convincente, una razón que demuestra que piensa en lo que más te conviene. Es cierto que las mujeres están muy sensibles después de tener un hijo. Es mejor que no la veas si no está en disposición de razonar. Quieres que te escuche. Ahora mismo, es poco probable que lo haga. Así que debes esperar.

—Storm siempre ha sido muy temperamental —gruñó Tavis, recordando su risa, su pena, su rabia y su pasión, que ella demostraba tan abiertamente.

—Sí, pero las mujeres están distintas cuando esperan un hijo y también durante un tiempo después de tenerlo —dijo

Malcolm, que tenía seis hijos, y unos cuantos hombres que estaban casados y tenían familia asintieron con la cabeza—. Una mujer que nunca llora puede convertirse en una cascada y otra que nunca se enfada ponerse a gritar y a despotricar. Además, no hay modo de razonar con ellas. Sólo puedes tranquilizarlas, intentar no perder la calma y esperar a que se les pase. No es momento para resolver problemas. Eldon tiene razón en eso. Sólo empeorarías las cosas. Espera hasta que él te lo diga.

Colin miró a Tavis.

—Por lo que dice aquí, tienes mucho que ganar, si esperas.

Tavis suspiró y se masajeó las sienes. Eldon le contaba en la carta la conversación que había tenido con Storm en el camino de regreso, después de la boda. Saber lo que sentía Storm le excitaba hasta el punto de hacerle sentir extremadamente incómodo. Costaba entender que una mujer sintiera esas cosas, y sin embargo no se sentía asqueado, ni la consideraba impúdica o libertina. Sólo deseaba estrecharla entre sus brazos. Ésa era, naturalmente, una razón excelente para esperar un poco más. Storm no podría acostarse con él aún, y Tavis dudaba de que pudiera acercarse a ella sin desear meterse en la cama con ella varios días seguidos.

—Dios —gruñó—, parece que no hago otra cosa que espera una oportunidad para arreglar las cosas.

—Esperas para conseguir lo que algunos de nosotros no hemos encontrado nunca —dijo Iain en voz baja—. Merece la pena.

Tavis sólo pudo asentir sinceramente con una inclinación de cabeza.

28

Storm caminaba hacia el salón con su hijo en brazos y Phelan a su lado. Elaine la seguía con su hija, Aingeal, que hacía alegres gorgoritos. Los gemelos tenían tres meses y creían fuertes y llenos de energía. A diferencia de otros señores feudales, Eldon no imponía normas férreas respecto al uso del gran salón del castillo. Creía que éste tenía que ser un lugar donde todos se mezclaran libremente, de modo que las mujeres se sentaban con los hombres y a menudo había niños corriendo por todas partes. Si tenía que discutir algún asunto serio con sus hombres de armas o con otra persona, sencillamente despejaba el salón. Algunas personas veían con malos ojos aquella costumbre, pero ninguna de ellas era de Hagaleah.

El invierno había sido duro, pero hacía un tiempo sorprendentemente bueno para estar a mediados de marzo. La primavera estaba a la vuelta de la esquina. Storm se negaba a recordar una tibia noche de marzo de hacía un año. Los recuerdos sólo conseguían entristecerla, y estaba harta de sufrir. Pese a todo, los recuerdos la asaltaron cuando se acercó al salón, y tuvo que detenerse un momento. Oía el murmullo de las voces de los hombres y se descubrió aguzando el oído para distinguir una en particular. La cara de Elaine no dejaba entrever nada.

—¿Qué ocurre, Storm? —preguntó Phelan al ver que su prima se paraba.

—No estoy segura. Tengo la impresión de que no me va a gustar lo que voy a encontrarme hoy en el salón. —Luchó por ahuyentar sus temores y siguió andando, pero se detuvo en la puerta y miró con enojo a los presentes—. Tenía yo razón.

Se quedó mirando a Tavis un momento, intentando separar su cólera de la oleada de emociones que sentía y aferrarse a ella. No le fue fácil, porque sabía que aún le quería, que aún sufría por él. Sabedora de quién había dejado entrar a Tavis en Hagaleah, se volvió hacia su padre, pero sólo vio en él una sonrisa inocente que no la engañó ni por un segundo y que sólo consiguió acrecentar su ira. Los intentos de Elaine por tranquilizarla tampoco surtieron efecto.

Tavis prestó poca atención a su evidente enfado. Se deleitó en la contemplación de su esbelto cuerpo como un hombre sediento que bebiera por fin. Intentando controlar el deseo que se agitaba dentro de él, volvió la mirada hacia sus hijos. La emoción le embargó al mirar sucesivamente, una y otra vez, la rubia cabeza de su hijo y el cabello moreno de su hija. Le había costado asumir que era padre, pero de pronto aquel sentimiento le inundaba por completo.

—¿Qué haces aquí? —preguntó Storm ásperamente, acercándose a la mesa—. ¿Os habéis quedado sin rameras en Caraidland y vienes a buscarlas aquí? Llegas tarde. Elaine limpió la casa hace meses.

—Bastará con que le des la bienvenida, Storm —dijo Roden con ironía, pero había una nota de regocijo en su voz.

Tavis lanzó una mirada de enojo a sus parientes, que se reían por lo bajo como todos los demás; luego volvió a mirar a Storm y luchó por refrenar su enfado.

—He venido a ver a mis hijos y a hablar contigo.

Storm se sentó junto a su hermano Andrew y le miró gélidamente.

—Aquí los tienes. Míralos cuanto quieras. —Intentó no

sentir nada cuando él se acercó—. Cuando acabes, puedes marcharte.

Andrew le cedió el asiento y Tavis extendió los brazos hacia su hijo.

—¿Puedo cogerle?

Storm le dio al niño sin decir palabra. Veía el brillo de enfado de sus ojos, y sin embargo su voz sonaba tranquila. Aquel indicio de que Tavis se estaba dominando la inquietaba más que cualquier otra cosa, porque demostraba que estaba decidido a salirse con la suya en aquel asunto. Y cuando se empeñaba en salirse con la suya era un enemigo formidable, tan formidable que Storm empezó a asustarse y procuró que él no se diera cuenta.

El solo hecho de estar sentada a su lado hacía que se derritiera por dentro. Le costaba mantener su actitud gélida. Lo que deseaba era arrojarse en sus brazos y quedarse allí hasta que él sofocara el fuego que ardía en ella desde hacía meses. Respirar su olor limpio y viril la aturdía.

Tavis, al menos, se vio libre de aquel tormento durante un rato. Abrazar a su hijo y luego a su hija había vaciado su mente de todo lo demás. Asombrado, los tocó de arriba abajo, desde los rizos sedosos a los diminutos dedos de los pies. En aquella época, tener un hijo sano era una bendición. Y él tenía dos.

Los hombres, por lo general, se relacionaban poco con los niños, y sin embargo Storm notó que su familia y la de Tavis se parecían también en eso: a los MacLagan no les avergonzaba abrazar a un niño y regocijarse en su compañía. Los niños fueron pasando de mano en mano entre su parentela escocesa. Como le sucedía con su padre, Storm vio cómo aquellas manos callosas que podían empuñar una espada con mortífera precisión manejaban a los bebés con tierna y amorosa firmeza. Los MacLagan, al igual que los Eldon, comprendían que aquellos bebés eran el porvenir; que no perdían ni un ápice de su virilidad por regocijarse en la existencia de unos pequeños que, conforme a la promesa de Dios, aseguraban la pervivencia del ser humano.

Cuando se encontró con los brazos vacíos, Tavis volvió a sentir de inmediato la necesidad de estrechar en ellos a Storm. Sentada a su lado, ella bebía de una jarra de cerveza y no daba muestra alguna de querer que la abrazara. Costaba creer que alguna vez se hubiera pasado las noches en vela, deseándole.

—Ya he abrazado a mis hijos. Ahora quiero hablar contigo.

—¿Seguro que tienes tiempo? Es tarde. Habrá alguna moza esperándote.

—Por los clavos de Cristo, Storm, no he estado con ninguna mujer —contestó él, cerrando los puños.

Ella le miró fijamente.

—¿De veras? —dijo con sorna—. Imagino que estabas contando los dientes de Katerine con la lengua para no mojarte los dedos. —Apenas se dio cuenta de que su comentario provocaba risas mal disimuladas.

—Esto ya empieza —murmuró Colin al sentarse junto a Eldon, y había una nota de risa en su voz.

—Me encanta ver a Storm enfurecida —dijo Eldon—. Tiene una lengua temible.

—Sale a su padre —dijo Colin tranquilamente, y sonrió cuando Eldon le miró con fingida indignación.

—No —dijo Tavis—, pero no voy a explicarte eso delante de toda esta gente. Quiero intimidad.

Storm apuró su cerveza, dejó bruscamente la jarra sobre la mesa y se levantó de un salto.

—Puedes tener toda la intimidad que quieras, pero conmigo no cuentes. Conozco muy bien tus trucos, Tavis MacLagan.

—Ya lo creo —bufó él, poniéndose en pie delante de ella—. Me los pediste muchas veces.

—Hasta las cosas más vulgares se ansían cuando una se aburre —ronroneó ella mientras hacía esfuerzos por no sonrojarse.

Elaine sofocó un gemido.

—Roden, ¿no están contando demasiadas intimidades? ¿No deberías hacerles salir?

—No. Las discusiones íntimas son las mejores —contestó Eldon alegremente, y sonrió cuando Colin asintió vigorosamente con la cabeza—. No te preocupes, Elaine.

Comprendiendo que empezaba a encolerizarse, Tavis intentó refrenar su ira.

—No quiero discutir contigo.

A Storm aquello no le pareció bien.

—Y yo no quiero hablar contigo. En absoluto.

—Pues vas a hacerlo y vas a escucharme, zorra. —Tavis ya no intentaba refrenar su enfado.

—¿Ah, sí? Bien has de saberlo tú, que sin duda vienes de los brazos de la mayor zorra de toda Escocia. Estoy segura de que Kate estará encantada de escuchar las lindas mentiras que quieras contarle.

—Por las llagas de Cristo, mujer, no he visto a Kate desde que tu hermano y tú amenazasteis con hacerla picadillo.

—Llamó ramera a Storm —murmuró Colin cuando Roden lanzó a su hijo una mirada de reproche.

—Ah, bueno. —Roden sonrió a Andrew—. ¿Se estaba acostando Tavis con esa tal Katerine?

—No —contestó Colin mientras Storm expresaba con vehemencia su preocupación por la buena salud de Katerine Mac-Broth—. Creo que Storm le sorprendió cuando intentaba acercarse a ella por primera vez. La chica llevaba sólo dos semanas en Caraidland. Tavis no ha estado con ninguna otra mujer desde que vio a Storm ese día. Estaría dispuesto a jurarlo.

—Si me hubieras escuchado en vez de arrojarme un cuchillo... —comenzó a decir Tavis, siguiéndola hasta la ventana.

—No quería escucharte. No quiero escucharte. Ya te he escuchado demasiadas veces. No son más que palabras vacías y promesas sin sentido. —Miró por la ventana y añadió en voz baja—: Cuando ansiaba que hablaras, guardaste silencio. La segunda vez estaba dispuesta a escuchar, incluso confiaba en tus vanas palabras, pero ya tenías la boca ocupada en otra cosa.

Tavis palideció ligeramente. Roden no le había hablado de aquello en su carta. Le parecía demasiado cruel decirle a Tavis que había perdido otra oportunidad. Tampoco le había dicho que lo peor no era que se hubiera acostado con otras, sino a quién había elegido para hacerlo, pero de todos modos Tavis había empezaba a sospecharlo por su cuenta. Le ponía enfermo saber que, por culpa de un solo beso que había tenido que esforzarse por disfrutar, había tenido que pasar otros cuatro meses de infierno y no había podido estar junto a Storm durante su embarazo y el nacimiento de sus hijos. Dudaba de que ningún otro hombre hubiera tenido que pagar un precio tan alto por algo tan nimio. Aquella convicción no contribuía precisamente a mantener el tenue dominio que ejercía sobre sus emociones.

Fuera lo que fuese lo que iba a contestar, quedó ahogado por el llanto de su hijo. Al bebé le importaba poco que se estuvieran discutiendo asuntos importantes. Tenía hambre. Al oírle llorar, su hermana contrajo la carita como si de pronto recordara que hacía tiempo que no comían.

Suspirando, Storm fue a recoger a Taran de brazos de su tío Sholto, que parecía sobresaltado por el llanto del niño.

Elaine cogió a Aingeal y salió del salón detrás de Storm, preguntándose qué iba a pasar. Storm se alegró de que aquella interrupción le permitiera escapar de Tavis.

—¿Vas a quedarte ahí parado como un montón de estiércol?

Tavis miró con enfado a su suegro y replicó:

—Tiene que dar de mamar a los niños.

—Estoy seguro de que no va a enseñarte nada que no hayas visto ya —contestó Roden con sorna—. A no ser que seas un completo imbécil, cosa que empiezo a sospechar, te darás cuenta de que tal vez se le ocurra que sus habitaciones, bien cerradas, son un lugar perfecto donde esconderse si no quiere escucharte.

Por un momento, Tavis no supo si defenderse del insulto que Roden le había lanzado con tanta suavidad o si seguir su consejo.

—Ya veo a quién sale —gruñó, y salió del salón.

—¿Qué posibilidades creéis que tiene? —preguntó Sholto cuando Tavis se marchó.

—Storm no puede esquivarle mientras da de mamar a los niños, y además intentará no perder los nervios teniendo a los bebés en brazos. Eso le da una ventaja importante. —Eldon sonrió—. Claro que, en cuanto deje de tener a los niños en brazos, Tavis podrá abalanzarse sobre ella. En cuestión de esposas, si todo lo demás falla, lo mejor es seducirlas. —Levantó su jarra junto con los demás hombres, que no paraban de reír—. Pasará un buen rato antes de que volvamos a verlos.

Cuando Tavis vio a Storm con Taran al pecho, no deseó precisamente seducirla. Cerró la puerta al salir Elaine e intentó no abalanzarse sobre su mujer. Por un momento sintió unos celos feroces de su hijo, cuyas manitas tocaban aquellos pechos grandes y marfileños, cuya boca se movía ávidamente sobre el pezón y cuyo rollizo cuerpo sostenían amorosamente los brazos esbeltos de su madre, todo lo cual ansiaba él. Diciéndose que aquello era absurdo, se obligó a mirarla a los ojos y a pensar en otras cosas.

Pero el fuego seguía ardiendo en sus ojos y Storm, que lo reconoció, sintió que su cuerpo se incendiaba, lo cual no le agradó en absoluto.

—¿No sabes cuándo una batalla está perdida, MacLagan?

—¿Está perdida? Prefiero creer que no. Escúchame primero, pequeña. No pierdes nada.

Ella miró la cabeza de su hijo y no volvió a levantar los ojos. No quería escucharle, pero sabía que estaba atrapada. Tavis vaciló un instante, sin saber cómo empezar. Luego respiró hondo y sencillamente se lanzó a hablar.

—Cuando te marchaste, después de la batalla, supe enseguida que había cometido un gran error. Pero ten en cuenta, Storm, que tu padre acababa de ayudarnos a salvar nuestro castillo, fueran cuales fuesen sus motivos. ¿Iba a contarle todo lo que había pasado entre nosotros cuando la sed de sangre de la batalla corría aún por las venas de todos? La sangre de nuestras familias habría manchado enseguida el suelo.

—¿Pretendes hacerme creer que actuaste por motivos nobles? —preguntó ella con suave sarcasmo.

—No, pero en parte fue eso lo que me impulsó a guardar silencio. Seré sincero contigo, Storm. Te quería en mi cama, no quería que te marcharas, pero creía que sólo era eso. Y no podía decírselo a Eldon. No se le puede pedir a un hombre que te deje usar como amante a su hija, a su única hija y su primogénita. No supe lo que de verdad quería hasta que te fuiste, e incluso entonces tardé un tiempo en comprenderlo.

—Y sin embargo no me enviaste ni una palabra. —Puso a Taran medio dormido en la cuna y comenzó a amamantar a Aingeal.

—Según lo veía yo, lo que yo deseara no cambiaba las cosas. Tú seguías siendo una Eldon, una inglesa. Aunque supiera que habíamos sido amantes, tu padre no aceptaría de buen grado que te cortejara. Un señor de las Marcas de Inglaterra no casa a su única hija con un escocés, con un enemigo de la frontera, aunque sea de igual rango. No puedes reprocharme que llegara a esa conclusión.

Ella miraba fijamente a Aingeal mientras sopesaba sus palabras. Parecía todo muy lógico. Tavis no dijo nada. Quería dejarla pensar un rato porque conocía la fuerza de su argumento. Explicarle lo que había hecho después le resultaría mucho más difícil.

—Pero no me lloraste mucho tiempo, ¿verdad, Tavis? —Sí, muchacha. Desde que te fuiste con tu familia hasta que apareciste para decirme que pronto sería padre, estuve enfadado y borracho como una cuba casi todo el tiempo. Te maldecía por haberte marchado y luego me maldecía a mí mismo por dejarte marchar. A veces pensaba que debías ser tú quien acudiera a mí, y otras me daban ganas de sitiar Hagaleah para recuperarte. A veces te odiaba y un instante después te deseaba como un loco, a pesar de saber que todo había acabado entre nosotros.

Storm se levantó, puso a Aingeal en la cuna y, de espaldas a Tavis, se lavó con cuidado los pechos.

—Así que decidiste buscar consuelo en la mujer que estuvo a punto de causar mi muerte a manos de sir Hugh. Sí, y la de tus hijos también.

—No, Storm. —Se colocó ante ella cuando Storm se sentó en la cama para atarse el corpiño—. Kate llegó a Caraidland apenas dos semanas antes de que tú volvieras. Se mostró dulce y comprensiva.

—No me cabe la menor duda —replicó Storm—. Apuesto a que estaba más que dispuesta a aliviar tu alma atormentada.

—Sí, pero yo apenas me fijé en ella hasta ese día, maldita sea mi suerte. —Storm había dejado bruscamente de atarse el corpiño para mirarle, y Tavis intentó no fijarse en la exquisita turgencia de sus pechos—. Pasé muchas noches soñando con el recuerdo de algo muy dulce que creía perdido para siempre. Pero otras veces te odiaba y te maldecía por hacerme pasar por ese infierno. Dios mío, Storm, sufría por ti, me pasaba las noches en vela retorciéndome de deseo. Así pasé tres meses. Y los sueños no bastaban para aliviar mi dolor.

El tono de su voz, y el hecho de que estuviera describiendo un infierno que ella conocía íntimamente, mantenían hechizada a Storm. Pero aun así una fría lengua de miedo se agitaba en sus entrañas: miedo a que él le confesara que se había servido de la muy complaciente Kate. Podía comprenderle, pero ello no haría más llevadero el golpe.

Tavis vio reflejado el temor en sus grandes ojos y alargó la mano para tocar su cara. Sintió un arrebato de esperanza cuando, en lugar de apartarse, Storm se quedó muy quieta, con los ojos ambarinos fijos en los suyos. Sincerarse con ella estaba resultando mucho más sencillo de lo que imaginaba. Y era tanto más fácil cuanto más cerca parecía estar la ansiada recompensa.

—No negaré que pensaba acostarme con ella. —Sintió que ella daba un respingo—. Sí, intentaba convencerme de que podía aliviar esas noches insoportables, agotarme con Kate y dormir al fin sin que torturaras mis sueños. Iba a ser una lucha, pequeña. Lo sabía antes de besarla. Tuve que esforzarme por prender una chispa minúscula, pero no quería acabar mis días como un monje, como un imbécil atado a un sueño. ¡Ah, Storm! Te juro que no he tocado a una mujer desde entonces. Te lo juro sobre mi honor.

Ella le creyó. Lentamente, con dedos tan temblorosos como

los que acariciaban su cara, comenzó a desatarse el vestido. Tavis no dijo nada cuando se levantó y se despojó de la ropa prenda a prenda.

—Pareces hambriento, Tavis MacLagan —dijo ella suavemente al comenzar a desabrocharle el jubón.

—Estoy casi muerto de hambre —contestó con voz ronca mientras empezaba a deslizar las manos sobre su esbelta figura y se quitaba los zapatos con los pies—. Esta visión es lo único que me mantiene cuerdo.

Los labios de Storm se movieron sobre su pecho. Tavis dejó escapar un gemido de placer. Ella le desató las calzas, las dejó caer y oyó que él las apartaba de un puntapié. Sentándose en la cama, siguió besando su vientre tenso al tiempo que le desabrochaba los calzones. Cuando cayeron al suelo y Tavis los apartó, no hizo ningún intento por ocultar su admiración. La realidad era mucho mejor que un sueño.

—¿Esta visión, Tavis? —murmuró, y deslizó la lengua por su ombligo mientras movía las manos suavemente por su musculoso trasero—. ¿O ésta? —susurró al llevar sus besos más abajo.

Tavis dejó escapar un grito estrangulado cuando su talentosa lengua rindió homenaje a su pasión. Cuando sintió que ella se metía su miembro en la boca húmeda y caliente, casi cayó de rodillas. Hundiendo las manos en su pelo, la apartó y se inclinó para besarla suavemente. Luego se agachó delante de ella. Ansiaba poseerla, pero necesitaba algo más.

Storm se estremeció cuando lamió ansiosamente sus pechos, chupando sus pezones endurecidos con avidez mal disimulada. Sus manos le tocaban en todas partes, allí donde alcanzaban. Cuando él le besó la tripa y más abajo, se tensó, poco acostumbrada todavía a aquella intimidad, pero él resistió sus intentos de apartarle.

—No —dijo mientras restregaba la nariz contra su pubis sedoso y cobrizo—. Necesito probar de nuevo tu sabor.

Acarició los esbeltos muslos de Storm y, arrodillándose junto a la cama, le separó los muslos. Storm se sonrojó bajo su mirada. Mientras él la acariciaba con las manos, se sintió bella y osada hasta el delirio, al tiempo que una oleada de vergüenza se apoderaba de ella. Cuando sus labios la tocaron, dejó escapar un grito y cayó de espaldas sobre la cama, cerrando los ojos, presa de un placer que la inundaba en oleadas y le hacía pronunciar su nombre entre gemidos de deseo.

Tavis la sujetaba con fuerza mientras ella se retorcía y se convulsionaba. Era insaciable. Storm sintió que la culminación de su pasión se abatía sobre ella e intentó apartarse, pero él la retuvo.

—Tavis —gimió mientras luchaba por controlar su pasión desbocada—. Yo... Dios mío, ya llega. Tienes que parar.

—No, dámelo todo. Tengo tanta sed... Déjate ir. ¡Ah, sí! Es el más dulce de los néctares.

Bebió largamente de su amor mientras ella gritaba su nombre y se entregaba al éxtasis. Luego se levantó de un salto. Cogiéndola por las caderas, penetró su cuerpo lánguido, despertándolo de nuevo. Apoyó las manos en la cama, a ambos lados de ella, y agachó la cabeza hacia sus pechos. Los lamió al ritmo de sus acometidas. Aquel asalto doble volvió a llevar a Storm a las alturas. Al sentir el temblor apasionado de sus entrañas, se hundió en ella profundamente, buscando el placer que durante tanto tiempo le había estado vedado.

Cuando por fin se tumbaron el uno en brazos del otro bajo las mantas, Tavis dijo:

—He conocido a muchas mujeres. No, no te pongas tensa, muchacha. Escúchame. Nunca ha sido tan placentero. No las amaba a ellas, sólo deseaba satisfacerme. Una vez conseguido, jamás deseaba quedarme entre sus brazos. Ya no podían darme nada.

—¿Ni siquiera Katerine? —preguntó ella suavemente mientras deslizaba tiernamente la mano sobre su duro pecho, tocando el amuleto que él llevaba con orgullo.

—Ni siquiera Katerine. En el fondo sabía que tú eras mucho más, aunque al mismo tiempo intentara negarlo. La primera vez que te vi, forcejeando con sir Hugh, te deseé a ti. No sólo a una mujer bonita, sino a ti, a Storm Eldon MacLagan. Tardé algún tiempo en entender la diferencia. No deseaba sólo a una mujer; te deseaba a ti.

—Aquel día, cuando guardaste silencio, recibí una herida casi mortal —musitó ella.

—Lo sé. También lo fue para mí. Me di cuenta demasiado tarde. —Su voz se enronqueció cuando los dedos de Storm se deslizaron perezosamente por la flecha de vello que se extendía desde su pecho a la sede de su pasión—. Seguía sintiendo pasión, pero sólo tu recuerdo la avivaba.

—Lo mismo me ocurría a mí. No dejé que ningún hombre me tocara, Tavis, aunque algunos se ofrecieron. —Sintió su suspiro de alivio—. Cuando pensé que habías vuelto a los brazos de Katerine MacBroth, mentí para que sufrieras como sufría yo.

—Esperaba que así fuera, pero sabía que no merecía que me fueras fiel. No te había pedido fidelidad, ni te la había ofrecido.

—Es tuya, pese a todo. No puedo evitar quererte, aunque lo he intentado. —Sintió que él la abrazaba con más fuerza.

—¿*Am pos thu mi*? —preguntó él con voz densa, sintiéndose casi vencido por su amor por ella.

—¿Qué significa eso, Tavis?

—¿Quieres ser mi esposa? —Ya lo soy.

—No, sólo llevas mi nombre. ¿Aceptas también mi corazón?

—¡Oh, Tavis! Es un regalo precioso y lo cuidaré como se merece —musitó ella con voz aterciopelada, y procedió a demostrárselo con todas sus fuerzas a lo largo de la noche. Tavis, por su parte, se esforzó por corresponderle en la misma medida.

A ninguno de los ocupantes del salón le extrañó no volver a ver ni rastro de ellos cuando el día se convirtió en noche y la noche en día.

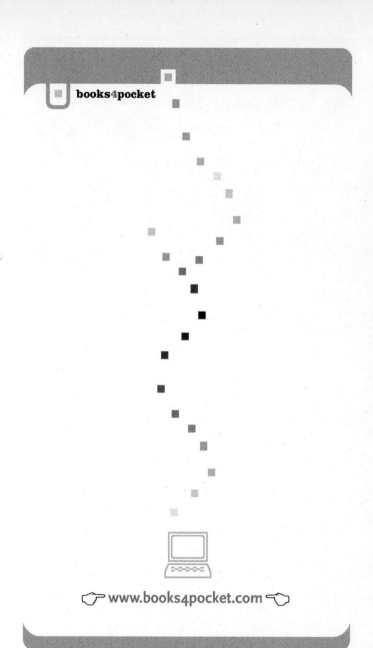

books4pocket

www.books4pocket.com